Y0-AGU-672

WOLFGANG ISCHINGER
WELT IN GEFAHR

WOLFGANG ISCHINGER
MIT CLAUDIA CORNELSEN

WELT IN GEFAHR

Deutschland und Europa
in unsicheren Zeiten

Econ

Inhaltsverzeichnis

Vorwort

Während ich im Juli 2018 an der Endredaktion dieses Buches sitze, geschehen in der Welt Dinge, die man noch vor Kurzem kaum für möglich gehalten hätte: Der Präsident der Vereinigten Staaten, einst unbestritten der Führer der »freien Welt«, brüskiert seine engsten Verbündeten erst mit der Aufkündigung des Iran-Abkommens, das von Amerikanern, Europäern, Russen und Chinesen in jahrelangen mühevollen diplomatischen Verhandlungen erarbeitet wurde, nur um dann kurze Zeit später den nordkoreanischen Diktator mit einem Gipfel zu ehren und weitreichende Zugeständnisse zu machen. Und während er sich mit Kim Jong-un ganz prächtig zu verstehen scheint, ist Donald Trump seit Neuestem auf dem Handelskriegsfuß mit Amerikas engsten Partnern und Verbündeten. Noch auf der Rückreise aus La Malbaie kündigte Trump per Twitter aus dem Flugzeug an, er werde die auf dem G7-Gipfel erarbeitete Abschlusserklärung nun doch nicht billigen. In Washington wird derweil über weitere Strafzölle nachgedacht. Sie könnten dann zum Beispiel auch deutsche Automobilhersteller treffen, die in die USA exportieren. Wird unser Land für Trump zur Zielscheibe? Was bedeutet das für die Zukunft der transatlantischen Partnerschaft und für die Zukunft des Westens?

In Europa gibt es neue Sorgen um die Stabilität des Euro-Raumes, nachdem in Italien eine Regierung zustande gekommen ist, für die sich die rechte Lega mit der linkspopulistischen Fünf-Sterne-Bewegung zusammengetan hat. Sie macht die Bundesregierung für die wirtschaftliche Misere des Landes mitverantwortlich und will die Sanktionen gegen Russland abbauen, für die die Europäische Union in den letzten Jahren beharrlich eingetreten ist. In vielen Ländern Europas haben Parteien Erfolge erzielt, die der europäischen Integration sehr skeptisch gegenüberstehen. Im In- und Ausland melden sich jene lautstark zu Wort, die mehr Nationalstaat und weniger Europa haben möchten. In manchen Mitgliedstaaten werden grundlegende europäische Werte und Prinzipien infrage gestellt. Wie soll Europa so langfristig funktionieren und »weltpolitikfähig« werden?

In Moskau hat Wladimir Putin seine neue Amtszeit als russischer Präsident angetreten. Ob es unter seiner Führung zu einer Entspannung mit dem Westen kommen kann, scheint mehr als fraglich. Erst jüngst stellte er neue strategische Nuklearwaffen vor, die das russische Militär in den Dienst zu nehmen gedenkt. Gleichzeitig kommen wir bei der Frage der Rüstungskontrolle kaum weiter, ein Rüstungswettlauf ist in vollem Gange. Seit der russischen Intervention in Georgien, der Annexion der Krim und der andauernden russischen Einmischung in der Ostukraine machen sich unsere Verbündeten in Mittel- und Osteuropa große Sorgen. Einige Hundert Soldaten der Bundeswehr sind seit letztem Jahr in Litauen stationiert, um unsere Solidarität zu verdeutlichen. Einigen aber reicht das nicht. So hat das polnische Verteidigungsministerium verkündet, man wolle am liebsten eine ganze amerikanische Division auf dem eigenen Territorium. Was bedeuten solche Entwicklungen für die europäische Sicherheit? Wie können wir Sicherheit gewährleisten, ohne in eine neue Spirale der Aufrüstung einzutreten, die Unsicherheit für alle bringen würde?

Dass sich viele Menschen Sorgen um den Zustand der Welt machen, ist angesichts dieser Entwicklungen nur verständlich.

Ich merke das landauf, landab, wenn ich Vorträge halte oder mit Bürgerinnen und Bürgern spreche, die wegen der Nachrichtenlage zutiefst verunsichert sind. Sie suchen nach Antworten.

In der Tat stehen wir heute wieder vor ganz grundlegenden außenpolitischen Fragen: Wie gehen wir mit einem Land wie Russland um, das die Basis der europäischen Sicherheitsarchitektur verletzt und liberale Demokratien zu schwächen versucht? Was heißt es für unsere Sicherheit und unseren Wohlstand, wenn die USA unter Donald Trump viele der Kernprinzipien US-amerikanischer Außenpolitik seit 1945 offen infrage stellen? Und welche Konsequenzen ziehen wir daraus? Wie steht es in Zeiten des Brexit und populistischer Bewegungen in Europa um die Zukunft der Europäischen Union? Was soll es eigentlich konkret heißen, dass Deutschland mehr Verantwortung übernehmen muss und will?

Bisweilen mag man hierzulande den Eindruck bekommen, dass die Debatte über diese grundlegenden außenpolitischen Fragen unserer Zeit eher vermieden als gesucht wird: Sie ist oft unbequem und anstrengend.

Ich glaube nicht, dass wir uns eine solche Haltung angesichts der sich verschlechternden globalen Sicherheitslage noch länger leisten können. Denn auf unser Land werden in den nächsten Jahren noch größere außenpolitische Herausforderungen zukommen, auf die wir bislang nur unzureichend vorbereitet sind. Zudem gibt es auf alle diese Fragen keine einfachen Antworten. Umso wichtiger, dass wir miteinander über diese Herausforderungen und die Frage, wie wir gemeinsam mit ihnen umgehen, sprechen und debattieren.

Übrigens hat das auch die Bundesregierung erkannt, die im Koalitionsvertrag von 2018 feststellt, dass Deutschland »[a]ngesichts der internationalen Herausforderungen [...] seine Kapazitäten zur strategischen Analyse stärken und seine strategische Kommunikation intensivieren [muss]«. Der Koalitionsvertrag betont deshalb die Notwendigkeit, stärker »in den Ausbau des außen-, sicherheits- und entwicklungspolitischen Sachverstands« in Deutschland zu investieren, und erwähnt hier ausdrücklich die Rolle von Organisationen wie der Münchner Sicherheitskonferenz.

Die Münchner Sicherheitskonferenz, deren Vorsitzender ich seit 2008 bin, hat sich in den vergangenen Jahren auch intensiv darum bemüht, sich der Allgemeinheit immer stärker zu öffnen. Wie zu Zeiten ihrer Gründung in den 1960er-Jahren geht es auch heute noch jedes Jahr darum, die wichtigsten Entscheidungsträger und Vordenker zusammenzubringen, um über die sicherheitspolitischen Herausforderungen der Gegenwart zu diskutieren, oft gar zu streiten. Dass dies immer wichtiger wird, zeigt auch das in den letzten Jahren enorm gestiegene Interesse an unserer Hauptveranstaltung in München. Die Herausforderungen gehen aber keineswegs nur die politische Elite etwas an. Anders als zu Gründungszeiten werden die Münchner Debatten deshalb heute im Fernsehen übertragen und können per Livestream auf der ganzen Welt verfolgt werden.

Dieses Buch soll ein weiterer Beitrag zu dieser unverzichtbaren öffentlichen Debatte sein, die in unseren turbulenten Zeiten notwendiger ist denn je. Das Buch richtet sich ausdrücklich nicht an die Fachleute unter uns. Es ist vielmehr ein Buch für alle, die etwas besser verstehen wollen, was in der Welt gerade schiefläuft, was das für uns bedeutet und was wir dagegen tun können und müssen. Wenn es zusätzlich den einen oder anderen Einblick in die Welt der Diplomatie geben und Verständnis für die Komplexität heutiger Außenpolitik fördern kann, dann hat es seinen Zweck erfüllt.

Die konkrete Idee zu diesem Buch entstand 2017. Jürgen Diessl und Maria Barankow vom Econ Verlag kamen mit einer Buchidee auf mich zu, die ich erst mal rundweg ablehnte, weil ich der Meinung war, erstens könne ich das nicht und zweitens würde mir die Zeit dafür fehlen.

Sie ließen aber nicht locker, vor allem mit dem Argument, ich beklage doch seit Längerem die mangelhafte außenpolitische Debatte in Deutschland. Warum ich denn nicht mal selbst einen Buchbeitrag zur strategischen Kultur leisten wolle? Das überzeugte mich schließlich doch. Hier ist es nun – mehr als ein Jahr später –, und alle Unklarheiten oder Oberflächlichkeiten sind ausschließlich meine Verantwortung. Ich habe darauf verzichten müssen, alle aktuellen sicherheitspolitischen Fragen gleichermaßen intensiv abzuhandeln. Einige wichtige Themen wie Cyber-Sicherheit oder die rasch wachsende internationale Rolle Chinas konnten nur gestreift werden, um genügend Raum zu lassen für die Abhandlung der grundlegenderen Fragen von Krieg und Frieden, von internationaler Verantwortung und globaler Ordnungspolitik, ebenso wie für die Diskussion unserer Beziehungen zu Russland und den USA, über die in Deutschland gegenwärtig so intensiv debattiert wird.

Dieser Band wäre ohne den mahnenden Druck von Jürgen Diessl und Maria Barankow, die auch das Lektorat übernahm, nie fertig geworden.

Besonders großen Dank schulde ich Claudia Cornelsen, die mir stundenlang geduldig zuhörte, unendlich viele Fragen stellte, bei zahlreichen Vortragsveranstaltungen dabei war und mir enorm viel Schreibarbeit abnahm.

Für viele Ideen und Anregungen möchte ich meinen Weggefährten aus dem Auswärtigen Amt danken, dem ich fast 40 Jahre lang angehörte. Ebenfalls danken möchte ich meinen Wegbegleitern aus vielen Teilen der diplomatischen Welt und aus der weitverzweigten internationalen Think Tank Community, genauso wie Kollegen und Freunden aus der Hertie School of Governance, wo ich unterrichte.

Ohne die fortlaufende und kritische Unterstützung und Begleitung seitens des Teams der Münchner Sicherheitskonferenz (MSC) hätte das Projekt nicht neben all den Konferenzen, Vortragsveranstaltungen und Schriften gelingen können. Dr. Benedikt Franke, dem Chief Operating Officer der MSC, danke ich stellvertretend für alle MSC-Mitarbeiter in München und Berlin.

In ganz besonderer Weise danke ich aber dem Berliner »Policy Team« der MSC für intensiven und kritischen Rat, insbesondere Dr. Tobias Bunde (Leiter des Politik- und Analysestabs), Adrian Oroz (inzwischen in den Auswärtigen Dienst gewechselt), Lisa Marie Ullrich (meiner Büroleiterin) sowie Dr. Sophie Eisentraut und Jamel Flitti.

Schließlich lag eine hohe Arbeitslast bei meinem Sekretariat, insbesondere bei Pia Zimmermann und Amadée Mantz, die auch ohne das Buchprojekt alle Hände voll zu tun hatten.

Und ohne Jutta Falke-Ischinger, die das Projekt mit einer Mischung aus ehelicher Langmut und journalistisch-professionellem Rat begleitete, wäre ohnehin alles nichts.

Berlin, im Juli 2018
Wolfgang Ischinger

I

Welt aus den Fugen

Während meiner Zeit als Botschafter in den USA wurden meine Frau und ich im Januar 2005 zu einem prachtvollen Ball nach Palm Beach in Florida eingeladen. Die Kleiderordnung sah vor: Frack, Orden, langes Kleid. Der Ort des Benefiz-Rot-Kreuz-Balls war Mar-a-Lago, der Gastgeber hieß Donald Trump. Als römische Gladiatoren verkleidete junge Männer trugen Fackeln, während die Gäste, darunter einige Botschafterkollegen und ich mit unseren Frauen, sich über einen langen roten Teppich dem Gastgeber und seiner damals frisch angetrauten Ehefrau Melania näherten. Ein echtes Hollywood-Erlebnis! Später an diesem Abend habe ich mit Donald Trump über die pfälzische Heimat seines Großvaters geplaudert – nicht ahnend, dass dieser Mann zehn Jahre später eine politische Karriere anstreben würde und dann, zur Überraschung fast aller, im November 2016 zum 45. Präsidenten der Vereinigten Staaten von Amerika gewählt werden würde.

Seit den Anfängen meiner diplomatischen Karriere Anfang der 70er-Jahre habe ich eine große Zahl von internationalen politischen Führungspersönlichkeiten persönlich kennenlernen und erleben können. Ende der 70er-Jahre fing das an mit Jimmy Carter, gefolgt von Ronald Reagan. In den 80er-Jahren erlebte ich den gefürchteten sowjetischen Außenminister Gromyko, genauso wie den schrecklichen rumänischen Diktator Ceaușescu, und dann auch Michail Gorbatschow, George

H. W. Bush, Maggie Thatcher, François Mitterrand und Jacques Chirac. In den 90er-Jahren musste ich mit dem später in Den Haag verurteilten serbischen Präsidenten Milošević verhandeln. Dabei lernte ich unter anderem auch den späteren russischen Außenminister Igor Iwanow kennen, mit dem ich bis heute befreundet bin. Im Gefolge des damaligen Bundeskanzlers Schröder begegnete ich dann Wladimir Putin und versuchte als Botschafter in Washington bei George W. Bush für bessere Stimmung gegenüber Deutschland zu sorgen, die im Zuge des Irakkrieges sehr gelitten hatte. Und in den letzten zehn Jahren habe ich als Vorsitzender der Münchner Sicherheitskonferenz eine große Zahl weiterer Staatsführer, Minister und internationaler Entscheidungsträger kennengelernt, von den UN-Generalsekretären über die Präsidenten der EU-Kommission, vom ukrainischen Präsidenten Poroschenko bis zum iranischen Außenminister Zarif und seinem saudischen Gegenspieler Adel al-Dschubeir.

Einige dieser Führungspersönlichkeiten haben entscheidende weltpolitische oder historische Weichenstellungen verantwortet. Man denke etwa an Ronald Reagan und seinen Nachfolger George H. W. Bush, man denke an Kohl und Gorbatschow: friedliche Wiedervereinigung, Auflösung der Sowjetunion!

Aber keiner unter diesen vielen Entscheidungsträgern hat die Welt so durcheinandergewirbelt und verunsichert wie Präsident Trump seit seinem Amtsantritt im Januar 2017. Die gesamte etablierte liberale Weltordnung scheint ins Rutschen geraten zu sein – nichts ist mehr so, wie es einmal war.

Dass die Welt gefährlicher geworden ist, war ja vielen unter uns schon seit 9/11, dem Irakkrieg und den blutigen Kriegen in Syrien und dann auch im Jemen klar. Als Putin 2014 die Krim annektierte und den blutigen Konflikt in der Ostukraine anzettelte, sahen viele in ihm den großen Verunsicherer. Niemand konnte ahnen, dass ausgerechnet der neue amerikanische Präsident derjenige sein würde, der alles Etablierte infrage stellen würde – den Freihandel genauso wie den westlichen Wertekanon oder die gegenseitige Sicherheitsgarantie, wie sie in Artikel 5 des NATO-Vertrags verankert ist. Aber wie gefährlich ist die Lage wirklich? »Die globale Sicherheitslage ist heute gefährlicher als jemals zuvor seit dem Zerfall der Sowjetunion.« Diese Warnung habe ich in vielen Vorträgen immer wieder bekräftigt.

Bundespräsident Frank-Walter Steinmeier drückte es ähnlich aus, als er noch Außenminister war: »Die Welt ist aus den Fugen geraten.« Wir erleben offenbar einen Epochenbruch, eine Ära geht zu Ende, und die Umrisse eines neuen weltpolitischen Zeitalters sind bisher erst in Ansätzen erkennbar. Aber klar ist: Ganz gleich, wohin das Auge schaut, auf der Welt gibt es unzählige Konflikte, vielfach Krisen, die wir Europäer bis nach Hause spüren können. So sind etwa 70 Millionen Menschen weltweit auf der Flucht, ein trauriger Rekord. Und laut SIPRI, dem Schwedischen Friedensforschungsinstitut, dessen Kuratorium ich lange angehörte, sind 2017 die weltweiten Rüstungsausgaben weiter gestiegen – ein Fieberthermometer für die steigenden Spannungen und blutigen Konflikte.

In Syrien, dessen Küste nur 125 Kilometer vom EU-Mitglied Zypern entfernt ist, sind in den letzten Jahren Hunderttausende Menschen getötet worden. Millionen mussten ihre Häuser verlassen. Inzwischen haben die Vereinten Nationen aufgehört, die Toten zu zählen, weil die Informationen aufgrund mangelnden Zugangs nicht länger verifizierbar sind. Im April 2016 schätzte Staffan de Mistura, UN-Sondergesandter für Syrien, die Anzahl der bisherigen Toten auf 400 000. Mittlerweile gehen andere Schätzungen von etwa einer halben Million Todesopfern aus. Das entspricht der Bevölkerung von Dresden oder Nürnberg.

Mehr als sechs Millionen wurden seit Beginn des Konfliktes innerhalb von Syrien, das etwa so groß ist wie Deutschland, vertrieben. 5,6 Millionen Menschen sind seither ganz aus Syrien geflohen. Zusammen machen diese beiden Gruppen mehr als die Hälfte der syrischen Bevölkerung aus. Und immer noch erreichen uns Nachrichten über Gräueltaten wie den Einsatz von Fassbomben in Wohngebieten oder von chemischen Waffen. Syrien, einst Reiseziel für Kulturinteressierte aus aller Welt, ist zu einem Land im dauerhaften Ausnahmezustand geworden; Städtenamen wie Aleppo, Afrin oder Ost-Ghouta sind mittlerweile Inbegriff von Grauen, Leid und Tod.

Syrien ist nur das schrecklichste Beispiel für die vielen internationalisierten Bürgerkriege, also Kriege, in denen ein Konflikt als Auseinandersetzung zwischen lokalen Akteuren beginnt, nach und nach aber immer mehr externe Mächte involviert. Auch im Jemen tobt so ein schrecklicher Krieg, bei dem regionale Mächte kräftig mitmischen – Iran auf der einen, Saudi-Arabien auf der anderen Seite.

Auf unserem Nachbarkontinent in Afrika befinden sich gleich mehrere Staaten in einem Dauerzustand der Gewalt: Man denke an Mali, man denke an den Sudan, den Kongo oder an Somalia. Ein anderer Brennpunkt findet sich gar direkt vor der Tür der Europäischen Union, von Berlin nicht weiter entfernt als Paris: In der Ukraine, dem Nachbarland von Polen, Ungarn, Rumänien und der Slowakei, tobt ein militärischer Konflikt. Seit 2014 sind dort bereits über 2500 Zivilisten getötet worden. Auch nach vier Jahren internationaler Verhandlungen über eine Befriedung der Lage wird dort immer noch regelmäßig geschossen.

Das sind wohlgemerkt nur die Kriege und Konflikte, die besondere internationale Aufmerksamkeit erhaschen. Unter dieser sichtbaren Spitze des Gewalt-Eisbergs findet sich ein weniger beachtetes, jedoch ausgesprochen dickes Packeis aus zahlreichen gewalttätigen Konflikten, verteilt über die ganze Welt. Zu ihnen gehören: der Bürgerkrieg im Südsudan, Attentate auf dem Sinai in Ägypten, der Staatszerfall in Libyen, der Drogenkrieg auf den Philippinen, der Konflikt mit den Taliban in Nordwestpakistan und der Krieg gegen Islamisten in Mali. Die Liste ließe sich beliebig verlängern. Zu den aktuelleren Krisen kommen die »ewigen« Dauerbrennpunkte, etwa die seit 1984 fast durchgängig militärisch geführten Auseinandersetzungen zwischen der Türkei und der PKK, der seit dreißig Jahren wütende somalische Bürgerkrieg, der seit 1950 gärende Streit zwischen Tibet und China, der genauso alte Konflikt zwischen China und Taiwan und die territorialen Konflikte im Südchinesischen Meer. Ebenso wenig gelöst ist die Situation der abtrünnigen (und besetzten) Regionen Bergkarabach, Transnistrien, Südossetien und Abchasien, der Konflikt Russlands mit Tschetschenien, die interethnischen Spannungen auf dem Westbalkan einschließlich des nach wie vor umstrittenen Status des Kosovo, die Streitigkeiten um das Atomprogramm des Iran, die krisengeprägte Beziehung zwischen Nord- und Südkorea, die seit 65 Jahren lediglich auf einem Waffenstillstand, aber keinem Friedensvertrag beruht, und nicht zuletzt der Israelisch-Palästinensische Konflikt.

Und schließlich gibt es noch die Länder, die sich nach traumatisierenden und nur mühsam befriedeten Bürgerkriegen nun am Wiederaufbau eines stabilen Staates abrackern und in denen jederzeit mit einem erneuten Aufflackern alter Konflikte zu rechnen ist: Ruanda, die Elfenbeinküste, Tschad, Kongo oder Sri Lanka seien hier als Beispiele genannt.

Voller Besorgnis müssen wir aber auch in Länder blicken, in denen zwar nicht geschossen wird, die aber keineswegs als stabil gelten können. Die Türkei stand beim Putschversuch im Sommer 2016 an der Schwelle zum Bürgerkrieg, findet sich seither in einem zunehmend autoritär anmutenden Ausnahmezustand und hat sich mit dem Einmarsch in Afrin tief in die Wirren des Syrienkriegs hineinbegeben. Aber auch in der EU selbst ist politische Stabilität keineswegs garantiert: In Spanien hat zuletzt die Katalonien-Krise große politische Sprengkraft entwickelt.

Neben Krisen, militärische Konflikte und politische Instabilität reihen sich weltweite Terroranschläge. Zu ihren bekanntesten Urhebern gehören der Islamische Staat, Boko Haram, al-Qaida und die Taliban. Die allermeisten dieser Attentate der vergangenen Jahre wurden im Irak, in Afghanistan, Pakistan, Nigeria und Syrien verübt. Deutschland war bislang glücklicherweise kein Hauptziel des Terrors. Trotzdem reicht auch hier die Spanne terroristischer Attentate von heimtückischen Morden und Raubüberfällen des rechtsradikalen NSU bis hin zu schweren islamistischen Attacken mit Lastwagen oder Messern. Die Angst hierzulande mag größer sein als die reale Gefahr; aber der zunehmend sorgenvolle Blick der Deutschen auf die chaotische Weltlage ist durchaus berechtigt.

Um die besorgniserregende Liste noch über klassische Sicherheitsthemen hinaus zu erweitern, seien beispielhaft Fukushima, der Zika-Virus und die Vogelgrippe, Klimawandel, Brexit, WikiLeaks und die Snowden-Affäre genannt. Das dürfte reichen, um auch dem letzten Spaßvogel den Tag zu verderben.

Nur dreißig Minuten bis zum großen Krieg

Die ungewöhnlich große Fülle an gefährlichen und blutigen Krisen und Konflikten wird »gekrönt« durch eine fortdauernde nukleare Bedrohung, die zu einer solchen Normalität geworden ist, dass sie kaum noch im Zentrum der politischen Aufmerksamkeit steht.

In Deutschland, dem Land, in dem in den 1980er-Jahren noch hunderttausend Menschen durch den Bonner Hofgarten marschierten, um gegen neue nukleare Mittelstreckenraketen zu protestieren und für den Frieden zu demonstrieren, ist eines kaum mehr präsent in den Köpfen: dass die Gefahr einer Großmachtkonfrontation und damit auch einer nuklearen Eskalation keineswegs gebannt ist. Umso erfreulicher ist es, dass der Friedensnobelpreis 2017 an die Gegner der nuklearen Bewaffnung ging – auch wenn das die Nuklearmächte kaum zur Abrüstung veranlassen wird.

Während wir hier in Deutschland aufgeregt darüber diskutieren, ob wir das Budget für die Bundeswehr überhaupt erhöhen sollten, ist in vielen Teilen der Welt bereits längst ein Rüstungswettlauf im Gange: Chinas zunehmend selbstbewusstes Auftreten schlägt sich immer deutlicher auch in seinem militärischen Geltungsanspruch nieder. Peking rüstet auf. Da stellt sich die Frage: Wird der weitere Aufstieg Chinas friedlich erfolgen, oder wird er irgendwann in einen gewaltsamen Konflikt münden?

Auch in Russland und den USA gibt es neue Aufrüstungsinitiativen, insbesondere im Bereich der Nuklearwaffen. So werden die alten Atombomben modernisiert, aber auch völlig neue Waffensysteme entwickelt. Gleichzeitig kam es zwischen russischen Militärmaschinen und der NATO in den letzten Jahren immer wieder zu Beinahe-Zusammenstößen, die in der derzeitigen angespannten Lage leicht außer Kontrolle geraten könnten. Wie stellen wir sicher, dass ein Missverständnis nicht direkt in eine Eskalationsspirale mündet?

Nordkorea und die USA haben sich im letzten Jahr gegenseitig mit dem Einsatz von Nuklearwaffen gedroht, und im Nahen Osten sind hochgerüstete rivalisierende Mächte – zum Beispiel Saudi-Arabien und Iran, aber auch Israel und Iran – immer näher an den Abgrund eines Konflikts gerückt. Was kann getan werden, um die Gefahr einer Eskalation zu verringern, die möglicherweise nicht mehr einzufangen wäre?

Wir haben zwar in den letzten Jahrzehnten eine massive

Reduzierung der Nuklearwaffen erlebt, zuletzt initiiert durch das »New Start«-Abkommen zwischen Putin und Obama. Aber die USA und Russland halten immer noch insgesamt etwa 13 000 Atomsprengköpfe vor, um gegebenenfalls auf einen feindlichen militärischen Angriff reagieren zu können.[1]

Viele halten einen Atomkrieg nur für ein Schreckgespenst der Vergangenheit oder eine dramatisch inszenierte Drohkulisse aus einem James-Bond-Film. Aber die atomare Bedrohung ist real, und etwa 1800 atomare Sprengköpfe stehen weltweit mit sehr sehr kurzer Zündschnur Tag und Nacht in Höchstbereitschaft.[2]

Dabei sollte man sich vor Augen führen, wie oft wir in den letzten Jahren militärisch relevante Vorfälle hatten. Ich bin Mitglied im European Leadership Network (ELN), das in einer Reihe von Publikationen vor solchen Gefahren gewarnt und dokumentiert hat, wie oft es zu Beinahe-Zusammenstößen oder unnötigen Provokationen zwischen russischen und westlichen Flugzeugen oder Schiffen kam. Laut ELN ereigneten sich allein zwischen März 2014 und März 2015 60 solcher Fast-Kollisionen. Darunter sind Fälle wie der eines Scandinavian-Airlines-Fliegers, der in der Nähe von Kopenhagen fast mit einem russischen Militärflugzeug zusammenstieß. Hier entging man nur ganz knapp einer Katastrophe. Die meisten Vorfälle, die das ELN als ernst bezeichnet, wurden von Russland provoziert, aber auch die NATO hat Verantwortung (und ein Interesse daran), alles dafür zu tun, dass das Konfrontationsrisiko minimiert wird.

Riskantes Handeln am Abgrund

Die Gefahr eines zwischenstaatlichen Krieges zwischen Groß- und Mittelmächten ist jedenfalls in letzter Zeit wieder klar gestiegen. Aufgrund solcher Sorge hatte ich mich entschieden, die Münchner Sicherheitskonferenz 2018 unter das Motto zu stellen: »To the Brink – and Back?« Auf Deutsch: »Bis zum Abgrund – und wieder zurück?« Denn was wir im vergangenen Jahr an vielen Orten der Welt beobachten konnten, war in der Tat nichts anderes als das, was Amerikaner »brinkmanship« nennen, also äußerst riskantes Handeln am Abgrund – dem Abgrund des Krieges.

Wir hatten gehofft, dass von der Sicherheitskonferenz ein Signal der Deeskalation und Entspannung ausgehen könnte und Initiativen präsentiert würden, wie wir gemeinsam wieder vom Abgrund zurücktreten könnten. Leider war dies nicht der Fall: Stattdessen gossen zu viele Redner weiter Öl ins Feuer. Ich bin 2018 noch besorgter, als ich es 2017 schon war.

Das soll keine Panikmache sein: Ein großer Krieg ist weiterhin eher unwahrscheinlich. Aber das Risiko ist eben leider doch deutlich größer als noch vor einigen Jahren. Die Lage ist heute so angespannt und gefährlich wie noch nie seit dem Ende des Kalten Kriegs. Es ist also höchste Zeit, dass die politisch Verantwortlichen in aller Welt diese Gefahr ernst nehmen und entsprechend handeln.

Globaler Trend: Mehr Ungleichheit, weniger Freiheit

Nicht nur Krieg und Gewalt spielen offenbar wieder eine größere Rolle. Auch ein neuer Systemwettbewerb scheint sich anzubahnen. Die liberale Demokratie und das Prinzip offener Märkte sind – anders als Anfang der 1990er-Jahre – heute nicht mehr die einzig vorstellbaren Modelle legitimer politischer und wirtschaftlicher Ordnung.

Im Jahresbericht von Freedom House, einer amerikanischen Nichtregierungsorganisation, die jährlich über den Stand der Freiheit in der Welt berichtet, heißt es trocken: »Die Demokratie sah sich 2017 ihrer schwerwiegendsten Krise seit

Jahrzehnten gegenüber, da ihre grundlegenden Elemente – eingenommen Garantien freier und fairer Wahlen, Minderheitenrechte, Pressefreiheit und Rechtsstaatlichkeit – überall auf der Welt angegriffen wurden.«

Laut den Indikatoren von Freedom House war 2017 das zwölfte Jahr in Folge, in dem es mehr Länder gab, deren Niveau an politischen Rechten und bürgerlichen Freiheiten zurückging, als solche, die einen positiven Trend zu verzeichnen hatten. Ähnliche Schlussfolgerungen trifft der jüngste »Transformationsindex« der Bertelsmann-Stiftung, der die Entwicklung von Demokratie und Marktwirtschaft in 129 Entwicklungs- und Transformationsländern erhebt. Kurz gefasst lautet der besorgniserregende Trend, den die Forscher ausmachen: mehr Ungleichheit, weniger Freiheit.

In China hat die Kommunistische Partei ein System des autoritären Staatskapitalismus entwickelt, der durchaus erfolgreich darin war, breiten Teilen der Bevölkerung den Weg aus der Armut zu moderatem Wohlstand zu öffnen. Das hat China für viele autoritär geführte Staaten zu einem attraktiven Vorbild gemacht. Und das, obwohl auch die Autoren des Transformationsindex betonen, dass Demokratien viel eher in der Lage sind, Korruption, soziale Ausgrenzung oder Barrieren zu fairem ökonomischen Wettbewerb zu bekämpfen. Autokratische Staaten haben hier eine viel schlechtere Bilanz, von menschenrechtlichen Erwägungen ganz zu schweigen.

Trotzdem: Vor allem aufgrund des wirtschaftlichen Erfolgs gibt sich die chinesische Führung überaus selbstbewusst und preist ihr System gar als ein Exportmodell für andere Staaten zur Nachahmung an. Und all dies, während Präsident Xi Jinping die Verfassung ändern lässt, um selbst länger im Amt zu bleiben.

Russland hat den Weg hin zu einem liberalen und demokratischen Rechtsstaat längst verlassen. Eine echte Opposition, freie Medien oder eine lebendige Zivilgesellschaft werden gar nicht erst zugelassen. Und dennoch scheint die Idee einer starken Führung nicht nur bei den Russen, sondern auch anderswo in der Welt immer stärker zu verfangen.

Selbst in der Europäischen Union finden sich Fürsprecher einer sogenannten illiberalen Demokratie. Sie wollen die Presse- und Meinungsfreiheit einschränken, warnen vor der »Eurokratie« in Brüssel oder verfallen in generelle Fremdenfeindlichkeit. Sie bilden eine Achse der Angst, die das Heil im Rückmarsch in einen überholten Nationalismus sucht.

Und schließlich müssen auch in den USA, dem früheren Hort der Freiheit, die Verteidiger der Demokratie nun täglich um die Einhaltung von Normen kämpfen, die früher als unangreifbar galten.

Liberalismus ist aber auch in einer anderen Form unter Druck geraten. So galt das Prinzip einer offenen Weltwirtschaft über viele Jahrzehnte als Garant für Wohlstandsgewinne. Nun wird es zunehmend infrage gestellt. Seit Jahren stagnieren die Verhandlungen über den Abbau von Handelshemmnissen im Rahmen der Welthandelsorganisation. Regionale Freihandelsabkommen können oft nur mit großen Mühen ratifiziert werden, selbst jenes zwischen der Europäischen Union und Kanada.

Inzwischen hat ausgerechnet der Präsident der Vereinigten Staaten, Donald Trump, neue Schutzzölle auf Stahl und Aluminium eingeführt, von denen die Europäische Union seit Juni 2018 nicht mehr ausgenommen ist. Die Gefahr besteht, dass dies der Auftakt zur Einführung immer weiterer Maßnahmen ist, an dessen Ende ein Handelskrieg steht, bei dem niemand gewinnt.

Internationale Organisationen und Vereinbarungen sind ebenfalls unter Druck geraten. Zwar beweisen etwa das Zustandekommen des Pariser Klimaabkommens oder der Atomdeal mit dem Iran, dass es weiterhin möglich ist, gemeinsam Antworten auf zentrale Zukunftsfragen der Menschheit zu finden. Aber gerade diese Beispiele zeigen eben auch, auf welch wackligen Füßen die erreichten Kompromisse stehen: Nach dem US-Rückzug aus dem Iran-Abkommen im Mai 2018 ist dessen Zukunft höchst fragwürdig geworden. Den Austritt aus dem Klimaabkommen hatte Donald Trump schon im Sommer 2017 verkündet.

Wichtige Staaten, allen voran die USA unter Präsident Trump, kürzen Gelder für Friedensmissionen oder ziehen sich aus Sonderorganisationen der Vereinten Nationen zurück. Wie zu Zeiten des Kalten Kriegs sind die Vereinten Nationen wieder häufig handlungsunfähig, weil sich die Ständigen Mitglieder im Sicherheitsrat gegenseitig blockieren. Weil der Rat zudem die heutige globale Machtverteilung nicht mehr spiegelt, weichen frustrierte Staaten auf Ersatzformate aus: Dabei haben informelle »Clubs« wie die G7 und G20 besonderen Aufwind erfahren. Dahinter steht die Hoffnung, dass es in diesen wenig verregelten Gremien so etwas wie »effektiven Multilateralismus« geben kann. Aber stimmt das auch? Hat der G7-Gipfel von La Malbaie, dessen Ergebnisse Trump im Nachhinein per Twitter untergrub, nicht massive Zweifel daran geweckt?

Der amerikanische Politikberater Ian Bremmer, ein kluger Kopf, mit dem mich eine lange Freundschaft verbindet, spricht denn auch von der Entstehung einer »G-Zero World«, einer G-Null, also eines Vakuums, das sich aus dem Niedergang westlichen Einflusses und der Fokussierung vieler Staaten auf ihre eigenen innenpolitischen Probleme speist. Das Resultat, so Bremmer, ist eine Welt, in der kein Land alleine in der Lage, aber auch keine Gruppe von Staaten willens ist, eine echte globale Agenda zu entwickeln, geschweige denn Lösungen für die Probleme der Welt zu liefern.

In Europa haben die Annexion der Krim und der andauernde Eingriff Russlands in der Ostukraine gezeigt, dass unser Kontinent kein postmodernes Paradies ist, in dem der Einsatz militärischer Gewalt ausgeschlossen ist. Der Traum von 1990, dass mit dem Ende der deutschen Teilung eine Russland einbeziehende dauerhafte euro-atlantische Sicherheitsarchitektur entstehen würde, ist zerstoben.

Insgesamt überwiegt der Pessimismus

Vom weitverbreiteten Optimismus der frühen 1990er-Jahre ist heute jedenfalls nur noch wenig zu spüren. Wissenschaftler, die an den generellen Fortschritt glauben, fallen auch deswegen auf, weil sie eher eine Ausnahme in der gegenwärtigen Debatte darstellen. Vor nicht allzu langer Zeit wäre das noch ganz anders gewesen.

Noch vor etwa zwanzig Jahren glaubten wir, dass die Welt sich nun nahezu unaufhörlich in die richtige Richtung bewegen würde. Demokratie, Menschenrechte und Marktwirtschaft waren überall auf dem Vormarsch. Internationale Organisationen übernahmen immer mehr Aufgaben und schienen ein Modell globalen Regierens zu verkörpern, das es mit Umweltverschmutzung, Kinderarbeit oder Infektionskrankheiten aufnehmen würde. Vieles schien auf dem richtigen Weg.

Die Gründung der Welthandelsorganisation 1995 galt als Meilenstein. Eine offene Weltwirtschaft sei langfristig gut für alle, und dafür bedürfe es gemeinsamer Regeln. Das war im Prinzip breiter Konsens, auch wenn unfaire Handelspraktiken wie Dumping oder Exportzuschüsse natürlich weiter bestanden.

China war damals noch kaum auf der geopolitischen Landkarte zu finden. Das Reich der Mitte war mitten in einem Wirtschaftsaufschwung, aber kaum jemand dachte daran, dass es sich auch zu einem politischen Rivalen der bisher größten Wirtschaftsmacht, den USA, entwickeln könnte. Stattdessen glaubten viele daran, dass China, wie es mein langjähriger Freund, der frühere Weltbank-Chef Robert Zoellick, formulierte, durch Einbindung in internationale Organisationen, allen voran die globale Wirtschaftsarchitektur, zu einem »responsible stakeholder« werden könnte, sich also als verantwortlicher Partner in die bestehende liberale Weltordnung einfügen würde.

1992 fand in Rio de Janeiro die Konferenz der Vereinten Nationen für Umwelt und Entwicklung statt. Hier wurde die »Agenda 21« verabschiedet, die gemeinsame Ziele für eine nachhaltige Entwicklung definierte. Die Konferenz war der Ausgangspunkt für eine ganze Reihe an wichtigen globalen Initiativen zum Umwelt- und Klimaschutz. Hier schien die Vision von funktionierender »Global Governance«, also dem Regieren jenseits des Nationalstaats, um globale Probleme zu lösen, plötzlich greifbar.

Wir sprachen von der »Friedensdividende« und hofften darauf, dass das viele Geld, das bis dahin in hochgerüstete Streitkräfte in Ost und West geflossen war, nun anderen Zwecken dienen könne. Einige Länder wie Kasachstan oder die Ukraine verzichteten gar freiwillig auf die Atomwaffen, die auf ihrem Territorium lagerten. Der Kalte Krieg lag hinter uns, die Zukunft versprach Abrüstung und Zusammenarbeit.

In den 1990er-Jahren sahen wir Russland als Partner, als ein Land, das sich modernisierte und sich in Richtung einer echten Demokratie entwickeln würde. Aus der KSZE wurde die OSZE. Es änderte sich zwar scheinbar nur ein Buchstabe, aus der *Konferenz* wurde fortan die *Organisation für Sicherheit und Zusammenarbeit in Europa*. Aber dahinter steckte eine visionäre Vorstellung, wie sie der damalige russische Präsident Michail Gorbatschow formuliert hatte, vom »gemeinsamen Haus Europa«, gemeinsam für West und Ost.

In Europa standen die Zeichen insgesamt auf Kooperation. Nach Jahrzehnten, in denen eine kleine, aber größer werdende Gruppe europäischer Länder wirtschaftlich und politisch immer enger zusammenarbeitete, wurde 1992 aus der Europäischen Wirtschaftsgemeinschaft (EWG) die Europäische Union. Seither ist ihre Mitgliederzahl beträchtlich gewachsen, von 12 im Jahr 1992 auf 28 heute. Damals glaubten fast alle, dass die Erweiterung und die Vertiefung der EU zwei Seiten einer Medaille seien und dass wir Europäer, wie es die Gründerväter und -mütter formuliert hatten, unaufhaltsam weiter auf dem Weg zu einer »immer engeren Union« voranschreiten würden.

Die USA unterstützten – nicht immer vorbehaltlos, aber doch aus Prinzip – die Europäer dabei, ihre Zusammenarbeit zu vertiefen, und befürworteten die EU-Erweiterungsschritte, die von der Aufnahme mittel- und osteuropäischer Länder in die NATO begleitet wurden. Diese Länder schienen nach dem Ende des Kalten Kriegs endlich ihren Platz im Westen zu finden. Der damalige US-Präsident George H. W. Bush formulierte den Wunsch nach einem »Europe whole, free, and at peace«, also nach einem Europa, das ungeteilt war, frei und friedlich. Die USA reduzierten zwar ihr in Europa stationiertes militärisches Personal beträchtlich, aber niemand zweifelte ernsthaft daran, dass die Vereinigten Staaten auch weiterhin in Europa engagiert und damit eine »europäische Macht« bleiben würden.

Für uns Deutsche waren diese Entwicklungen ein Glücksfall. Mit der Zeitenwende von 1989–1991, vom Fall der Berliner Mauer bis zum Ende der Sowjetunion, wurden die Kernziele der bundesdeutschen Außenpolitik erreicht. Deutschland war wiedervereint und nun »von Freunden umgeben«. Es wurde in wichtige internationale Organisationen eingebunden, von den Vereinten Nationen über die EU bis zur NATO, und wieder zu einem respektierten Mitglied der internationalen Gemeinschaft. Eine Bedrohung seiner nationalen Sicherheit war nicht in Sicht.

Die guten Nachrichten – Es gibt sie auch

Obgleich sich manch eine dieser Hoffnungen auf Frieden, Demokratie, Menschenrechte und freien Handel zerschlagen hat, gibt es historisch betrachtet doch durchaus Grund zum Optimismus. Deshalb wäre es falsch, allein ein apokalyptisches Szenario zu zeichnen. Denn nimmt man einmal ein wenig Abstand von den tagesaktuellen Nachrichten und versucht, das große Ganze in den Blick zu nehmen, bietet sich das Bild einer Menschheit, die immer friedlicher, aber auch gesünder und reicher geworden ist. Dieses Bild, so betonte der Harvard-Professor Steven Pinker in einer Reihe von Publikationen wieder und wieder, zeigt, dass wir uns insgesamt in die richtige Richtung bewegen.

Pinkers Optimismus wird durch wichtige aktuelle Kennzahlen gestützt: Egal wie oft wir in den Nachrichten von Kriegen und Kriegsopfern hören und lesen, Fakt ist: Die globalen Opferzahlen sind in den Jahrzehnten seit dem Zweiten Weltkrieg deutlich zurückgegangen. Auch die globale Armut, die uns durch unzählige Berichte und Reportagen immer wieder drastisch vor Augen geführt wird, ist gesunken: Milliarden Menschen, viele von ihnen in China, sind aus extremer Armut aufgestiegen und bilden nun eine neue globale Mittelschicht. Allein zwischen 2005 und 2010 gelang es, die Zahl der Menschen, die von weniger als 1,25 US-Dollar pro Tag leben müssen, um eine halbe Milliarde zu reduzieren.

1950 konnte weltweit nur jeder dritte Mensch lesen und

schreiben (36 Prozent). 2010 lag die Alphabetisierungsrate global schon bei vier von fünf Menschen auf der Welt (83 Prozent).

Außerdem ist es gelungen, etliche schwere Krankheiten zu besiegen, die noch vor wenigen Jahrzehnten regelmäßig unzählige Menschen das Leben kosteten. Die Verbreitung von Impfstoffen hat dazu geführt, dass die Zahl der Opfer von Masern zwischen 2000 und 2016 um 84 Prozent gesunken ist. Polio-Fälle sind seit 1988 gar um 99 Prozent zurückgegangen. Die Kindersterblichkeit konnte in den meisten Ländern deutlich reduziert werden. Laut der Weltgesundheitsorganisation starben 2016 jeden Tag 20 000 Kinder weniger als noch 1990.

Selbst der Tod ist weniger bedrohlich. Er kommt, aber nicht mehr so früh wie einst: Die globale Lebenserwartung ist von 45,78 Jahren im Jahr 1950 auf 71,43 Jahre im Jahr 2016 deutlich gestiegen.

Das klingt doch alles sehr erfreulich – und das ist es auch! Gleichwohl bremsen Kriege, Krisen und Instabilität auf der Welt diesen generellen Aufwärtstrend regelmäßig wieder aus oder drehen ihn gar zurück. Ein einziger großer Krieg, und schon steigen die Opferzahlen. Eine einzige tödliche Epidemie, und schon sinkt die Lebenserwartung. Deswegen wäre es fatal, sich bequem zurückzulehnen und der Welt ihren Lauf zu lassen, nach dem Motto: Wird schon besser werden!

Angesichts der vielen Opfer von Krieg und Gewalt wäre es mehr als zynisch, wenn man ihnen erklärte: Schade für euch, aber ihr seid gerade nur die Ausnahme auf dem Wege des Fortschritts zu Frieden und Gerechtigkeit.

Jedes einzelne Opfer, das vielleicht hätte verhindert werden können, ist eines zu viel.

Als ich nach Kriegsende geboren wurde, lag Deutschland in Trümmern und die schuldbeladene Nation schien unwiderruflich in die Knie gezwungen, de-industrialisiert, von Siegermächten besetzt und bald darauf in zwei große Stücke zersägt. Wer hätte damals auch nur einen Pfifferling darauf verwettet, dass im Jahre 2018 dieses Land wiedervereint, eine politisch stabile Demokratie und eine der führenden Wirtschaftsnationen der Welt sein würde? Diese Erfahrung teile ich mit vielen meiner Generation, und nur denjenigen, die jünger als dreißig sind, dürfte es so vorkommen, als habe Deutschland »schon immer« auf der Sonnenseite der Geschichte gestanden.

In meinem Berufsleben als Diplomat durfte ich zuerst in Bonn, später in Berlin und auf meinen Auslandsposten politische Ereignisse miterleben, die niemand für möglich gehalten hätte:

Meine Kollegen und ich fieberten mit, als am Abend des 30. September 1989 Außenminister Genscher auf den Balkon der Prager Botschaft trat und den Hunderten DDR-Flüchtlingen erklärte, dass sie am nächsten Tag mit dem Zug in die Bundesrepublik ausreisen dürften. Einen der späteren Züge durfte ich als verantwortlicher Mitarbeiter des Auswärtigen Amtes begleiten. Den Geruch von Angstschweiß in den eng besetzten Abteilen des Nachtzuges und den Jubel bei der morgendlichen Ankunft im Westen werde ich nie vergessen. Davon mehr in einem späteren Kapitel.

Ich saß hinter Kohl und Genscher auf der Bank der deutschen Delegation, als am 21. November 1990 in Paris die Staats- und Regierungschefs von 32 europäischen Ländern sowie den USA und Kanada die Spaltung Europas für beendet erklärten, sich im Schlussdokument der KSZE-Gipfelkonferenz zur Demokratie als einziger Regierungsform verpflichteten und ihren Völkern die Gewährleistung der Menschenrechte zusicherten.

Der Tag, als die *Charta von Paris* unterzeichnet wurde, läutete das Ende des Kalten Kriegs ein, der bis dahin eine Bedrohung für die gesamte Welt gewesen war.

Ich war als deutscher Chefunterhändler beteiligt, als in Dayton/Ohio am 21. November 1995 der jahrelange blutige Krieg in Jugoslawien nach Wochen mühsamer Verhandlungen mit einem Friedensvertrag beendet wurde, der vom serbischen Präsidenten Slobodan Milošević, vom kroatischen Präsidenten Franjo Tuđman und vom Vorsitzenden im bosnisch-herzego-winischen Präsidium Alija Izetbegović unterzeichnet wurde – drei Männern, die so bitterlich verfeindet waren, dass sie sich bis dahin nicht mal gemeinsam an einen Tisch hatten setzen wollen. Ich habe dabei gelernt, dass man um des Friedens willen auch mit Kriegsverbrechern reden muss und dass das Ziel des Friedens manchmal nur durch den Einsatz militäri-scher Macht erreichbar ist.

Ich hatte meinen ersten Arbeitstag als neuer deutscher Botschafter in Washington ausgerechnet am 11. September 2001 und musste, bevor ich überhaupt wusste, wie man die Telefonanlage bedient, mit meinen Mitarbeitern den Angehö-rigen der deutschen Anschlagsopfer zur Seite stehen und gleichzeitig den politischen Krisendialog zwischen der Bun-desregierung und dem Weißen Haus begleiten und zum Teil auch selbst führen. Auf diese Weise erlebte ich aber auch eine außergewöhnliche Spendenbereitschaft und Großzügigkeit der deutschen Bevölkerung: Innerhalb weniger Wochen sammel-ten Deutsche viele Millionen Dollar zusammen, die ich später unter anderem dem Witwen- und Waisenfonds des US-Vertei-digungsministeriums für die Angehörigen der Opfer des An-schlags auf das Pentagon überreichen durfte. Beeindruckt erklärte mir der zuständige US General bei der Scheckübergabe, so einen großen Betrag habe er noch nie aus dem Ausland bekommen.

Ich habe als Botschafter in London erlebt, wie mir wildfremde Menschen zujubelten, weil es uns Deutschen 2006 gelungen war, mit dem »Sommermärchen« eine freudige und friedliche Fußball-WM auszurichten, sodass die Briten beim Wort »Germany« sogar den traditionellen Dreiklang aus Hitler, Krieg und Kaiser Wilhelm vergaßen.

Und seit 2008 bin ich als Vorsitzender der Münchner Sicherheitskonferenz so vielen konstruktiven Vertretern aus Politik, Wirtschaft und Zivilgesellschaft begegnet, erfahrenen und klugen Köpfen, die nach neuen Lösungen und Ideen suchen, um die Welt zu einer besseren zu entwickeln. Ich bin guten Mutes, dass sich diese vielen guten Ideen auch in Zukunft positiv niederschlagen werden.

Es gibt im Englischen die Redewendung »Fog of War«, die zum Ausdruck bringen soll, dass im Krieg Pläne meist Makulatur werden, weil das tatsächliche Geschehen undurchsichtig im Nebel bleibt und Überraschungen, Unabwägbarkeiten und Unsicherheit dominieren. Befehlshaber haben oft selbst keinen vollständigen Überblick mehr und müssen folgenschwere Entscheidungen fällen, ohne mehr zu sehen als die Hand vor Augen.

Ich habe aber auch immer wieder die Erfahrung gemacht, dass aus dem Nebel heraus Konflikte plötzlich doch beigelegt werden können, dass Vertrauen und Zuversicht Hass und Verzweiflung ersetzen können, dass Frieden möglich ist.

Den Weg zum Frieden: Den gibt es. Man muss nur manchmal sehr lange suchen, um ihn zu finden. Deshalb erfordert gute Außenpolitik auch viel Beharrlichkeit und Stehvermögen – wir reden dann gerne von »strategischer Geduld«. Ja, manchmal ist ganz einfach der Weg das Ziel.

Fünf Gründe, warum Frieden und Stabilität heute
so schwer zu sichern sind

Woran liegt es eigentlich, dass Frieden und Stabilität so schwer durchzusetzen sind? Gehen wir den Dingen doch mal etwas auf den Grund: Natürlich haben wir es hier nicht mit einer monokausalen Erklärung zu tun, sondern mit einem ganzen Bündel von Ursachen und Entwicklungen. Ich will fünf davon kurz erklären:

1. Der machtpolitische Epochenbruch

Die unipolare Welt der US-Hegemonie, die 1990 begann, neigt sich dem Ende zu. Die nächste Epoche ist vor allem durch den weiteren Aufstieg Chinas gekennzeichnet – und damit durch eine relative Machtverschiebung weg von den USA (und Europa) hin zu Ländern jenseits des traditionellen Westens. Umfangreiche Machtverschiebungen bergen aber auch die Gefahr neuer Krisen und Konflikte. Schließlich haben aufsteigende Mächte eigene Vorstellungen, wie die internationale Ordnung zu gestalten ist – und die können den Ideen bisheriger Großmächte durchaus widersprechen. Man spricht in diesem Zusammenhang auch vom »Thucydides Trap«, der Thukydides-Falle: Demnach haben schon Sparta und Athen gezeigt, dass der Aufstieg neuer Mächte selten friedlich verläuft. Das wirft die Frage auf: Können die Werte des Westens und die Institutionen, welche die von ihm gegründete liberale Weltordnung bislang absichern und stützen, langfristig überleben? Oder bahnt sich gar eine neue Weltordnung an – eine Alternative zur bisherigen westlichen? Die Verunsicherung ist spürbar, und sie wächst. Vergrößert wird sie auch dadurch, dass sich der klassische »Weltpolizist«, der für relative Ordnung sorgte, zurückgezogen hat: »America First«, der politische Slogan der Trump-Regierung, bedeutet eben, dass Washington sich nicht mehr für »Global Governance«, für internationale Institutionen und globale Regeln verantwortlich fühlt. Wer aber soll und kann es tun, wenn die USA dazu nicht mehr bereit sind?

2. Der Verlust der Wahrheit und des Vertrauens

Ein Problem ist, dass das Vertrauen zwischen den Staaten – den mächtigen unter ihnen ganz besonders – auf null gesunken ist. Und es ist sehr, sehr schwer, Vertrauen wiederaufzubauen, wenn es erst einmal zerstört wurde. Da unterscheidet sich die Beziehung zwischen Staaten kaum von der Ehe. Umso bedenklicher ist es, dass wir in den letzten Jahren einen besorgniserregenden Verlust an Vertrauen auf unterschiedlichsten Ebenen diagnostizieren müssen.

Es geht schon damit los, dass wir heute oft Fakt und Fake nicht voneinander unterscheiden können. Was ist Wahrheit, was hingegen Propaganda? Das ist nicht neu in der Weltgeschichte. Schon Clausewitz wusste, dass im Kriegsfall das erste Opfer die Wahrheit ist. Das stimmt. Es gilt mittlerweile aber auch in Zeiten des Friedens. Nicht nur wir Bürger, sondern auch unsere Regierungen werden zugeschüttet mit Informationen, von denen nicht oder nur schwer festzustellen ist, ob sie stimmen oder nicht.

Im Wettstreit der Ideen beharrt jeder auf seinen eigenen »Fakten«. Das ist ein wesentliches Element zunehmender Verunsicherung.

Weiterhin wenig vertrauensfördernd ist, dass Russland mit modernsten Methoden versucht, die demokratische Meinungsbildung in westlichen Gesellschaften zu manipulieren. Das konnten wir insbesondere in der Debatte um die Rolle russischer Hacker und Social-Media-Kamapagnen im Vorfeld der US-amerikanischen Präsidentschaftswahlen mitverfolgen. Aber auch die Chinesen sind im vergangenen Jahr für sehr offensive Einflussnahme auf Politik, Universitäten und Medien in westlichen Demokratien in die Kritik geraten. Eingriffe in die Meinungsfreiheit sind dabei besonders problematisch, beispielsweise wenn chinesische Medien im Ausland »auf Linie« gebracht werden, in der Hoffnung, kritische Debatten zu Menschenrechtsverletzungen in China oder zur Durchsetzung chinesischer Territorialansprüche einzugrenzen. In Australien wurden zudem massive chinesische Spenden an Parteien und einzelne Politiker aufgedeckt, die sich im Nachgang sehr positiv über China geäußert hatten.

Ein verlässlicher Partner können Xi Jinpings China oder Putins Russland so schwerlich sein. Das heißt nicht, dass wir nicht mit Peking und Moskau zusammenarbeiten sollten, wo es möglich ist. Das scheint heute aber vor allem in den Bereichen zu funktionieren, in denen wir zufälligerweise die gleichen Interessen haben.

Was im Falle Russlands die Sache besonders gefährlich macht, ist die Kombination aus aktuellen Krisen, in die sowohl Russland also auch der Westen involviert sind (zuvorderst in der Ukraine und in Syrien, aber auch im Jemen und anderswo), und dem politischen Vertrauensverlust, der beispielsweise dazu führt, dass, anders als in den 1990er-Jahren, heute zwischen dem russischen Generalstab und den Generälen des Pentagon so gut wie keine Kontakte bestehen. Es ist heute ein weltpolitisches Großereignis, wenn der russische Generalstabschef mal mit dem amerikanischen Kollegen zusammentrifft. In der Clinton- und Obama-Ära gab es vielfältige Kommunikationskanäle zwischen westlichen und russischen militärischen und zivilen Führungsebenen und Kommandozentralen. Man wusste, wer am anderen Ende sitzt und wen man notfalls anrufen musste, um etwaige Missverständnisse auszuräumen. Das weiß man heute nicht mehr oder jedenfalls nicht mehr so genau. Man kennt sich kaum.

Doch es geht nicht nur um die Frage: Traut Putin Merkel? Oder traut Trump Putin? Es geht auch darum, ob wir Bürger noch unseren Institutionen vertrauen. Meinungsumfragen zeigen, dass das Vertrauen der Bürger in den 28 Mitgliedstaaten der EU in ihre eigenen Regierungen, vernünftige Entscheidungen zu treffen, dramatisch gesunken ist. Hier gibt es nicht einen totalen, aber doch sehr wesentlichen Vertrauensverlust. Und dieser Vertrauensverlust in die Politik zieht sich bis auf die lokale Ebene herunter.

3. Der Verlust der Prognosefähigkeit

Hinzu kommt ein neuartiger Verlust von Prognosefähigkeit: Ich verantworte seit 2008 die Münchner Sicherheitskonferenz, zu der jährlich über 500 Entscheidungsträger aus aller Welt nach Deutschland reisen. Als Vorsitzender muss ich mir monatelang im Voraus überlegen, welche Themen wir auf der Agenda platzieren. Wir wollen ja die richtigen Prioritäten setzen. Wir wollen über das diskutieren, was im kommenden Jahr die Gemüter bewegen wird. Um das möglichst sorgfältig und vertieft zu bewerkstelligen, treffe ich mich in den Monaten vorher mit Freunden, Kollegen und Experten, die ich für die klügsten und erfahrensten außenpolitischen Köpfe halte. Aus Brüssel, aus Moskau, aus Washington, aus Berlin, London und Paris.

Zu Beginn des Jahres 2014 waren die Demonstrationen und die Bürgerrechtsbewegung auf dem Maidan-Platz in der Ukraine auf einem Höhepunkt angekommen. Keiner meiner klugen Ratgeber und Experten aber schlug vor, die Ukraine-Krise als Beginn einer großen europäischen Sicherheitskrise zu thematisieren. Alle hielten das eher für ein innenpolitisches Thema der Ukrainer.

Sechs Wochen später war alles anders: Russische Soldaten und Panzer marschierten ein, die Krim wurde annektiert und die Krise war keine inner-ukrainische mehr, sondern ein massiver internationaler Sicherheitskonflikt, der bis heute bedrohliche Auswirkungen hat.

Ebenso schlimm: Zum selben Zeitpunkt, Anfang 2014, hat keiner meiner klugen Kollegen die Relevanz eines zweiten

Themas erkannt. Stichwort: Islamischer Staat (IS). Im Rück-blick weiß ich jetzt, dass es beim BND, bei der CIA und sicher auch in Hinterzimmern des Auswärtigen Amtes Experten gab, denen der »Islamic State« bereits Sorgen bereitete. Doch auf der Ebene der Entscheidungsträger war das Thema nicht auf dem Radar. Nur wenige Monate später, im Juni 2014, wussten alle, die Nachrichten verfolgen, dass der IS ein großes sicher-heitspolitisches Risiko globalen Ausmaßes birgt, das uns über die nächsten Jahre beschäftigen würde und dies bis heute tut.

Man könnte auch das Jahr 2016 wählen: Warum haben wir fast alle auf dem falschen Bein gestanden in den Tagen vor der Brexit-Entscheidung? Warum waren die analytischen Köp-fe nicht in der Lage, das Ergebnis halbwegs vorherzusagen? Und bei der US-Wahl? Wer hat schon kommen sehen, dass Hillary Clinton die Wahl verliert?

Im Sommer 2017 hatte ich Gelegenheit, gemeinsam mit dem damaligen Außenminister Sigmar Gabriel und dem sau-dischen Außenminister die aktuelle Lage in der Region zu erörtern. Dass hier über Nacht eine Krise mit Katar ausbrechen würde, hatte sich für uns vorher so nicht abgezeichnet. Und dann schien plötzlich gar ein Krieg zu drohen. Wer hatte das kommen sehen? Keiner! Und diese Liste der Überraschungen wird sich auch in die Jahre 2019, 2020 und darüber hinaus fortsetzen.

Mangelnde Vorhersehbarkeit mag Börsianern und Finanz-politikern von jeher Kopfschmerz bereiten. In der Außenpo-litik ist sie aber ein neues – und beträchtliches – Problem. Natürlich konnte man in der Außenpolitik nie alles präzise planen; aber in der Vergangenheit konnte man doch strategi-sche Entwicklungen zuverlässiger prognostizieren. Konflikte eskalierten langsamer, die beteiligten Akteure waren lange bekannt, ihre Argumente und Interessen vertraut. Dies trifft längst nicht mehr zu. Konfliktverhütung, so gut das Wort klingt, ist damit viel schwieriger geworden.

Wir können uns nicht mehr auf das vorbereiten, was kommt, und müssen ständig auf Überraschungen gefasst sein. Expect the unexpected – Erwarte das Unerwartete!

4. Der Verlust des nationalstaatlichen Machtmonopols

Ein ganz anderes Phänomen, das Friedensbemühungen verkompliziert, ist der Verlust des Machtmonopols des Nationalstaates. Bei der Reichsgründung 1871 konnte Otto von Bismarck noch von sich behaupten: Ich als Kanzler des neuen Deutschen Reichs bin imstande, für die äußere und innere Sicherheit und die Prosperität dieses Landes zu sorgen. Dieses Versprechen kann der heutige kleine europäische Nationalstaat so nicht mehr geben. Angela Merkel ist klug genug, den Wählern gar nicht erst zu suggerieren, als Kanzlerin könne sie uns vor dreckiger Luft, Terrorismus oder Pandemien bewahren. Denn die Lösung fast aller schwierigen Fragen, denen wir heute begegnen, transzendiert die Fähigkeit einzelner Nationalstaaten. Allein globale Ansätze der Problembewältigung haben Aussicht auf Erfolg. Der wachsende Zuspruch autoritärer Führer und Populisten beruht auch darauf, dass sie das Gegenteil behaupten und ihren Bevölkerungen vorgaukeln, was diese gerne hören wollen: dass der allmächtige und identitätsstiftende Nationalstaat keineswegs der Vergangenheit angehört.

5. Die fundamentale Veränderung der Natur von Konflikten

Die veränderte Natur von Konflikten ist ein weiteres Problem. Als unsere Großväter und Väter in den Krieg zogen, den Ersten und den Zweiten Weltkrieg, waren das Kriege zwischen Nationalstaaten. Der deutsche Kaiser, der Zar, Hitler, der französische oder amerikanische Präsident gaben den Marschbefehl. Staaten kämpften gegen Staaten.

2018 findet man in der langen Liste von kriegerischen Auseinandersetzungen auf der Welt keinen einzigen klassischen Krieg zwischen Nationalstaaten. Nicht einen einzigen.

In Afghanistan kämpfen die Taliban mit den Afghanen, in Syrien u. a. die Schiiten gegen die Sunniten. Die Konflikte im Jemen und in Mali sind ebenso keine klassisch zwischenstaatlichen – auch wenn sie mitunter fremde Staaten involvieren. Überall gibt es natürlich Söldner und ausländische Einflüsse. Aber im Kern sind das alles bürgerkriegsähnliche Konflikte, ganz anders als die Kriege der Vergangenheit. Das verstärkt die Ohnmacht der internationalen Gemeinschaft, weil die Weltordnung der Vereinten Nationen auf Staaten als den handelnden Subjekten basiert und deren Miteinander Regeln gibt. Jetzt haben wir Handlungsträger wie etwa den Islamischen Staat, der sich Staat nennt, aber keiner ist. Wie soll man gegen diesen vorgehen? Mit klassischem Völkerrecht können wir hier nicht kommen.

Hinzu treten technologische Entwicklungen, die das Machtmonopol des Nationalstaats weiter relativieren. Die Konflikte von heute, ganz sicher aber die von morgen, werden per Drohne oder per Cyber-Angriff geführt: Das sind »Waffen«, die sich heute jede Gruppe, ja sogar ein Einzelner, beschaffen kann. Wie hilflos sind Militär und Polizei, wenn die Stromversorgung einer Großstadt lahmgelegt oder eine Drohne mit Sprengladung in ein vollbesetztes Stadion hineingeflogen wird? Hier verwischen sich übrigens auch die klassischen Grenzen zwischen militärischen und polizeilichen Aufgaben, zwischen Außen- und Innenpolitik.

Überforderte Friedensstifter

Die EU, die transatlantischen Partner und Deutschland selbst: Sind wir auf all diese epochalen und zum Teil neuartigen Sicherheitsherausforderungen hinreichend vorbereitet?

Die Europäische Union als Friedensstifter hat sicher schon bessere Zeiten gesehen. Die europäische Integration ist keineswegs eine Einbahnstraße. Der Brexit, die innereuropäischen Auswirkungen der Finanz- und Wirtschaftskrise und die Unstimmigkeiten zwischen den Mitgliedstaaten über den Umgang mit der Flüchtlingskrise, die dieser Tage gar den Zusammenhalt zwischen CDU und CSU und damit die Kanzlerschaft Merkels infrage stellten, haben dies mehr als deutlich gemacht. Mittlerweile ist der Gedanke keineswegs abwegig, dass der europäische Einigungsprozess zurückgedreht werden könnte oder uns einzelne Mitglieder, wie jetzt Großbritannien, wieder abhandenkommen.

Natürlich gab es auch früher immer wieder heftige Krisen in der EU. Aber nie wurden sie so persönlich und so erbittert ausgetragen, wie das heute in Fragen von Flüchtlingsquoten oder in der Auseinandersetzung über Grundprinzipien des Rechtsstaats der Fall ist. Das führte so weit, dass sich im Februar 2018 sogar Ministerpräsidenten von EU-Mitgliedstaaten weigerten, auf der Münchner Sicherheitskonferenz gemeinsam auf einem Panel zu diskutieren. Eine sehr besorgniserregende Entwicklung, vor allem, wenn gleichzeitig eine gemeinsame außenpolitische Handlungsfähigkeit gefordert wird: eine EU, die mit einer Stimme spricht. Wie passt das bitte zusammen?

Auch unser Partner USA steht nicht mehr gleichermaßen verlässlich neben uns. Auf der anderen Seite des Atlantiks werden alte Gewissheiten infrage gestellt. Im Koalitionsvertrag der neuen Großen Koalition heißt es dazu ganz diplomatisch: »Die USA durchlaufen einen tiefgreifenden Wandel, der uns vor große Herausforderungen stellt.«

Gemeint ist: Präsident Donald Trump hat seit Amtsantritt in irritierender Weise Autokraten auf der ganzen Welt umschmeichelt, während er nicht müde wurde, sich über die klassischen Bündnispartner der USA, allen voran die Europäer, zu beschweren. Trump musste geradezu von seinen Mitarbeitern dazu gezwungen werden, sich zu Artikel 5 des NATO-Vertrags zu bekennen, der gegenseitige Unterstützung im Verteidigungsfall zusichert. Auf dem NATO-Gipfel im Juli 2018 hat Trump sogar mit einem amerikanischen »Alleingang« gedroht, sollten die NATO-Partner nicht innerhalb kürzester Zeit ihre Beiträge erhöhen. Verständlicherweise hat all dies in Europa ein sorgenvolles Nachdenken über die Zukunft der NATO und damit unserer Sicherheit ausgelöst.

Schon Trumps Vorgänger, Barack Obama, sprach von den USA als einer pazifischen Macht, die sich vor allem den Gefahren auf der anderen Seite der Welt widmen wolle und deshalb einen »Pivot to Asia«, eine Hinwendung nach Asien, vollziehen muss. Zwar führten die Ereignisse in der Ukraine dazu, dass die USA ihre militärische Präsenz in Europa inzwischen wieder erhöhten, aber langfristig ist klar: Wir Europäer müssen viel mehr als bislang auf eigenen Füßen stehen. Was wäre, wenn die USA tatsächlich einmal von ihren Bündnisverpflichtungen zurücktreten?

Seit Gründung der Bundesrepublik waren die USA – unterfüttert durch den nuklearen Schutzschirm – so etwas wie die ultimative Lebensversicherung für uns. Bleiben sie dies für alle Zeit? Wenn nein, was bedeutet das für uns?

Das ist – im Schnelldurchlauf – die weltpolitische Großwetterlage im Sommer 2018. Anlässe zur Sorge gibt es also vielfältige. Auf unser Land kommt ein ganzer Katalog an neuen außenpolitischen Aufgaben zu. Die Frage ist, ob und wie wir Deutschen sie anpacken wollen und können.

Die Herausforderung für Deutschland

Wie soll die westliche Außenpolitik insbesondere im Umgang mit der Vielzahl aktueller gewalttätiger Konflikte in der Welt ihren Kompass ausrichten? Denn dieser Kompass dreht heutzutage frei: Lautet die Lehre aus Afghanistan und Irak, dass

wir in Zukunft auf mühselige und langwierige Stabilisierungs-
missionen besser ganz verzichten sollten, weil sie generell
sinnlos sind? Ist nichts gut in Afghanistan, wie Margot Käß-
mann behauptet? Oder hat das internationale Engagement
über ein ganzes Jahrzehnt nicht doch wichtige Entwicklungs-
weichen gestellt? Kann der Westen nach Abu-Ghuraib und
Guantanamo überhaupt noch moralische Führung für sich
beanspruchen? Falls ja, wie soll sie aussehen? Ist die Schluss-
folgerung aus den blutig-holprigen Übergangsprozessen des
Arabischen Frühlings, dass wir doch besser nicht an den Dik-
taturen rütteln sollten? Oder geben wir zu, dass das heutige
Chaos im Nahen Osten unter anderem auch Ergebnis westlicher Realpolitik ist, die durch Unterstützung autokrati-
scher Herrscher eine (kurzfristige) Scheinstabilität zementiert
hatte?

Fragen über Fragen – wichtige Fragen, über die zu streiten
sich lohnt, wenn wir verstehen, dass es nicht um eine karikaturhafte Schwarz-Weiß-Entscheidung zwischen Idealtypen
geht: zwischen dem Demokratiefanatiker, der am liebsten jede
Diktatur stürzen würde, und dem Realpolitiker, der mit der
Unterdrückung der Freiheit anderer kein Problem hat, solange damit wenigstens die europäische Nachbarschaft ruhig
bleibt.

Nein, außenpolitische Entscheidungen vollziehen sich
nicht an diesen Farbpolen. Stattdessen verlaufen sie in einem
Spektrum von Grautönen.

Bei uns Deutschen wird die Debatte aber oft so hochemo-
tional geführt, als gebe es nur Schwarz und Weiß. So fragen
die einen, ob Deutschland mit seiner häufigen Heraushaltungs-
politik überhaupt noch zum Westen gehört. Intellektuelle wie
Heinrich August Winkler gehören dazu. Ein besonderer Dorn
im Auge ist vielen das deutsche Verhalten im UN-Sicherheitsrat 2011, als dort über eine Flugverbotszone für Libyen abgestimmt wurde und sich Deutschland als nichtständiges Mit-

glied enthielt. Andere betonen aber auch die Hypotheken, die eine westliche interventionistische Politik zu schultern hat – so Bernd Ulrich 2014 in der *Zeit*: »Wie westliche Staatschefs in den letzten fünfzehn Jahren das Völkerrecht gebogen, teils gebrochen haben, welche Kriegsbegründungen sie gegeben und welche Bündniswechsel sie vollzogen haben, das war schon atemberaubend. Diese Hypothek muss endlich ausgesprochen und angenommen werden, neu handlungsfähig wird der Westen nur eingedenk dieser Schuld, nicht indem er sie beschweigt.«

Das Beste am Westen ist, dass er diesen Streit über die richtige Außenpolitik und die kritische Selbstreflexion ermöglicht. Weder in russischen noch in chinesischen Zeitungen wäre eine solche Auseinandersetzung möglich, wie sie hier bei uns geführt wird. Dass wir sie – im Unterschied zu vielen anderen Ländern – so offen führen können, bringt aber auch eine immense Verantwortung mit sich, aus dieser Debatte klare Schlussfolgerungen zu ziehen. Denn es bleibt von höchster Bedeutung für Menschen in vielen Teilen der Welt, was der Westen selbst für sich als Wert und Ambition definiert.

Sowohl in als auch jenseits der Bundesrepublik spürt man beträchtliche Skepsis, dass Deutschland dieser Verantwortung derzeit gerecht wird. Als Beispiel zitiere ich hier aus der *Washington Post* vom 27. April 2018, die deutsches Zaudern, internationale militärische Verpflichtungen einzugehen, als eine der größten Belastungen Europas beschreibt. »Deutsche Passivität ist tief verwurzelt«, heißt es da. »Die Berliner politische Klasse lässt strategisches Denken vermissen, hasst Risiken, und versteckt sich hinter der schrecklichen deutschen Vergangenheit, um Pazifismus zu rechtfertigen, wenn harte Fragen über Sicherheit und Verteidigung gestellt werden.«

Diese zurückhaltende deutsche Politik, so auch Michael Thumann in der *Zeit* vom 9. März 2018, werde den modernen Herausforderungen und machtpolitischen Umwälzungen des

21. Jahrhunderts schlicht nicht gerecht: »Angela Merkel sagte im März 2014 über Wladimir Putin, dass er auf einem anderen Planeten lebe. Einem fernen Stern, wo nur das Recht des Stärkeren herrscht, wo man Land erobert und kein Völkerrecht gilt. Nach vier Jahren aber hat sich vieles gewandelt. Heute sieht es so aus, als würde Putin bestens in die neue harte reale Welt passen. Und als lebe Merkel auf dem anderen Planeten.«

Ähnlich herbe Kritik äußerte Christoph von Marschall im *Tagesspiegel* am 1. Mai 2018: »Wo man hinschaut, wird das Umfeld bedrohlicher: Kriege im Mittleren Osten, Migrationsdruck und Terrorgefahr aus Afrika, ein aggressives Russland. Auf die USA, sagt die Kanzlerin, könne man sich nicht mehr im gewohnten Maß verlassen. Europa muss mehr tun. [Aber] was trägt sie dazu bei? [...] Die politische Klasse und ein Gutteil der Medien fühlen sich wohl mit der Ausrede, wegen der Geschichte seien die Deutschen ein Sonderfall. Mehr als 70 Jahre nach dem Krieg akzeptieren die Verbündeten das nicht mehr. Die EU-Partner, allen voran Frankreich, drängen auf eine gemeinsame europäische Verteidigung.«

Hat Deutschland diese herbe Kritik verdient? Klar ist: Es wird ungemütlicher. Und Deutschland – aber auch seine EU-Partner – brauchen einen deutlichen Weckruf. Aber welche Rolle und welche Verantwortung muss und kann Deutschland im Verbund mit seinen europäischen Partnern schultern? Was heißt es überhaupt, »mehr Verantwortung« zu übernehmen? Ist das politisch, militärisch oder vielleicht »nur« moralisch gemeint? Um diese Fragen zu beantworten, muss man weiter ausholen. Vor allem muss man einmal gründlich darlegen, warum gute Außenpolitik und Diplomatie im 21. Jahrhundert so verdammt schwierig sind. Dabei kommt man nicht umhin, grundlegende Fragen von Krieg, Frieden und internationaler Ordnungspolitik zu behandeln, ohne die ein Verständnis der komplexen und gefährlichen Weltlage, in der Deutschland und Europa agieren, nicht möglich ist. Es verlangt außerdem einen eingehenden Blick auf zwei Staaten, die für Deutschlands und Europas Sicherheit seit jeher von immenser Bedeutung sind, nämlich die USA und Russland. Um all dies soll es in den folgenden Kapiteln gehen. Los geht es mit der Frage, wie Diplomatie, das wichtigste Instrument deutscher Außenpolitik, überhaupt funktioniert.

2

Die Kunst der Diplomatie

Das Protokoll – Oft unterschätzte Details der Diplomatie

Im Sommer 2017 unternahmen Prinz William und Herzogin Kate eine offizielle Deutschlandreise. Drei Tage reisten sie nach Berlin, Hamburg und Heidelberg. Beeindruckend und schön findet man den Glanz und Glamour, den das britische Königshaus verbreitet. Doch auch wenn die Berichterstattung darüber vorrangig in der Regenbogenpresse stattfindet und sich vor allem um Kleidung und Frisur, Händeschütteln und Schmuck dreht: In Wahrheit geht es dabei um nichts Geringeres als um Außenpolitik.

Der britische Botschafter in Deutschland vermeldete denn auch, der Besuch würde »das ganze Spektrum der guten Beziehungen zwischen Großbritannien und Deutschland widerspiegeln und die Verbundenheit der jungen Generation unserer beiden Länder stärken«.

Der junge Thronfolger und seine Frau gelten als Wunderwaffe der inzwischen neunzigjährigen Queen, deren Lebensfokus darauf lag, »gutes Wetter« zu schaffen – mittels Staatsempfängen, Staatsbesuchen, Dinner speeches, Händeschütteln und noch mal Händeschütteln. In Zeiten, in denen Großbritannien im schwierigen Fahrwasser des bevorstehenden EU-Austritts außenpolitisch nur schwer reüssieren kann, bleibt die königliche Familie der emotionale Eisbrecher für Londoner Interessen.

Die Deutschen wollen zwar keine Monarchie, aber sie bewundern die Royal Family grenzenlos. Die Bewunderung für die Queen ist viel größer als für das deutsche Staatsoberhaupt, egal ob es Gauck oder Steinmeier heißt. Bundespräsidenten werden zudem eher respektiert als bewundert. Der Unterschied ist zum Teil sicher auch der Persönlichkeit der Queen zuzuschreiben, verdankt sich aber vor allem der Tradition und dem Protokoll. Denn jeder royale Auftritt, jede Bewegung, jeder Satz ist genau überlegt und auf Wirkung untersucht. Staatsrepräsentation ist also eine hohe Kunst! Und Weltmeister dieser Kunst ist ganz sicher Großbritannien. Der Gartenempfang der Queen, die Staatsdinner auf Windsor – das ist nicht Hollywood, das ist echt. Ebenso die souveräne Selbstverständlichkeit, mit der der Reichtum an Tradition und Macht demonstriert wird. Nur wenige können sich dem entziehen.

Im Vergleich dazu fällt das deutsche Protokoll meist eher bescheiden aus. Bei uns selbst haben wir Deutschen eine Abneigung gegen Prunk – sie ist historisch bedingt. Nach dem zerstörerischen Anspruch, Deutschland über alles in der Welt zu stellen, so die allgemeine Ansicht, steht uns eine gewisse Bescheidenheit gut zu Gesicht. Der Amtssitz des Bundespräsidenten, Schloss Bellevue, ist preußisch schlicht und schmucklos. Trotzdem erheischt das einstige Lustschloss von Prinz Ferdinand, Bruder Friedrichs des Großen, noch eine gewisse Bewunderung, im Gegensatz zu dem nüchtern modern gehaltenen Bürogebäude, in dem Angela Merkel residiert, das mit dem schnöden Titel »Kanzleramt« und dem Charme einer Tiefgarage signalisiert: Hier wird gearbeitet, nicht geprotzt.

Es stimmt: Am Ende zählen in der Außenpolitik nicht Symbole und Worte, sondern Entscheidungen und Taten. Der Pomp und die Umstände, die Staatsbesuche und politische Gipfel umranken, kontrastieren oft mit der Schwere der dabei besprochenen außenpolitischen Konflikte. Im April 2018 boten der aufwendige Staatsbesuch von Emmanuel Macron in Washington und der anschließende kurze Arbeitsbesuch von

Angela Merkel bei Donald Trump guten Anschauungsunterricht: Bringt das große Staatsdinner wirklich mehr als ein auf das ernsthafte Arbeitsgespräch beschränkter Besuch?

Heute gilt genau wie in früheren Jahrhunderten, dass Kommunikation zwischen Mächtigen mehr ist als die juristische Ausarbeitung von Texten und Verträgen, nämlich immer auch ein zwischenmenschliches Zusammenspiel. Sonst bräuchte es keine Gipfeltreffen und keine Staatsbesuche. Sonst könnten Experten (oder vielleicht sogar irgendwann künstliche Intelligenzen) im Hinterzimmer Vertragstexte aufsetzen, die dann so lange hin- und hergeschickt werden, bis eine Einigung erfolgt. Aber jeder, der mal einen Vertrag unterschrieben hat, weiß, dass für die Unterschrift weniger das Kleingedruckte ausschlaggebend war als das wechselseitige Vertrauen in die Vertragstreue des Gegenübers. Und dieses muss genährt und gepflegt werden. Wenn man sich mit Diplomatie beschäftigt, wird schnell klar, wie kompliziert eine Begegnung zweier wichtiger politischer Repräsentanten werden kann. Das geht bei der Ortswahl des Treffens und der Tagesordnung los und hört bei der Körpersprache und der Sitzordnung für die Teilnehmer nicht auf. Aber nicht nur diplomatische Treffen, auch der Antritt eines neuen Botschafters ist strengen Regeln unterworfen. Das fällt aber meist nur dann auf, wenn der Start eher holprig erfolgt.

Anfang Mai 2018 trat ein neuer US-Botschafter seinen Dienst in Berlin an, nach einer langwierigen Ernennungsprozedur in Washington, die ein ganzes Jahr dauerte. Endlich war er da, der neue Botschafter, und verkündete prompt per Twitter: »Deutsche Unternehmen sollten ihre Geschäfte im Iran umgehend einstellen.« Der Tweet Richard Grenells zielte auf das kurz zuvor von seinem Präsidenten aufgekündigte Nuklearabkommen mit Iran und bestärkte Trumps Drohung, ausländische Unternehmen zu sanktionieren, die mit Iran Geschäfte machten.

Ich habe Botschafter Grenell, mit dem ich schon seit Längerem korrespondiert hatte, darauf – ebenfalls per Twitter – folgenden gut gemeinten Hinweis gegeben: »Ric, mein Rat nach einer langen Botschafterkarriere: Erkläre die Politik deines Landes, wirb für dein Land – aber gib dem Gastland niemals Anweisungen, was es tun oder lassen sollte, wenn du nicht in Schwierigkeiten geraten willst. Die Deutschen hören gerne zu, aber lehnen Weisungen ab.«

Innerhalb weniger Stunden gab es zu diesem Tweet fast 3000 »Likes«, über 700 »Retweets« und eine breite Debatte in den Medien über die Rolle und Funktion des Botschafters und über die Regeln und Grenzen der Diplomatie. Der gute Diplomat, der ja – als Botschafter – mit ausdrücklicher Erlaubnis des Gastlandes agiert, erklärt sein eigenes Land und seine Politik öffentlich und überall – aber er übt Kritik, wenn er Kritik am Gastland zu üben hat, in »diplomatischer« Form, also auf nicht öffentlichen Wegen, sondern im direkten Gespräch mit der Gastregierung. Diplomatie folgt Regeln, die sich seit Jahrhunderten entwickelt und bewährt haben.

Aber fangen wir von vorne an: Am Anfang aller Regeln steht die Akkreditierung.

»Let's talk about horses«

Nach seiner Ankunft überreicht der neue Botschafter dem Staatsoberhaupt des Gastlandes ein Schreiben des eigenen Staatsoberhauptes – er wird also akkreditiert.

In Berlin läuft dieser Prozess wenig glanzvoll ab. Da fährt der neue Botschafter im Schloss Bellevue vor und trinkt eine Tasse Kaffee mit dem Bundespräsidenten. Der Botschafter wird eventuell von einem Mitarbeiter begleitet; und ein Vertreter des Auswärtigen Amts und ein Berater des Bundespräsidenten sitzen auch dabei. Man redet ein paar freundliche Sätze, tauscht sich aus, lernt sich kennen. Nach einer halben Stunde ist meist schon alles vorbei.

In London zum Beispiel läuft das ganz anders. Da überreicht man der Queen nicht einfach sein Beglaubigungsschreiben – und fertig. Nein. Schon Tage vor meinem Antrittsbesuch als neuer Beotschafter in London bei der Königin bekam ich damals, 2006, Besuch von »Her Majesty's Marshal of the Diplomatic Corps in the Royal Household of the Sovereign of the United Kingdom«, der zum Glück auch den etwas einfacheren Namen Sir Anthony Figgis trug. Sir Anthony also erklärte mir, dass es ungehörig sei, das Gespräch mit der Queen selbst zu beginnen oder gar Fragen zu stellen und dass Diskussionsführung, Anfang und Ende des Gesprächs die Königin bestimmen würde. Ich bekam erklärt, wie ich den Raum zu betreten hätte. Bitte, ganz wichtig!, der Königin zu keinem Zeitpunkt den Rücken zukehren. Die Kleiderordnung war klar: Frack, Orden und Zylinder. Meine Frau stand da vor noch größeren Herausforderungen, wie ihr die speziell für sie zuständige Hofdame, die »Lady in waiting«, gesondert erklärte. Sie solle ein Kleid tragen, das keinesfalls schwarz, auch nicht weiß oder königsblau sein sollte, die Schultern unbedingt bedeckt und die Absätze nicht zu hoch.

Am Tag des Antrittsbesuchs stand eine vierspännige königliche Kutsche am Belgrave Square vor der deutschen Botschaftsresidenz. Früher wäre es nur dem Botschafter allein erlaubt gewesen, in der Kutsche zu fahren, seine Frau hätte gesondert hinterherfahren müssen. Auf dem Weg zum Buckingham Palace hielten die Bobbys den Verkehr an, die Kutsche fuhr um den Palast herum, dann ging es hinein in den Innenhof. Meine Frau musste in einem Salon warten. Die Queen, so schreibt es das Protokoll vor, führt zuerst mit dem Botschafter allein das Gespräch. Später wurde meine Frau dazugebeten.

Natürlich hatte ich zuvor Tipps erbeten, was ich der Queen

sagen darf, kann oder soll. Britische Kollegen sagten, ich müsse warten, bis sie mich etwas fragt. Aber ein guter Freund, Staatssekretär im Foreign and Commonwealth Office, dem britischen Pendant zum Auswärtigen Amt, winkte ab: »Alles dummes Zeug«, sagte er. »Die arme Queen, die muss ja den ganzen Tag immer diese Art von Gesprächen führen. Alle warten, bis sie etwas sagt. Sie freut sich riesig, wenn du ihr was Gescheites erzählst. Denk dir was Intelligentes aus! Sie ist seit fünfzig Jahren im Amt; sie kennt alle, von Churchill, Adenauer, Eisenhower, Kennedy und Reagan bis heute. Du wirst sehen, sie ist eine interessante Gesprächspartnerin!«

Gut. Aber was ist *was Gescheites*?

Wir stellten eher zufällig fest, dass die Enkelin der Queen, Zara Phillips, eine sehr erfolgreiche Turnierreiterin, die Woche darauf beim Aachener Reitturnier CHIO antreten würde. Ich rief also Michael Mronz, den Impresario des Aachener Turniers und Ehemann des leider inzwischen verstorbenen, damaligen FDP-Vorsitzenden Guido Westerwelle an, und bat ihn, mir am Telefon das wesentliche Wissen über das Turnier, die Briten und Zara Phillips zu vermitteln. So wusste ich dann, wer die Rivalen waren, wie das Pferd hieß, wie der Parcours verlief, ich kannte die Erfolgsaussichten, die Wetten usw. Gebrieft wie ein Fachmann ging ich in das Treffen mit der Queen.

Wie vom Staatssekretär empfohlen, wartete ich nicht lange auf eine Frage der Queen, sondern legte einfach los, wie bedauerlich es sei, dass sie, die Queen, nächste Woche nicht bei dem Reitturnier in Aachen dabei sein werde, obwohl doch ihre Enkelin dort die Goldmedaille gewinnen werde.

Sie guckte mich mit großen Augen an: Wie ich denn auf diese Idee käme?

Ich interessiere mich für den Pferdesport, sagte ich (was stimmte). Und dass Zara die große Favoritin sei, sagten alle, weswegen es wirklich jammerschade sei, dass sie, die Queen, nicht dabei sein würde.

»Ambassador, Sie haben leider keine Ahnung.« Die Queen beugte sich vor: »Wissen Sie, das dürfen Sie aber keinem sagen ...«

Und dann verriet sie mir, dass Zaras Pferd hinten links hinkte und dass gerade gestern noch mal eine neue Salbe ausprobiert worden sei. Sie erzählte mir das ganze Leid, angefangen vom Tier über die Tierärzte bis zu den Sorgen der Enkelin, dass das tolle Pferd am Turniertag vielleicht gar nicht einsatzbereit sei.

Die Königin geriet derart ins Fachsimpeln, dass ich nur noch gelegentlich ein »Oh really?« einwerfen musste, um den Gesprächsfluss am Laufen zu halten. Irgendwann gab der britische Protokollchef Zeichen, dass die Zeit um sei, aber die Queen winkte ab. Sie war Feuer und Flamme, offenbar hatte ich den richtigen Knopf gedrückt. Sie hat mit mir nicht nur an diesem Tag weit über die vorgesehene Zeit hinaus gefachsimpelt, sondern auch bei weiteren Begegnungen das Pferdethema sofort wieder aufgegriffen. Anderen gab sie meist nur kurz die Hand, mit mir redete sie: »Let's talk about horses.« Ich war nicht mehr nur irgendein Botschafter, sondern der Pferdefreund. Meine Kollegen waren richtig neidisch.

Übrigens: Zara Phillips gewann damals, 2006, in Aachen tatsächlich die Einzelgoldmedaille und die Silbermedaille mit der Mannschaft. Sie wurde deswegen von den britischen Fernsehzuschauern zur »BBC Sports Personality of the Year« gewählt. Ich war von Michael Mronz also »goldrichtig« gebrieft worden.

Ich erzähle diese kleine Geschichte, weil sie zeigt, wie auch unbedeutende Gesten einen großen Unterschied machen können, wie ein einziges Gespräch Vertrauen aufbauen oder Ressentiments erzeugen kann – wichtig in vielen Lebensbereichen, aber besonders in der Diplomatie. Ohne Vertrauen läuft da nämlich gar nichts.

Wie hochpolitisch, ja gefährlich protokollarische Fragen sein können, habe ich als junger Diplomat im Ministerbüro von Außenminister Hans-Dietrich Genscher erfahren. Es war im November 1982. Nach einem Misstrauensantrag war Kanzler Helmut Schmidt zurückgetreten und am 4. Oktober 1982 Helmut Kohl zum neuen Bundeskanzler gewählt worden. In Deutschland gab es kaum ein anderes Thema als den – von manchen als »Verrat« bezeichneten – Koalitionswechsel der FDP von der SPD zur CDU/CSU. Genscher galt zusammen mit Otto Graf Lambsdorff als einer der Strippenzieher für diesen folgenschweren Seitenwechsel. Er war zu dem Zeitpunkt Außenminister und blieb es auch. Ich selbst wurde damals in Genschers Ministerbüro versetzt und bekam als ersten Auftrag, den Außenminister auf eine Reise nach Oslo zu begleiten und diese Reise sorgfältig vorzubereiten.

Bilateral gab es damals nicht viele aufregende Themen zwischen Deutschland und Norwegen. Ein unspektakulärer Nachbarschaftsbesuch. König Olav würde Genscher empfangen, es würde Gespräche mit dem norwegischen Außenminister geben, Interviews und Erklärungen. Auch eine Kranzniederlegung gehörte dazu. Standardprogramm eben.

Genscher fragte Tage vorher kurz nach Einzelheiten des Programms: Wo lege er einen Kranz nieder? Ich erklärte: »Da, wo alle das tun, am Grabmal des unbekannten Soldaten. Drei Bundeswehrsoldaten werden den Kranz tragen und sind bereits bestellt. Alles geregelt.« Das war mir so aus Oslo übermittelt worden, und ich hatte es ungeprüft übernommen und weitergegeben.

Drei Tage später: Oslo. Wir wurden auf die Festung Akershus oberhalb der Stadt gefahren. Dort liegt eine Steinplatte im Boden: »Den Opfern der nationalsozialistischen Gewaltherrschaft«. Von wegen Grabmal des unbekannten Soldaten! Wir stiegen aus dem Auto aus, Kameras, viele Journalisten. Der Kranz wurde niedergelegt.

Da kam ein deutscher Reporter auf Genscher zu, hielt ihm ein Mikrofon vor die Nase und eröffnete das Interview mit dem Satz: »Sie haben soeben hier am Denkmal gegen die Nazi-Besetzung einen Kranz niedergelegt, als erster deutscher Vertreter überhaupt. Ich möchte das mit Brandts Kniefall von Warschau vergleichen ...«

Genscher war wie immer um eine Antwort nicht verlegen, sagte irgendwas zu Versöhnungspolitik und stieg ins Auto. Dort brüllte er mich an: »War das das Grabmal des unbekannten Soldaten? Wirklich? Oder das Mahnmal für die Nazi-Opfer? Eine solche politische Geste hätte ich mit Kohl vorher absprechen müssen. Kohl und die CDU werden mir Profilierungssucht und einen politischen Alleingang vorwerfen!«

Ich saß da wie ein begossener Pudel. Für mich war eine Kranzniederlegung eine Kranzniederlegung. Dass sich dahinter Politik verbergen konnte, hatte ich noch nicht begriffen.

Die Lektion hatte ich damit gelernt. Protokoll ist wichtig, Details sind wichtig – oft verbergen sich dahinter sehr sensible politische oder historische Zusammenhänge. Wer erinnert sich noch an den Fall Bitburg – als Helmut Kohl Ronald Reagan zu einer Kranzniederlegung an einem Ort einlud, an dem auch Mitglieder der Waffen-SS begraben waren? Das führte damals zu einem Medienaufschrei und zu einer vermeidbaren Verkrampfung des deutsch-amerikanischen Verhältnisses.

Every step you take – Die Welt schaut zu

Ein ähnliches Malheur mit einer Kranzniederlegung passierte einem meiner Kollegen im Juli 1983, bei einem Besuch Genschers in Teheran: Anders als die USA hatte Deutschland nach Khomeinis Revolution nie die diplomatischen Beziehungen zum Iran abgebrochen. Jetzt war Genscher einer der ersten europäischen Minister, die nach Teheran reisten. Das allein wurde von der Weltöffentlichkeit, vor allem von den USA, mit besonders kritischer Aufmerksamkeit beäugt.

Das iranische Protokoll hatte einen Besuch auf dem riesigen Friedhof im Süden Teherans und dort eine Kranzniederlegung vorgeschlagen – ein gängiges Verfahren: In Washington geht man zum Nationalfriedhof von Arlington, in Moskau zum Nowodewitschi-Heldenfriedhof. So weit, so gut.

Weniger Aufmerksamkeit hatte das deutsche Vorauskommando dem Vorschlag der Gastgeber gewidmet, auf dem Teheraner Friedhof auch den »Blutbrunnen« zu besuchen, aus dessen Fontäne hellrot eingefärbtes Wasser spritzt. Der Brunnen selbst war bizarr genug, doch meine Kollegen hatten übersehen, dass der Weg dorthin über eine als Mosaik im Boden eingelassene amerikanische Flagge führte. Jeder, der zum Denkmal geht, tritt also die US-Flagge mit Füßen – ein Zeichen totaler Missachtung. In letzter Minute erkannte Genscher die Gefahr, nahm einen Weg um die Flagge herum und vermied es so, in dieser kompromittierenden Weise fotografiert zu werden. Die Aufregung hinterher war groß. Was wäre passiert, wenn er das nicht rechtzeitig gemerkt hätte? Wie wäre dann die Reaktion in Washington ausgefallen? Die Amerikaner waren schon über die Reise an sich nicht gerade begeistert gewesen.

Kleine Gesten, große Wirkung

Kleine Gesten können Großes bewirken – im Guten wie im Schlechten. Brandts Kniefall vor der Mauer des Warschauer Ghettos 1970, spontan vollzogen, war eine Geste von immenser symbolischer Bedeutung und damit ein historisches Ereignis, das heute in keinem Geschichtsbuch fehlt. Sie wurde zum Symbol der damals neuen deutschen Ostpolitik und damit zum visuellen Meilenstein auf dem Weg zur späteren Wiedervereinigung Deutschlands.

Diplomatische Rituale und Gesten haben also ein großes Potenzial als Harmoniesignal, aber eben auch als Anlass für Konflikte und Spaltung.

Manchmal aber sind es nicht die großen Bühnen, sondern die scheinbar profanen Aufgaben, die viel größere symbolische Bedeutung haben. Für mich war dies eine Zugfahrt im Jahr 1989. Sie wurde zu einem der beeindruckendsten Erlebnisse in meinem diplomatischen Leben.

Diplomatischer Alltag kann das Leben verändern

Es war Ende September 1989. Über Ungarn waren schon Tausende Ostdeutsche gen Westen geflohen, zunächst querfeldein, ab dem 11. September dann offiziell über die ungarisch-österreichische Grenze. Als das Gerücht umging, Honecker würde demnächst die Grenze zwischen DDR und Tschechoslowakei schließen, suchten immer mehr verzweifelte DDR-Bürger Zuflucht in der Botschaft Westdeutschlands in Prag – solange es noch ging. Die Botschaft war schnell voll. Tausende von Menschen arrangierten sich auf engstem Raum, mit wenigen Toiletten. Eine Suppenküche des Roten Kreuzes versorgte die Menschen mit dem Nötigsten. Es war für die Jahreszeit schon sehr kalt. Die meisten mussten in Zelten im Freien nächtigen. Regen hatte den Garten in eine Schlammwüste verwandelt. Schwangere und kleine Kinder wurden im Heizungskeller der Botschaft untergebracht, wo es wärmer war. Es waren unerträgliche Zustände. Doch die Menschen harrten aus.

Auf diplomatischer Ebene wurde in mühsamen Gesprächen über Auswege für die Flüchtlinge verhandelt. Der Wunsch Außenminister Genschers, den Flüchtlingen den Zwischenstopp in der DDR zu ersparen und sie direkt aus Prag in die

Bundesrepublik ausreisen zu lassen, stand dem Drängen Oskar Fischers, des DDR-Außenministers, gegenüber, der verlangte, die Flüchtlinge müssten übergangsweise in die DDR zurückkehren. Die USA, Großbritannien und Frankreich unterstützten Genscher, und irgendwann ließ sich auch der sowjetische Außenminister Eduard Schewardnadse auf dessen Forderung ein.

So kam es zu der Einigung. Am Morgen des 30. September stand fest: Sonderzüge sollten die Flüchtlinge über DDR-Gebiet in die BRD bringen. Genscher reiste nach Prag und sprach am Abend dort vom Balkon des Palais Lobkowitz den sicherlich bekanntesten Halbsatz deutscher Geschichte: »Wir sind zu Ihnen gekommen, um Ihnen mitzuteilen, dass heute Ihre Ausreise ...« Der Rest ging im Jubel unter.

Danach wurden Züge der DDR-Reichsbahn nach Prag gebracht. Die Flüchtlinge wurden auf die Waggons verteilt, und dann ging es zuerst wieder in die DDR, wo ihnen die DDR-Staatsbürgerschaft aberkannt werden sollte, damit sie dann in die BRD ausreisen konnten – das alles, ohne den Zug zu verlassen.

Als diplomatischer Begleiter fuhr ich in einem der Züge mit, die eine Woche nach dem Genscher-Auftritt ein zweites Mal in Marsch gesetzt wurden, als die Prager Botschaft schon wieder »vollgelaufen« war. Der Zug setzte sich am Abend in Bewegung und fuhr langsam durch die DDR. Irgendwann war der DDR-Regierung aufgegangen, dass diese Züge ja quasi wie ein Fackelzug der Republikfeinde wirkten. Auch wollte sie vermeiden, dass irgendwo in Sachsen weitere Republikflüchtlinge auf den Zug aufsprangen. Also wurde der Zug auf Nebenstrecken umgeleitet, damit er nicht über den großen Hauptbahnhof Leipzig fahren musste.

Wir fuhren schließlich durch Plauen. Dort stiegen Stasi-Beamte ein, die den DDR-Flüchtlingen die Ausweisdokumente abnahmen. Das war die Vereinbarung. Dadurch würden sie dann ihre Staatsangehörigkeit verlieren. Ich wusste, dass die Polizeibeamten durch den Zug gehen würden. Deswegen war ich vorher durch sämtliche Abteile gegangen und hatte meine Passagiere aufgefordert, präzise ihre Pass- oder Ausweisdaten auf einen Zettel zu übertragen, damit man in Westdeutschland aufgrund dieser Daten einen neuen westdeutschen Personalausweis ausstellen könnte. Ich versprach: »Wir werden solch einen Zettel als Ersatzdokument akzeptieren!«

Das war offiziell so abgesprochen. Diesen Satz habe ich stundenlang in jedem Abteil wiederholt, während wir von Prag Richtung deutsche Grenze fuhren. Der Zug war ungeheizt, es gab nichts zu essen, nichts zu trinken. Alle froren.

Bevor wir Plauen erreichten, habe ich dann kleine Stichproben gemacht. Bin in ein Abteil rein und habe einen der Passagiere aufgefordert: »Zeigen Sie mir bitte mal Ihren Zettel! Haben Sie alles notiert? Kann ich bitte auch mal den Ausweis sehen?« Dann verglich ich den Ausweis mit dem Zettel. Vorname Sven, Nachname Müller. Familienstand ledig. Ich stutzte. Im Ausweis stand verheiratet.

Ich sagte: »Herr Müller, was soll das denn? Wenn Sie falsche Daten angeben, machen Sie sich womöglich strafbar! Und wenn Sie dann wieder heiraten, ist das Bigamie!« – »Ja«, sagte Herr Müller, »wissen Sie, ich habe ja damals nur geheiratet, damit ich eine Wohnung bekomme. Meine Frau ist auch gar nicht dabei. Die Frau, die hier neben mir sitzt, ist meine Freundin.« Ich erinnerte ihn daran, dass er sich an geltendes Recht halten müsse, dass er die Passdaten korrekt aufschreiben müsse, und begann nun die Datenübertragung einiger anderer Passagiere gründlicher zu kontrollieren.

Ich habe eine Reihe solcher Fälle entdeckt; am häufigsten mit Änderungen beim Familienstand. Das hat mir vor Augen geführt, wie viele der Flüchtlinge ihr Leben unter großen Zwängen – Wohnungs-, Familien-, Berufszwängen – gelebt hatten. Sie waren jetzt auf dem Weg, sich eine neue Identität zu geben:

Ich fahre in den Westen und fange ganz neu an! Das war sehr berührend.

Während der Fahrt trieb mich aber noch eine ganz andere Sorge um. Wie würde das verlaufen, wenn die DDR-Beamten in den Zug kamen? Was wäre denn, wenn sie plötzlich jemanden aus dem Zug herausgriffen, zum Beispiel jemanden, der sich strafbar gemacht hatte? Wie könnte ich verhindern, dass es zum Eklat kommt? Was täte ich, wenn es ein Handgemenge gäbe? Dies war alles unklar. Ich war ja nicht wirklich mit irgendeiner Autorität ausgestattet. Ich hatte zwar einen Diplomatenpass, man würde mich also sicher nicht verhaften, aber was galt für die Flüchtlinge? Im Grunde war ich machtlos und entsprechend nervös. Um den Menschen im Zug die Angst zu nehmen, die sie berechtigterweise hatten, habe ich ihnen immer wieder vermittelt, dass ich zu ihrem Schutz da sei. In meiner Gegenwart könne ihnen nichts passieren, versprach ich. Was ja nicht wirklich stimmte. Trotzdem wiederholte ich: »Macht euch keine Gedanken. Ich bin dabei. Ihr steht unter diplomatischem Schutz!«

Es ist dann zum Glück nichts passiert. Aber als die Polizisten durch den Zug gingen, konnte man die Angst förmlich riechen. Das ist kein schöner Geruch: Angstschweiß. Der ging durch den gesamten Zug. Jeder ahnte, wie leicht die Situation eskalieren konnte. Jeder wusste, wie die Geschichte auch ausgehen könnte, wenn einer der Stasi-Leute jemanden herauspicken würde. Jeder wusste, dass die Alternative zu einem Leben in der Bundesrepublik auch ein Leben in Bautzen bedeuten konnte: Stasi-Gefängnis. Traum und Albtraum lagen ganz dicht beieinander.

Niemand wurde aus dem Zug gezerrt. Die DDR-Polizisten sammelten nur stoisch die Pässe ein. Wir fuhren weiter durch die Nacht, und es dämmerte schon der Morgen, als wir uns der innerdeutschen Grenze näherten. Im ersten Tageslicht, die Scheinwerfer leuchteten noch, kamen wir in Hof in Bayern an.

Und da brach im ganzen Zug ein tosendes Gebrüll aus, das aus einem einzigen Wort bestand. Und ich brüllte mit: Freiheit! Freiheit! Freiheit! Unbändige Freude, Massenhysterie.

Ich habe in dieser einen Nacht mehr Sorgen und Emotionen ausgestanden als jemals zuvor und nur wenige Stunden später eine massenhafte Erleichterung und beglückende Freude erlebt. Die Welle von Angst ums eigene Leben und die eigene Zukunft bis hin zur grenzenlosen Begeisterung, den Weg in die Freiheit geschafft zu haben. Ein großes Erlebnis für alle, die dabei waren.

Das hat mein eigenes Verständnis von den Vorgängen dieses Jahres und der Folgejahre tief geprägt. Hier ging es nicht nur um staatsrechtliche und völkerrechtliche Vereinbarungen. Hier ging es um persönliche Gefühle und Ängste, es ging um Hoffnungen und Frustrationen, auch um Entbehrungen, die die Menschen zu ertragen hatten, und um Erlösung. Diese ersten Flüchtlinge haben ihre Kinder, ihre Partner oder Eltern zu Hause gelassen, haben alles zurückgelassen, was nicht in eine Reisetasche passte, weil sie so verzweifelt waren. Sie konnten ja nicht wissen, dass fünf Wochen später die Menschen ohne Angst mit ihrem Trabbi in den Westen fahren konnten.

Fast drei Jahrzehnte später, im Herbst 2017, bekam ich nach einem Flug von Berlin nach München eine E-Mail. Sie stammte von der Sitznachbarin aus dem Flugzeug:

»Leider wurde mir erst nach dem Flug bewusst, dass Sie mich schon einmal auf einer Reise ›begleitet‹ haben! Und zwar fast auf den Tag genau vor 28 Jahren. Für mich, als damals 20-jährige junge Frau war das der Aufbruch in ein neues Leben hin zu neuen Welten, die sich mir anders nie eröffnet hätten! Ich erinnere mich noch ziemlich genau; Sie selber haben andere ›Aufbrechende‹ und mich ob unserer Sorgen beruhigt, die uns die Streckenführung durch das Gebiet der DDR damals bereitete. Damals war ich ganz alleine aufgebrochen, nach Prag, in der Hoffnung auf eine Zukunft, die ich auch bekam.

Mittlerweile fliege ich als stolze Pilotin bei Lufthansa im Cockpit (diesmal war ich nur privat unterwegs). Diese ›himmlischen Höhen‹ konnte ich nur dank des Engagements von Leuten wie Herrn Genscher, Ihnen und anderen erklimmen.«

Diese E-Mail zeigte mir, wozu Diplomatie auch gut ist und welche enormen Auswirkungen kleine diplomatische Gesten und scheinbar profane Aufgaben für den Einzelnen haben können. Ich habe mich dann mit der Lufthansa-Pilotin Ina Krause zu einem längeren Gespräch getroffen, und sie hat mir erlaubt, aus ihrer E-Mail zu zitieren.

Meine Äußerungen während der Prager Zugfahrt, mit denen ich Sicherheit versprach, die ich gar nicht versprechen konnte, könnte man als Unwahrheit verurteilen: Wie hätte ich garantieren sollen, dass nichts passiert? Es war doch genau diese Ungewissheit, die den Menschen den Schweiß auf die Stirn trieb. Ob bewusst oder unbewusst, sie verstanden, dass ich ihnen Mut machen, sie beruhigen wollte, weil Panik in dieser Situation nichts geholfen, ja vermutlich die Sache nur schlimmer gemacht hätte. Jedenfalls hat mir weder die Pilotin noch irgendjemand anders je den Vorwurf gemacht, ich hätte geschwindelt.

Aus gutem Grund. Denn wir alle machen in unserem Leben im Guten wie im Schlechten die Erfahrung von »Self-fulfilling Prophecies«, sich selbst erfüllenden Prophezeiungen. Wenn der Trainer aufmunternd zu seinen Fußballern sagt: »Lasst euch vom Gegentor nicht verunsichern. Ihr werdet noch mehr als ein Tor schießen und am Ende das Spiel gewinnen!«, strahlt er Zuversicht aus, signalisiert Vertrauen und stärkt möglicherweise die Psyche der Sportler in einem Maße, das den Rückstand in einen Sieg verwandelt.

So wie der Trainer versucht auch der Diplomat, durch kluge Formulierungen und freundliche Gesten den Weg zum Erfolg zu ebnen. In der Außenpolitik aber heißen die Ziele nicht »Gewinnen«, sondern Sicherheit, Frieden und Vertrauen.

Dazu gehört es eben auch, Sätze zu sagen, die vielleicht nicht ganz der objektiven Wahrheit entsprechen, die aber zur Wahrheit werden könnten, wenn alle Beteiligten so wollen – und sich die Dinge entsprechend fügen. Ein Balanceakt zwischen Wahrheit und Lüge, zwischen Kompliment und Ehrlichkeit, den man in der Diplomatie immer wieder aufs Neue austarieren muss. Und der Versuch, Missverständnisse zu vermeiden.

Folgenschwere Missverständnisse

Geschickte Diplomatie kann in manchen Situationen helfen, aus der Sackgasse beidseitiger Missverständnisse und gegenseitigen Misstrauens wieder herauszufinden. Diplomatie kann auch wichtige Dolmetscher- oder Eisbrecherdienste leisten. Doch das erfordert viel Geduld und zahlt sich manchmal erst nach Jahren oder Jahrzehnten aus.

Einer meiner ältesten amerikanischen Freunde ist Bob Kimmitt, US-Botschafter in Bonn Anfang der 1990er-Jahre und später stellvertretender Finanzminister der USA. Ohne aus dem Nähkästchen plaudern zu wollen: Bis heute lädt Kanzlerin Merkel Kimmitt gelegentlich zu einem kleinen Plausch ein, wenn er nach Berlin kommt, obwohl er längst kein Regierungsamt mehr innehat. Warum wohl? Weil Kimmitt als Botschafter zu einer Zeit den persönlichen Kontakt zu Angela Merkel suchte und ein Vertrauensverhältnis aufbauen konnte, als noch überhaupt keine Rede von einer späteren Kanzlerschaft Merkels war. Persönliches Vertrauen zählt.

Doch das lässt sich eben nur über längere Jahre mühsam und allmählich aufbauen. Andersherum gilt: Vertrauen lässt sich leider ohne Weiteres über Nacht, ganz plötzlich, zerstören. Auch hier gelten in der Diplomatie die gleichen Grundsätze wie im privaten Umgang.

Wie Vertrauen verspielt werden kann, weiß ich aus einem anderen Erlebnis. Dabei war nicht mal böse Absicht im Spiel. Niemand hat gelogen, niemand den anderen täuschen wollen. Es gab schlicht eine unglückliche Folge von mehreren Missverständnissen:

Wenige Stunden nach den Terroranschlägen vom 11. September 2001 schickte ich, damals neuer Botschafter in Washington, ein Telegramm nach Berlin, in dem die Einschätzung der politischen Stimmung in den USA seitens der deutschen Botschaft übermittelt wurde. Darin stand der Satz: »Ohne Zweifel werden die USA von uns und anderen engen Alliierten politisch und praktisch uneingeschränkte Solidarität erwarten.«

So stand das da. Das Telegramm ist später veröffentlicht worden. Man kann es nachlesen. Da stand nicht: Wir empfehlen, dass wir uneingeschränkte Solidarität zeigen. Sondern dort stand, dass die amerikanische Regierung eine solche uneingeschränkte Solidarität erwartet. Zwei Tage später sagte Bundeskanzler Schröder bei seiner Regierungserklärung:

»Meine Damen und Herren, ich habe dem amerikanischen Präsidenten das tief empfundene Beileid des gesamten deutschen Volkes ausgesprochen. Ich habe ihm auch die uneingeschränkte – ich betone: die uneingeschränkte – Solidarität Deutschlands zugesichert. Ich bin sicher, unser aller Gedanken sind bei den Opfern und ihren Angehörigen. Ihnen gilt unser Mitgefühl, unsere ganze Anteilnahme.«[3]

Manche hatten damals ein mulmiges Gefühl, dass diese Formulierung vielleicht einen Schritt zu weit ging. Solidarität ohne »uneingeschränkt« hätte vielleicht auch schon gereicht. Aber nach 9/11 stand Deutschland fest an der Seite der USA. Und George W. Bush hat den Satz ernst genommen, Washington war beeindruckt.

Daraus haben sich in der Folge aber Missverständnisse und sogar eine schwere Vertrauenskrise ergeben. Und das kam so:

Es drang schon im Herbst 2001 zu uns durch, dass man sich in der Bush-Administration nicht nur mit dem Gedanken trug, die Taliban in Afghanistan zu bekämpfen, sondern gleich auch gegen Saddam Hussein im Irak vorzugehen.

Ende Januar 2002 besuchte Kanzler Gerhard Schröder das Weltwirtschaftsforum, das damals ausnahmsweise nicht in Davos, sondern aus Gründen der Solidarität mit der von den Anschlägen auf das World Trade Center erschütterten Stadt im »Waldorf-Astoria« in New York stattfand.

Bei der Gelegenheit machte der Kanzler einen kurzen Abstecher nach Washington. Beim Abendessen mit Präsident Bush im Weißen Haus sagte Kanzler Schröder nach einer Diskussion über die Lage im Nahen und Mittleren Osten: »Wenn man handeln muss, dann schnell und ohne lange zu fackeln!«

Das war eine lässige Bemerkung und sicher keine Zusage, dass Deutschland im Fall Irak mit den USA in einen Militäreinsatz mitziehen würde. Aber wenn man die versprochene »uneingeschränkte Solidarität« vom September 2001 damit in Zusammenhang brachte und mit eigenen Wünschen und Erwartungen vermengte, dann konnte man das als indirekte Zusage Schröders interpretieren, im Falle Irak an der Seite Amerikas zu stehen.

So wurde das damals – falsch – auf US-Seite interpretiert. Bush fühlte sich später getäuscht, als Schröder nicht mitzog.

Die Vertrauenskrise zwischen Deutschland und den USA

Im Mai 2002 kam es zu einem Gegenbesuch des amerikanischen Präsidenten in Berlin. Ich war auch bei diesem Gespräch dabei, bei dem die beiden Herren sich über alle möglichen Themen austauschten. Bevor man zur Pressekonferenz ging, sagte Schröder: »Wir werden möglicherweise zum Thema Irak gefragt werden.«

Und Bush erwiderte: »Da sagen wir der Presse wahrheitsgemäß, dass wir darüber nicht gesprochen haben. Es gibt ja auch nichts zu besprechen. Ich habe keine Entscheidung getroffen, und wenn ich eine zu treffen habe, melde ich mich bei Ihnen.«

Gesagt, getan. Die Pressekonferenz verlief ohne besondere Vorkommnisse. Alles schien geregelt. Und Kanzler Schröder war der Meinung, er würde eine Unterrichtung aus dem Weißen Haus bekommen, wenn dort die Frage Irak zur Entscheidung anstehen würde. Die Unterrichtung aus Washington kam aber nie. Wir wissen heute, dass Bush den Angriff auf den Irak durchaus bereits im Sommer 2002 planen ließ. Wir erfuhren davon nichts.

Es gab im Spätsommer 2002 zunächst eine sehr aggressive Rede von Vizepräsident Dick Cheney gegen den Irak, die in Deutschland alle Alarmlampen aufleuchten ließ. Dann gab es einen Skandal um die Bundesjustizministerin Herta Däubler-Gmelin, die angeblich Bush mit Hitler verglichen hatte, was ein anwesender Journalist öffentlich machte, sie selbst aber bestritt. Ich wurde deswegen als Botschafter extra ins Weiße Haus zitiert: Der Präsident fühlte sich persönlich angegriffen und würde ab sofort alles, was aus Deutschland komme, mit besonderer Akribie verfolgen.

Schröder verfolgte seinerseits eine Anti-Irak-Linie im deutschen Wahlkampf, die ihm schließlich auch die Wiederwahl sicherte. Die Stimmung zwischen Berlin und Washington wurde im Zuge all dessen immer schlechter.

Um das schwer angeschlagene Vertrauen wieder aufzubauen, verabredete ich – unter Berufung auf das Versprechen von Bush im Mai – mit der Nationalen Sicherheitsberaterin des Präsidenten Condoleezza Rice, dass ich alle paar Wochen bei ihr vorbeikommen würde, um zu hören, ob es in der Irakfrage irgendetwas Neues gebe. Das habe ich vom Spätsommer bis Weihnachten 2002 auch genauso gemacht. Jedes Mal hieß es:

Nein, nichts Neues! Diese Auskunft gab ich genauso nach Berlin weiter.

Im Januar 2003 gab es Sitzungen im Sicherheitsrat der Vereinten Nationen, bei denen immer deutlicher wurde, dass doch etwas im Busche war. Aber offiziell wurde uns nach wie vor von den USA nichts dazu mitgeteilt; wir konnten nur spekulieren. Die Franzosen, die sich ebenfalls frühzeitig gegen ein Eingreifen im Irak ausgesprochen hatten, schöpften noch stärkeren Verdacht als wir. Im März 2003 kam es dann bekanntlich zur Invasion. Die Zusage vom Mai 2002, uns vorab zu unterrichten, war nicht eingehalten worden. Schröder hat das zu Recht als Vertrauensbruch gewertet.

Zu einem sehr viel späteren Zeitpunkt habe ich meinen amerikanischen Partnern die Frage gestellt, warum man uns im Dunkeln gelassen hatte. Wir seien doch NATO-Verbündete, enge Partner, ganz davon abgesehen, dass Bush Schröder versprochen hatte, ihn vorab einzubeziehen.

Die Antwort war ernüchternd und sprach Bände über den damaligen Zustand des Verhältnisses zwischen Deutschland und den USA: »Wir haben euch absichtlich nicht eingeweiht, weil wir wussten, dass es zwischen Berlin und Paris eine enge Abstimmung gibt. Wir gingen davon aus, dass, sollten wir euch informieren, die Franzosen in derselben Minute davon erfahren würden. Und wenn die Franzosen etwas erfahren, dann würde es eine Minute später Saddam Hussein wissen. Das war unbedingt zu vermeiden.«

Natürlich war es erschütternd, dass das Weiße Haus der Bundesregierung nicht zutraute, eine Information so zu behandeln, dass niemand außer den engsten Mitarbeitern davon erfährt. Und es war genauso erschütternd, dass die Amerikaner dem NATO-Partner Frankreich zutrauten, solche Informationen an den Gegner im Irak weiterzugeben. Die USA bekundeten ihren beiden Verbündeten Deutschland und Frankreich damit auf drastische Weise ihr Misstrauen.

Dass Schröder allen Grund hatte, sich zu ärgern, war nachvollziehbar. Das Vertrauenstischtuch zwischen Deutschland und den USA war auf längere Zeit zerrissen. Beide Seiten trauten sich nicht mehr über den Weg und der Gegenseite alles Mögliche zu.

Man sieht daran, wie groß die Möglichkeit von Missverständnissen ist, trotz Dolmetschern, Niederschriften und Fachberatern. Man glaubt zwar zu verstehen, was der andere sagt, aber man ordnet es falsch ein, stellt es in einen Kontext, den der andere so nicht vor Augen hat. Und schon steckt man in einer tiefen Vertrauenskrise. Und deshalb ist klassische Diplomatie und sind professionelle Diplomaten auch heute nicht überflüssig. Gute Außenpolitik ist, wie geschildert, leider sehr kompliziert. Erfahrung und Kompetenz helfen. Das Wesen der Diplomatie, die Mitverantwortung für Krieg oder Frieden, ist wohl nie poetischer zusammengefasst worden als von W. H. Auden:[4]

As evening fell the day's oppression lifted:
Far peaks came into focus; it had rained:
Across wide lawns and cultured flowers drifted
The conversation of the highly trained.

Two gardeners watched them pass and priced their shoes:
A chauffeur waited, reading in the drive,
For them to finish their exchange of views;
It seemed a picture of the private life.

Far off, no matter what good they intended,
The armies waited for a verbal error
With all the instruments for causing pain:

And on the issue of their charm depended
A land laid waste, with all its young men slain,
Its women weeping, and its towns in terror.

3

America First – Supermacht, die nicht mehr Weltpolizist sein will

Worauf man sich verlassen kann – Die Truderinger Rede

»Die Zeiten, in denen wir uns auf andere völlig verlassen konnten, die sind ein Stück weit vorbei, und deshalb kann ich nur sagen, wir Europäer müssen unser Schicksal wirklich in die eigene Hand nehmen.«

Es war ein etwas holpriger Satz, der als Donnerhall in der westlichen Welt wahrgenommen wurde. Bundeskanzlerin Merkel hatte ihn in einer vierzigminütigen Rede an einem heißen Sonntagnachmittag im Mai 2017 bei Bier und Brezn im Münchner Vorort Trudering fast nebenbei fallen gelassen. Doch das war kein Versehen.

Viele in Deutschland hielten den Satz vor allem für eine Absage an den neuen amerikanischen Präsidenten Donald Trump und für eine Reaktion auf dessen Auftritt beim NATO-Gipfel in Brüssel wenige Tage zuvor.

Wie aber wurde diese Botschaft der Kanzlerin jenseits Deutschlands aufgefasst? Die namhaften Zeitungen der Welt, von der *Washington Post* zur *New York Times*, vom *Guardian* oder dem *Economist* in Großbritannien, über *El País* in Spanien und *Libération* in Frankreich zu *La Repubblica* in Italien, bewerteten Merkels Rede sämtlich als »historisch«. Es seien schonungslose Sätze, die für einen richtungsweisenden Wendepunkt in der transatlantischen Partnerschaft stünden. Ein neues Kapitel der amerikanisch-europäischen Beziehungen würde aufgeschlagen.

Das europäisch-amerikanische Verhältnis hat sich in der Tat verändert. Und nichts anderes hat Merkel zum Ausdruck gebracht. Die Präsidentschaft Donald Trumps hat diesen Prozess dramatisch beschleunigt, aber sie hat ihn nicht initiiert.

Der große Bruder Amerika, der schützend seine Hand über das kleine Europa hält, ist ein Konstrukt aus Zeiten des Kalten Krieges, als sich die beiden Atommächte USA und Sowjetunion in einer Strategie der wechselseitigen Abschreckung in Schach hielten und die Amerikaner als Schutzpatrone der Europäer wirkten. Diese Logik lag auch der NATO zugrunde: Schließlich ging es nicht nur um das gemeinsame Bekenntnis – und die daraus erwachsende Stärke –, dass wir uns gegenseitig zu Hilfe kommen, wenn ein Mitglied des Bündnisses angegriffen wird. Es ging auch darum, dass Europa, vor allem Deutschland, nicht mehr bis auf die Zähne aufrüstet, sondern einen Teil seiner Sicherheit in der Form nuklearer Abschreckung im Wesentlichen den USA anvertraut. Gleichwohl haben die Europäer selbst viel für ihre Sicherheit geleistet und die amerikanischen Garantien durch umfangreiche Eigenleistungen ergänzt – die Bundeswehr beispielsweise galt als fähige und sehr respektierte Armee.

Diese Balance änderte sich mit dem Ende des Kalten Krieges. In ganz Europa wurden die Verteidigungsausgaben massiv reduziert. Das war einerseits richtig – es gab die Gefahr durch die Sowjetunion ja nicht mehr. Aber es hat auch dazu geführt, dass heute viele europäische Streitkräfte nur noch bedingt einsatzfähig sind.

Führenden US-Politikern fiel es Jahr für Jahr schwerer zu erklären, warum die USA weiterhin immense Summen für die Verteidigung der europäischen Partner ausgeben, während diese ihren Eigenanteil immer stärker zurückfahren – und das, obwohl sie als starke Wirtschaftsmächte eigentlich genug finanzielle Ressourcen hätten, um mehr für die eigene Sicherheit zu tun.

Im Juni 2011, also lange vor Trump, hielt der damalige und allseits respektierte US-Verteidigungsminister Robert Gates in Brüssel eine viel beachtete Rede. Er formulierte eine große Sorge. Schon früher habe er davor gewarnt, dass die NATO in zwei Teile zu zerfallen drohe: in Mitglieder, die risikoärmere Friedens- und Entwicklungseinsätze übernehmen, und Mitglieder, die hochriskante Kampfeinsätze führen. Es sei zudem nicht hinnehmbar, dass der US-Anteil an den Verteidigungsausgaben der NATO von 50 Prozent während des Kalten Kriegs auf mittlerweile 75 Prozent angewachsen sei. Gates warnte: Wenn das so weitergehe, wenn die USA weiter fast die Einzigen seien, die in die gemeinsame Verteidigung investierten, dann würden US-Entscheidungsträger in Zukunft die Frage aufwerfen, ob sich das amerikanische Engagement in der NATO noch lohne. »Letzten Endes«, schloss Gates, »muss jeder Verbündete seinen gerechten Anteil an der gemeinsamen Verteidigung übernehmen.«

Das war keine Drohung, sondern eine warnende Feststellung. Aber auch Gates konnte nicht ahnen, wie schnell mit Donald Trump ein US-Präsident gewählt werden würde, der die NATO tatsächlich »obsolet« nennt. Und der offen damit droht, seine Bündnisverpflichtungen nur dann wahrzunehmen, wenn die NATO-Mitgliedsländer, wie 2014 beschlossen, künftig mehr, nämlich in Richtung zwei Prozent des Bruttoinlandsprodukts, für Verteidigung ausgeben. Im Moment erfüllen nur wenige Länder diese Selbstverpflichtung. Deutschland, dessen Quote bisher bei 1,2 % liegt, hat sich nun verpflichtet, bis 2025 1,5 % zu erreichen. Das ist grundsätzlich begrüßenswert. Gleichzeitig weicht es deutlich von der Zwei-Prozent-Zusage von Wales ab. Wenn Deutschland schon nicht imstande ist, die Beschlüsse von Wales umzusetzen, dürfen wir uns nicht wundern, wenn kleinere NATO-Partner dies ihrerseits zum Anlass nehmen, ihre Zusagen nur zögerlich umzusetzen.

Denn die Kritik der Amerikaner trifft einen Nerv: Jahrzehntelang haben es sich die EU-Staaten, auch und vor allem Deutschland, unter dem amerikanischen Schutzschirm gemütlich gemacht. Ohne die Vereinigten Staaten hätte es keine Wiedervereinigung, keine Europäische Union und keinen Frieden in Europa gegeben, auch keinen Frieden auf dem Balkan.

Jetzt stellt sich die Frage: Kann und will Amerika es heute überhaupt noch leisten, als Schutzpatron der Europäer und weltweit – auch im Sinne seiner europäischen Partner – als Ordnungsmacht aufzutreten?

US-Außenpolitik zwischen Isolation und Intervention

Die Geschichte der amerikanischen Außenpolitik ist eine Geschichte der Widersprüche. Zum einen ist die US-Außenpolitik verwurzelt in einem tief sitzenden nationalen Pathos, das die Rhetorik der amerikanischen Politik durchzieht: Die amerikanische Politik war immer schon durchdrungen von der Gewissheit, berufen zu sein, eine einzigartige Rolle in der Welt zu spielen.

Die Überzeugung vom »American Exceptionalism«, der Außergewöhnlichkeit der Vereinigten Staaten, ihrer Bestimmung, weltweit für Ordnung, Frieden und Freiheit zu sorgen, und der Vorstellung, das Land sei aus einer besonderen Idee heraus geboren und habe deshalb den Auftrag, diese Idee zu verbreiten – all dies sitzt tief. Für Amerikaner ist dieser Stolz mit der eigenen Unabhängigkeit und Freiheit, mit der Garantie von Menschenrechten und Demokratie, mit dem Geist des Individualismus und des Unternehmertums verknüpft. Thomas Jefferson, der Autor der US-Unabhängigkeitserklärung, nannte sein junges Land 1780 »the Empire of Liberty«, das Reich der Freiheit.

George W. Bush spitzte diesen Gedanken in seinem außenpolitischen Programm zu: »Das Fortbestehen von Freiheit in Amerika hängt immer mehr davon ab, dass Freiheit auch im Rest der Welt Erfolg hat. Unsere größte Hoffnung auf Frieden in der Welt ist die Expansion von Freiheit in alle Welt.« Um dies zu erreichen, brauche es mitunter Interventionen in anderen Ländern. Auch die Entscheidung, hunderttausend US-Soldaten in den Irak zu entsenden, von denen 4422 nicht wieder zurückkehrten, folgte dieser Logik.

Gleichzeitig lösten in der Geschichte der USA immer wieder Phasen der Selbstisolation jene des Interventionismus ab. Schon der erste US-Präsident George Washington warnte vor politischen Bündnissen mit anderen Staaten, da diese vor allem Probleme mit sich brächten. Ein weiteres Beispiel ist die »Monroe-Doktrin«: In einer Rede hatte der damalige Präsident James Monroe 1823 das Prinzip der Nichteinmischung zu einem zentralen Ankerpunkt der amerikanischen Außenpolitik gemacht. Die Vereinigten Staaten sollten sich nicht in europäische Konflikte einmischen; umgekehrt würden die Amerikaner keine Einmischungen der Europäer in amerikanische Belange dulden.

Der zentrale Grundsatz der Monroe-Doktrin bestimmte in den folgenden Jahrzehnten den außenpolitischen Diskurs der Amerikaner. Die Konzentration auf Amerika führte dazu, dass es zum »Alten Kontinent«, zu Europa, aber auch zu Ostasien und Südamerika bis zum Ersten Weltkrieg fast ausschließlich Beziehungen wirtschaftlicher Art gab.

Diesem Grundsatz zufolge erklärte Präsident Woodrow Wilson bei Kriegsausbruch 1914 die Neutralität der Vereinigten Staaten. Zwar wurden die USA 1916 quasi in den Krieg gezwungen, zurückhaltend-isolationistische Tendenzen behielten dennoch die Oberhand. Als es nach Beendigung des Krieges 1918 zur Gründung des Völkerbundes kam, waren die Siegermächte des Ersten Weltkriegs, insgesamt 32 alliierte Staaten, alle dabei. Ausgerechnet die USA aber fehlten, obgleich ihr damaliger Präsident 1919 für die Idee des Völkerbundes sogar den Friedensnobelpreis erhalten hatte. Der amerikanische Senat jedoch hatte die Mitgliedschaft abgelehnt.

Bis Ende der 1930er-Jahre blieb der Isolationismus die vorherrschende außenpolitische Maxime in den USA. Noch bis 1937 beschloss der Senat Neutralitätsgesetze. Diese verboten dem Präsidenten und seiner Regierung die militärische Unterstützung kriegführender Mächte, ganz gleich, ob es sich um Angreifer oder Verteidiger handelte. Dass Roosevelt dem Eintritt in den Zweiten Weltkrieg schließlich doch zustimmen konnte, war erst nach dem japanischen Angriff auf Pearl Harbor 1941 möglich – eines der traumatischsten Ereignisse der amerikanischen Geschichte.

Die Imperative des Zurückhaltens und Einmischens führten auch in den folgenden Jahren innenpolitisch ein Wechselspiel.

Roosevelt versuchte 1937 in seiner weltweit aufsehenerregenden »Quarantäne-Rede« den Kongress zu überzeugen, sich von der isolationistischen Haltung zu lösen. Der Weltfrieden sei gefährdet. Einige Mächte seien aggressiv, sie ignorierten hoheitliche Gebiete fremder Staaten und hielten sich nicht an Verträge. Niemand dürfe glauben, die USA könnten diesen Gefahren entkommen oder Gnade erwarten und wie bisher ihr friedliches Leben führen. Deswegen müssten sich die friedliebenden Nationen in Opposition zu den Verbrecherstaaten begeben, sie isolieren (unter Quarantäne stellen) und gemeinsam Gesetze und Frieden bewahren: »Wenn eine ansteckende Krankheit sich auszubreiten beginnt, verordnet die Gemeinschaft eine Isolierung der Patienten, um die eigene Gesundheit vor der Epidemie zu schützen.« Zurückziehen oder Neutralität hingegen würde die internationale Anarchie nur befeuern.

Roosevelt nannte zwar keine Namen, aber jeder verstand, dass er mit den Verbrecherstaaten Deutschland, Italien und Japan meinte und sein eigenes Land sowie Großbritannien und Frankreich gegen diese versammeln wollte. Es dauerte noch vier Jahre, bis die USA tatsächlich in den Krieg eingriffen, aber Roosevelt hatte den Gedanken der globalen Abhängigkeit aller Staaten von allen bereits in die Köpfe gepflanzt.

Der Zweite Weltkrieg war im amerikanischen Denken über die Welt ein Wendepunkt: An die Stelle von Nationalismus trat nun zunehmend der Internationalismus: die Idee, dass ein Staat im komplexen Weltgeschehen nie allein ist und gemeinsame Interessen nur in Zusammenarbeit mit anderen voranbringen kann. Nach dem Sieg über den Faschismus und dem Ende des Zweiten Weltkriegs setzte sich der Gedanke durch, dass die USA auch im Sinne der eigenen Sicherheit die Weltordnung wiederaufbauen und stützen müssten. Denn nur mit einer stabilen Ordnung und starken internationalen Institutionen, so die Annahme, würde die Welt nach 1914–18 und 1939–45 nicht ein drittes Mal in den Abgrund stürzen.

Die Ordnung, die Amerika baute und protegierte und von der Westdeutschland und Westeuropa enorm profitierten, galt freilich erst einmal nur für den westlichen Teil der Welt. Denn es folgte zunächst der Kalte Krieg. Der Ost-West-Konflikt und die Konkurrenz zwischen Kapitalismus und Kommunismus führten zu einem global ausgetragenen Wettkampf zwischen den USA und der Sowjetunion, der sich durch alle möglichen Bereiche zog: von Sport und Kultur über Wissenschaft und Raumfahrt bis hin zum militärischen Bereich – und damit leider auch zu einem Wettrüsten, das mehrfach beinahe im ultimativen Krieg mündete. Am nächsten kamen die beiden Supermächte dem Krieg sicher mit der Kuba-Krise 1962, als zwei Wochen lang unmittelbar die militärische Eskalation drohte.

Gegenüber der Sowjetunion praktizierten die USA eine Politik der Eindämmung, »Containment-Politik« genannt, bei der es darum ging, die sowjetische Machtfülle und Expansion zu begrenzen. Das beinhaltete eine systematische globale Bündnispolitik, mit der die USA versuchten, Allianzen gegen die UdSSR zu schmieden. Im Vordergrund stand dabei das Bündnis mit den Europäern und in Asien mit Japan und Südkorea. Die Amerikaner schreckten aber – getreu dem Motto »Der Feind meines Feindes ist mein Freund« – auch nicht vor der Kooperation mit autoritären Systemen aller Art zurück. So unterstützten sie zum Beispiel in den Achtzigerjahren in Afghanistan die islamistischen Mudjaheddin gegen die sowjetischen Besatzer, weswegen den USA heute vorgeworfen wird, sie hätten die späteren Terrororganisationen Taliban und al-Qaida selbst ausgebildet und bewaffnet.

Nach der Kuba-Krise begannen die USA und die Sowjetunion über Abrüstung zu verhandeln. Dabei verpflichteten sich die beiden Großmächte wechselseitig zum Abbau von Atomraketen.

Mit Beginn der Amtszeit Ronald Reagans 1981 wurde der Tonfall der Amerikaner gegenüber der Sowjetunion dann wieder deutlich konfrontativer. Reagan sprach vom »Reich des Bösen« (Evil Empire) und startete eine Aufrüstung bis dahin unbekannten Ausmaßes. Gleichzeitig pflegte er aber intensiven Dialog mit dem russischen Präsidenten Gorbatschow. In seiner zweiten Amtszeit trieb Reagan dann gar Abrüstungsgespräche voran. Tatsächlich hatte das Wettrüsten bis dahin schon zur wirtschaftlichen Schwächung der Sowjetunion beigetragen, die dann wenig später zum politischen Zusammenbruch führte.

Damit wurden die USA Anfang der 1990er-Jahre zur letzten verbliebenen Supermacht, man sprach gar von der »Hypermacht« USA und vom »unipolaren Moment«. Präsident George H. W. Bush rief in diesem Zusammenhang eine »neue Weltordnung« aus – eine Welt, in der die Nationen gemeinsam für Frieden und Gerechtigkeit eintreten. Ein klares Bekenntnis zu einer weltzugewandten und interventionistischen US-Außenpolitik, das sogleich in die Praxis umgesetzt wurde: Als 1990 irakische Truppen in Kuwait einmarschierten, intervenierten die USA. Auch im Bosnienkrieg 1995 und im Kosovo

1999 griffen schließlich die USA konfliktbeendigend ein und eilten damit den eher hilflosen Europäern zur Seite.

Die Europäer, die von Amerika zwar nun keinen Schutz mehr vor sowjetischen Expansionsgelüsten benötigten, vertrauten weiterhin auf die Fähigkeiten des US-Militärs. Von diesem »Pflegeanspruch«, der sich noch aus der Zeit des Kalten Krieges speiste, wollte sich Europa nur allzu ungern verabschieden. Die Europäer vertrauten darauf, dass die USA von nun an auch im Sinne Europas als Weltpolizei agieren würden. Gleichzeitig wurde diese Erwartung an die Amerikaner immer auch von einer gewissen Aversion gegen militärische Eingriffe in der Welt begleitet. Die Doppelbotschaft aus der »alten Welt« an die Adresse der USA lautete: Mach für uns die Weltpolizei, aber bitte möglichst nicht mit Gewalt!

Weltereignis 9/11

»So, jetzt gehen Sie mal nach Washington und genießen die nächsten Jahre!«, hatte mir Kanzler Schröder zur Verabschiedung in Berlin gesagt, als ich im Sommer 2001 auf meinen neuen Posten als deutscher Botschafter in den USA nach Washington wechselte. Es klang, als ob ich in den Urlaub gehen würde.

Am 10. September flogen wir nach Washington. Am frühen Morgen des 11. September ging ich erwartungsvoll zu meinem ersten Arbeitstag in die Botschaft, nur wenige Meter von der Botschafterresidenz entfernt. Der Adrenalinspiegel hoch, die Laune vergnügt, ein besonderer Moment, geplant als Tag am Schreibtisch, Mitarbeiter kennenlernen, einige Termine. Ich war ungefähr um acht Uhr im neuen Büro, wollte lernen, wie man das Telefon bedient und so weiter, als gegen neun Uhr mein neuer persönlicher Referent ins Zimmer stürmte und rief: »Schalten Sie den Fernseher an!« Da war gerade das zweite Flugzeug ins World Trade Center eingeschlagen.

Ich rief als Allererstes in Berlin Außenminister Joschka Fischer an, der aber auch schon vor dem Fernseher saß. Kurz danach sahen wir Rauchwolken über Washington aufsteigen. Da war das Flugzeug in das Pentagon gestürzt. Ich bin sofort hingefahren, um aus der Nähe zu sehen, was passiert war.

Überall spürte man: Die USA fühlten sich ins Herz getroffen. Viele Amerikaner fragten sich: Wie kann das sein? Wir sind doch die Guten! Amerika war wie gelähmt. Derlei war bis dahin vollkommen unvorstellbar gewesen. Uns war ziemlich schnell klar, dass es sich hier um ein Weltereignis handelte: »Nach diesem Angriff auf das Herz Amerikas wird das tägliche Leben der Amerikaner und ihr Selbstverständnis von ihrem Platz in der Welt nicht mehr so sein wie zuvor.« Das stand in dem »Drahtbericht«, wie das unter Diplomaten heißt, den wir aus der Botschaft noch am selben Nachmittag nach Berlin schickten.

Es war ein dramatischer Tag, der meine nachfolgenden fast sechs Jahre in den USA extrem prägen sollte. Von nun an arbeitete die Botschaft in einem dauerhaften Krisenmodus.

Der Schock für die Amerikaner war so groß wie nach dem Angriff der Japaner auf Pearl Harbor 1941. Zwar hatte es in der Vergangenheit immer wieder Terroranschläge auf amerikanische Einrichtungen gegeben, etwa den Bombenanschlag auf die US-Botschaft in der kenianischen Hauptstadt Nairobi im August 1998 oder den Sprengstoffanschlag auf ein US-Kriegsschiff im Oktober 2000 im Hafen von Aden im Jemen. Doch dies war die erste große Attacke auf amerikanischem Boden. Die USA fühlten sich unmittelbar angegriffen – und das in ihrem Herzen: in New York und Washington.

In einer historischen Sitzung erklärte die NATO die Attacken auf das World Trade Center und das Pentagon zum Bündnisfall. Die Verteidigungsminister aller NATO-Staaten waren dafür nach Brüssel gekommen – alle, bis auf ausgerechnet den US-Verteidigungsminister Donald Rumsfeld, der nur seinen

Vize Paul Wolfowitz schickte. Ab diesem Punkt war klar, wie die Amerikaner angesichts dieser existenziellen Herausforderung verfahren würden:»Wir sind angegriffen worden. Wir regeln das alleine!«

Fast vergessen ist heute, dass es unmittelbar nach den Anschlägen eine beispiellose Verbundenheit zwischen Deutschen und Amerikanern gab – wie schon erwähnt waren in Deutschland über siebzig Millionen Dollar Spendengeld eingesammelt worden. Doch – wie ebenfalls schon erwähnt – hatten die erfreulichen Beziehungen schon bald ein Ende. Zum Riss im deutsch-amerikanischen Verhältnis kam es im Sommer 2002. Ende August warnte US-Vizepräsident Dick Cheney in düsteren Worten davor, dass der Irak über Massenvernichtungswaffen verfüge. Das war die Ankündigung einer militärischen Intervention, zu der es 2003 auch kam – und mit ihr zu den beschriebenen schweren Verwerfungen zwischen Kanzler Schröder und Präsident Bush.

Schadensbegrenzung

Mit der deutschen Weigerung, sich am Irakkrieg zu beteiligen, begann für mich die schwierigste Phase meiner diplomatischen Laufbahn. Ich bemühte mich um Schadensbegrenzung, warb um Sympathie und Verständnis: Selbst, wenn Deutschland keine Soldaten in den Irak schickt, seien wir doch gute Freunde. Ich verkroch mich nicht, sondern schrieb Gastbeiträge für US-Zeitungen, gab Interviews, ging in Talkshows und hielt Vorträge an Universitäten.

Auf dem Höhepunkt des Streits zwischen Bush und Schröder – die Emotionen kochten hoch, Amerikas konservative Elite tobte – bekam ich eine Einladung in die Talkshow von Bill O'Reilly, einem der damals bestbezahlten und berüchtigsten Moderatoren der Vereinigten Staaten bei Fox News. Der erzkonservative TV-Profi liebte die Provokation und wurde gern laut und zornig. In seinen Sendungen ließ er den Gesprächspartnern auch schon mal das Mikrofon abdrehen, wenn ihm deren Äußerungen nicht passten. Schon als Radiomoderator genoss er einen zweifelhaften Ruhm, seine Talksendung »The O'Reilly Factor« aber war damals das Flaggschiff von Fox News und eine der meistgesehenen Shows auf den US-Nachrichtensendern.

Also kostete es Mut, dort aufzutreten – und meine Berater rieten mir klar davon ab. Doch ich wollte die deutsche Position gegen den Irakkrieg offensiv verteidigen. So ging ich beim US-Fernsehsender Fox News ins Rededuell. O'Reilly giftete gleich los, sinngemäß etwa so:

»Wir haben nach dem Zweiten Weltkrieg euren Arsch gerettet. Wir haben euer Land wiederaufgebaut. Mit meinem Geld, dem Geld meines Vaters und dem meines Großvaters. Im Kalten Krieg haben wir euch vor den Russen beschützt. Und jetzt, wo wir gegen eine Person kämpfen wollen, die eine Gefahr für die gesamte Welt ist, stellt ihr Kerle euch hin und sagt Nein. Was für undankbare Typen seid ihr eigentlich?«

Ich versuchte cool zu bleiben: »Bill, ich bin wirklich froh, dass Sie nicht der Präsident der Vereinigten Staaten von Amerika sind, denn das, was Sie da sagen, ist schlicht unverantwortlich!« Um dann in aller Ruhe darzulegen, dass es für einen Krieg gegen Saddam Hussein aus deutscher Sicht keine politische und rechtliche Grundlage gab.

Ich wusste, dass O'Reilly nur aussprach, was viele Amerikaner ohnehin dachten. Ich hatte nichts zu verlieren. Hinterher erhielt ich viel Lob für den Auftritt, aber das hätte auch komplett in die Hose gehen können.

So ein Presseauftritt war damals keineswegs selbstverständlich, selbst wenn wir heute durchaus gewohnt sind, einen Botschafter mal im Fernsehen zu erleben.

Ich schwor in dieser Zeit die Presseabteilung der Botschaft

auf Marketing nach amerikanischem Vorbild ein. Zunächst starteten wir eine professionelle Internetseite. Mehr als eine Million Besucher wurden im ersten Jahr registriert, ein Interesse, das jenes an den Briten und Franzosen in den Schatten stellte. Wir verteilten Gratisexemplare der neuen Zeitung *Atlantic Times*, die mein Freund Detlef Prinz gegründet hatte, an Journalisten, Politiker, Studenten und interessierte Bürger. Darin luden wir Politiker, Manager und prominente Journalisten zu Beiträgen über die bilateralen Beziehungen ein. Bei Veranstaltungen verteilten wir T-Shirts, Magneten für den Kühlschrank und die in Amerika schon damals unverzichtbaren Kaffee-Thermosbecher. Die Tassen trugen in englischer Sprache den griffigen Slogan: »Deutschland Info: Achtung ganz heiß!«

Unser wichtigstes Anliegen dabei war, dass die Menschen dies- und jenseits des Atlantiks trotz aller Differenzen miteinander im Gespräch blieben, das Vertrauen nicht weiter zerstört würde.

Wir folgten dem Prinzip der »Public Diplomacy« und suchten gerade dann die mediale Öffentlichkeit, wenn sich die politischen Türen in Washington verschlossen. Öffentlichkeitsarbeit ist eine der wichtigsten Aufgaben der Diplomatie in der Moderne. Das ist das Gegenteil von Bismarck'scher Geheimdiplomatie. Denn den Botschafter als Schreiber geheimer Depeschen braucht es heute kaum mehr. Staatschefs können jederzeit direkt miteinander telefonieren oder sich treffen, sobald sie Gesprächsbedarf haben – und tun das auch.

Als Botschafter war ich also weniger das Ohr von Schröder oder Merkel als vielmehr der Lobbyist, der für deutsche Interessen wirbt – vor allem für das deutsche Interesse an einer belastbaren transatlantischen Beziehung. An dieser Lobbyarbeit wirkten viele mit – neben der Botschaft, unseren Konsulaten und den Goethe-Instituten natürlich auch Hochschulprofessoren, Austauschlehrer und ganz besonders die vielen deutschen Firmen, die in den USA Arbeitsplätze geschaffen hatten.

In Washington eröffneten wir damals im Keller der deutschen Botschaftsresidenz die »Berlin Bar«. Das war ein voller Erfolg. Zur Eröffnungsparty im Frühjahr 2004 kam Harald Schmidt, der aus derselben Neckarstadt stammt wie ich – wir bildeten quasi einen »Nürtinger Gipfel« in Washington. Deutschlands berühmter Late-Night-Talker vermochte mit der Stegreifmoderation einer Tombola den etwa hundert Gästen unserer Party nachhaltig die Angst vor deutschem Humor zu nehmen.

Die Eröffnung der Bar war auch ein Versuch, der kühlen mächtigen Architektur der Botschaftsresidenz etwas Heimeliges zu geben. Der 1994 errichtete Bau des berühmten Kölner Architekten Oswald Mathias Ungers entsprach so gar nicht amerikanischen Vorstellungen von Gemütlichkeit – also einem Haus mit Backsteinklinkern, Säulen und alten Bäumen, innen mit Mahagonimöbeln im Kolonialstil ausgestattet. Meine Frau und ich konnten mit dem Stil sehr gut leben, aber mir war klar, dass ich irgendetwas tun musste, um den strengen Charakter des Hauses aufzubrechen.

Den krassesten Rat erhielt ich von Richard Holbrooke, dem legendären US-Krisendiplomaten: »Das Erste, was du machen musst, ist, den Bau abreißen lassen!« Ein anderer amerikanischer Freund gab eine bessere Empfehlung: »Dieses kalte und imposante Haus braucht Leben. Der normale Amerikaner mit seiner Wohnhalle und dem offenen Kamin, der hat immer einen Hund oder zwei. Go, get a dog!«

So kam Rocky, ein Australian Shepherd, in die deutsche Botschaft. Der Hund hat tatsächlich einen Riesenunterschied gemacht: Wenn Colin Powell oder Henry Kissinger auf der Terrasse standen und der Hund auftauchte, änderte sich sofort die Stimmung. Rocky wurde gekrault, musste Pfötchen geben und bekam Leckerli. Der Hund war eine wunderbare Brücke, um eine Atmosphäre zu erzeugen, in der man auch den Schlips ablegen und offen miteinander reden konnte.

Eine zweite Frage war: Wohin nach einem offiziellen Abendessen in der Botschaft? Es gehört nun einmal zur deutschen Gastfreundschaft, nach dem Abendessen noch einen Absacker, ein Glas Wein, Bier oder Schnaps anzubieten. Da entdeckte meine Frau den ungenutzten Kellerraum und verwandelte ihn – in Anspielung auf die »Paris Bar« in der Berliner Kantstraße – in die »Berlin Bar«. Es war dort nicht im klassischen Sinne »gemütlich«, sondern nahm die Ungers'sche Architektursprache auf: kühl und sachlich, die Räume in Dunkelrot, schwarze und weiße Sessel, Schwarz-Weiß-Fotos aus der Berliner Nachkriegszeit an den Wänden, die Sofas aus New York, die Tische aus Kalifornien. Man bekam dort ein klassisches Bier vom Fass, aber auch den extra kreierten »Berlin Bar Fuzz«: eiskalter Orangensaft, gemischt mit Cranberrysaft und einem Schuss Sekt. Die Berlin Bar wurde ein Hit und ist auch heute die wahrscheinlich schickste Bar der Washingtoner Botschaftszeile.

Hier, aber auch auf meinen Reisen durch das Land, lernte ich, dass der Kern der deutsch-amerikanischen Beziehung auf drei tiefen Fundamenten beruht: Das erste ist, dass Generationen von Amerikanern eine gewisse Lebenszeit in Deutschland verbracht haben, viele als Soldaten, aber auch als Studenten oder als Geschäftsleute. Das zweite Fundament ist die gemeinsame Erinnerung an den Kalten Krieg, die Schicksalsgemeinschaft im Angesicht sowjetischer Nuklearwaffen, und an das Gelingen der europäischen Einigung und der deutschen Wiedervereinigung. Das dritte Fundament sind die Wirtschaftsbeziehungen zwischen den beiden Ländern. Das Milliardenwachstum deutscher Investitionen in den USA und amerikanischer Investitionen in Deutschland hat sich ohne jeden Bruch immer fortgesetzt. Politische Spannungen haben sich darauf nicht ausgewirkt, auch wenn in der Irakkrise damals einige Leute in der Botschaft anriefen, um mir persönlich zu sagen, dass sie aus Wut über Deutschlands Nein zum Irakkrieg gerade den Kauf eines neuen BMW storniert hätten. Das waren aber nur Einzelfälle. Nichts trägt so viel an Kraft und Stabilität zum bilateralen Verhältnis bei wie die Wirtschaftsbeziehungen. Auch deshalb sind die Strafzölle, mit denen Präsident Trump im Juni 2018 die Europäer belegt hat, besorgniserregend.

Der willkommene Gegner: »Die Achse des Bösen«

Bis 2001 waren die USA eine Weltmacht gewesen, der keine unmittelbare Gefahr für die nationale Sicherheit drohte. Das änderte sich am 11. September. Um die Gefahr abzuwehren, verlangte das Weiße Haus nun ein größtmögliches Maß an Handlungsfreiheit nach innen und außen. Zwar gab es keinen klaren Aggressorstaat, der für die Anschläge verantwortlich war, an seine Stelle aber setzte Bush die »Achse des Bösen«, die sogenannten Schurkenstaaten Iran, Irak und Nordkorea. Als Förderer von Terrorismus (State Sponsors of Terrorism) trugen sie laut Bush mindestens einen Teil der Schuld. An die Stelle der Instrumente des Kalten Kriegs, der Abschreckung und des Containment, trat nun eine »präemptive Sicherheitspolitik«, eine Politik also, die präventive Militäreinsätze zur Verteidigung auch gegen *zukünftige* Sicherheitsbedrohungen vorsieht. Sie mündete direkt in den Irakkrieg.

Die Außenpolitik unter George W. Bush stand im Zeichen des »Global War On Terror«, eines globalen Krieges gegen den Terrorismus, der zur Legitimation eines permanenten Ausnahmezustands diente. Im Gedächtnis der Weltöffentlichkeit ist dieser Ausnahmezustand eng verknüpft mit den abstoßenden Bildern von Folterungen in einem amerikanischen Militärgefängnis in der irakischen Stadt Abu-Ghuraib: dem Bild einer Soldatin, die einen nackten, zusammengekauerten Mann an einer Hundeleine festhält. Oder das Bild des verkabelten Gefangenen, der mit einer Tüte über dem Kopf auf einer Kiste steht.

Plötzlich mussten sich die USA, historischer Vorreiter im Kampf für Menschenrechte, selbst für Verhörmethoden mit Elektroschocks, Waterboarding oder Kopfüberhängen rechtfertigen – und taten das unerschrocken. Der Tenor lautete: »Wir leben unter neuen Bedingungen. Der 11. September hat die Spielregeln verändert, und deswegen müssen wir das absolute Verbot von Folter überdenken.«[5]

In dieser Zeit haben die USA weltweit viel Vertrauen verspielt.

Präsident George W. Bush hinterließ eine dreifache Krise: eine Krise des Vertrauens in die Wertegebundenheit und die Verlässlichkeit der amerikanischen Führungsmacht. Außerdem eine sicherheitspolitische Krise – die unbeendete militärische Konflikte in Afghanistan und Irak ebenso einschloss wie ein belastetes NATO-Russland-Verhältnis, den Quasi-Stillstand in der Abrüstungspolitik und im Nahost-Friedensprozess und den vernachlässigten Klimaschutz. Und obendrein noch eine Krise der globalen Finanzmärkte, die ihren Ausgang in den USA nahm und sich in Europa zu einer Staatsschulden- und Eurokrise verdichtete. Alle drei Krisen wirken bis heute nach.

Obama: Neubeginn

Mit Obama gab es 2008 einen hoffnungsvollen Neubeginn in Washington. Wie er es im Wahlkampf versprochen hatte, hielt er als frisch gewählter US-Präsident am 4. Juni 2009 an der Al-Azhar-Universität in Kairo eine Grundsatzrede an die islamische Welt. Der Titel lautete »A New Beginning«, ein Neuanfang. Der Ort war bewusst gewählt: Ägypten sei ein Land, das – so der damalige Pressesprecher des Weißen Hauses Robert Gibbs – »in vielerlei Hinsicht das Herz der arabischen Welt repräsentiert«, und die Al-Azhar-Universität, so formulierte es Obama, sei ein »Leuchtturm islamischer Gelehrtheit«. In der Rede rief Obama zu gegenseitigem Respekt und zu Frieden zwischen Palästinensern und Israelis, zu religiöser Vielfalt, zur Gleichberechtigung von Mann und Frau auf, votierte für eine Zweistaatenlösung, um den Nahostkonflikt zu lösen, versprach dem Irak volle Souveränität und bekräftigte sein Streben nach der Abschaffung von Atomwaffen.

Es war ohne Frage eine historische Rede, die weltweit positive Resonanz fand, auch wenn sich einige in der islamischen Welt skeptisch äußerten und erst mal Taten sehen wollten, bevor sie den Worten applaudierten. Selbst dieses Misstrauen hatte Obama in seiner Rede antizipiert:

»Weder kann eine einzelne Rede Jahre des Misstrauens auslöschen, noch kann ich in der Zeit, die ich habe, all die komplizierten Fragen beantworten, die uns an diesen Punkt gebracht haben. Aber ich bin überzeugt, dass wir nur vorankommen können, wenn wir alles offen aussprechen, was uns auf dem Herzen liegt und was zu oft nur hinter verschlossenen Türen gesagt wird. Wir müssen uns dauerhaft bemühen, einander zuzuhören, voneinander zu lernen, einander zu respektieren und eine gemeinsame Grundlage zu finden.«[6]

Mit religiösen und zugleich versöhnlichen Worten fand seine Rede einen Abschluss: »Die Menschen der Welt können in Frieden zusammenleben. Wir wissen, dass das Gottes Vision ist. Jetzt muss es auch unsere Arbeit auf Erden sein.«

Wenige Monate darauf, noch im selben Jahr, erhielt Barack Obama den Friedensnobelpreis. Die Rede – und damit Amerikas neue Rhetorik – war dabei ganz sicher ein wesentliches Motiv, auch wenn das Komitee in Oslo dafür viel Kritik bekam. Schließlich hatten Politiker zuvor den Nobelpreis nicht für Worte, sondern für Taten bekommen, etwa Willy Brandt für seine Ostpolitik, Michael Gorbatschow für seinen Beitrag zum Ende des Kalten Krieges oder Schimon Peres für seine Friedenspolitik im Nahen Osten.

Für mich war die Preisvergabe aber durchaus nachvollziehbar. Natürlich kann man jemanden für ein mehr oder weniger abgeschlossenes Lebenswerk ehren. Das ist schön für den Betroffenen, aber man erzielt dann keinen weiteren politischen Zweck. Ein solcher Preis kann aber auch einen Friedensprozess inspirieren, ankurbeln, unterstützen und beflügeln. Er kann also einen Beitrag dazu leisten, dass sich Dinge in die richtige Richtung bewegen. Das hat man mit dem Preis an Obama zumindest versucht.

Die Vorhaben, die der neue amerikanische Präsident zu Beginn seiner Amtszeit anstieß, waren viele: atomare Abrüstung, Frieden im Nahen Osten, neues Verhältnis zu Russland, der Versuch, ein neues Kapitel in den besonders schwierigen Beziehungen mit dem Iran aufzuschlagen, der neue Umgang mit der muslimischen Welt – das alles waren (und sind immer noch) bedeutende politische Initiativen, die überall in der Welt massiv begrüßt wurden.

Das Besondere daran: Wenn ein amerikanischer Präsident vor zwanzig oder dreißig Jahren eine solche Politik verkündet hätte, dann hätten wir anderen nicht viel mehr als zuschauen oder vielleicht ein bisschen mithelfen können. Das Nobelpreis-Komitee aber hat zu Recht im letzten Satz der Begründung für die Ehrung darauf hingewiesen, dass sie zugleich eine »Verpflichtung für alle anderen« sein soll, also auch für uns, dazu beizutragen, dass die von Obama definierten Ziele verwirklicht werden können. Wenn diese Preisverleihung eine Aufforderung an andere ist, ihren Beitrag zu leisten, dann ist sie zugleich Ausdruck der Erkenntnis, dass es mit der einsamen Herrschaft einer Weltmacht vorbei ist. Die USA können die Probleme dieser Welt nicht mehr alleine bewältigen.

Die Hürden, die Obama bei der Umsetzung seiner Anliegen bewältigen musste, waren nicht allein außenpolitischer, sondern vielfach innenpolitischer Natur. Ihn erwarteten enorme Herausforderungen im Bereich der US-Wirtschafts- und Finanzpolitik, darunter viele grundlegende Diskussionen über die Rolle des Staates in der Wirtschaft – so in Bezug auf Fragen der Energie- und Klimapolitik, aber auch mit Blick auf das US-Gesundheitssystem. Und Obama kämpfte mit einer enorm starken und immer weiter wachsenden Polarisierung von Gesellschaft und Politik in den USA – zugespitzt in der von vielen seiner Gegner auf der Rechten befeuerten Theorie, Obama sei gar kein Amerikaner.

In dieser Phase hätte ihm und seinem Durchsetzungswillen mehr Unterstützung aus Europa gutgetan. Nicht zufällig hatte Obama schon im Wahlkampf bei seinem Auftritt vor dem Brandenburger Tor für europäische Unterstützung geworben und in seiner gesamten Regierungszeit immer wieder die Nähe zu – aus amerikanischer Perspektive – Europas stärkster Führungsperson, Angela Merkel, und zu anderen europäischen Regierungschefs gesucht.

Doch Europa ließ an Partnerschaftsfähigkeit leider zu wünschen übrig. Bis der Vertrag von Lissabon in Kraft trat, der die Europäische Union nachhaltig reformierte, war die EU zu sehr mit sich selbst beschäftigt. Kurz darauf waren es dann die Auswirkungen der europäischen Finanzkrise, die die EU in Atem hielten. Dies hat das transatlantische Verhältnis nicht gerade gestärkt.

Obama konnte nicht der erhoffte globale Friedensbringer werden, sondern musste erst mal zu Hause den Keller aufräumen und eine kriegsmüde Nation aus der wirtschaftlichen Bredouille führen. »Nation-building« zu Hause, in den USA, sei sein Ziel, sagte Obama – und nicht »nation-building« in fernen Gesellschaften. Sieben Jahre nach Kriegsbeginn war Washington froh, den Irak endlich verlassen zu können, und war wenig bereit, Soldaten in neue Konflikte zu entsenden. Nirgendwo sind die Konsequenzen dieser Zurückhaltung wohl deutlicher zu sehen als im Syrienkrieg und seinen Folgen: Hunderttausende Tote, Millionen Vertriebene und Chaos im Herzen des Mittleren Ostens, das in alle Richtung ausstrahlt.

2013 hatte Obama eine rote Linie in den Sand gezogen, die Wenn-Dann-Drohung, für den Fall, dass Assad Chemiewaffen einsetzen würde. Doch als der Fall eintrat, schreckte Obama vor dem *Dann* zurück – der militärischen Abstrafung Assads. Die unerfüllte Drohung hat die Glaubwürdigkeit der USA stark in Mitleidenschaft gezogen: Denn das Ziehen roter Linien sollte man nur verkünden, wenn man hundertprozentig sicher ist, dass man das Angedrohte im Ernstfall auch umsetzt.

Der US-Rückzug aus der globalen Führungsrolle wurde auch dadurch begünstigt, dass sich die ökonomische Abhängigkeit von Energielieferungen der arabischen Länder verringerte: Durch die neue Technik des Fracking konnten die Amerikaner plötzlich eigene Ölreserven aus der Erde pressen, die vorher unerreichbar schienen. Damit sank aus Sicht der US-Regierung die bisherige Notwendigkeit, der Stabilität und Sicherheit am Persischen Golf höchste Priorität zu geben.

Die sinkende Bereitschaft Amerikas, die Rolle einer globalen Führungsmacht auszuüben, zeigte sich aber nicht nur im Umgang mit diversen Krisen, sondern auch mit einem neuen wichtigen Thema, den globalen Gemeinschaftsgütern (»Global Commons«): dem Klima, der Umwelt, dem Wasser, den Energiequellen, dem Internet, dem Weltraum usw. Mehr und mehr stellte sich die Frage, wer sich eigentlich darum kümmert. Wer stellt sicher, dass mit diesen Ressourcen nachhaltig und geregelt umgegangen wird? Obgleich sie eingestanden, der »Westen« habe hier eine besondere Verantwortung, wollten die USA diese immer weniger alleine schultern.

Doch Obama hinterließ auch wichtige außenpolitische Erfolge, ganz besonders das Nuklearabkommen mit dem Iran, das die USA, Russland, China, Großbritannien, Frankreich und Deutschland und die EU gemeinsam aushandelten – und das jetzt leider auf der Kippe steht, weil die USA es im Mai 2018 einseitig aufkündigten. Das Abkommen ist sicher nicht perfekt, und es klammert beklagenswerte Aspekte der iranischen Außenpolitik aus. Aber es hat Irans nukleare Ambitionen eingehegt und damit wahrscheinlich einen Krieg verhindert. Die bittere Erkenntnis aller diplomatischen Anstrengungen: Das Erreichte ist oft nicht das Gewünschte, aber das Gewünschte ist eben oft nicht erreichbar. Diplomatie ist die Kunst des Machbaren.

Allerdings: Das amerikanische Zaudern unter Obama – vor allem die Unentschlossenheit gegenüber Assad und das Gewährenlassen der wiedererstarkenden Regionalmacht Iran – wie auch Obamas Fallenlassen Mubaraks, des ägyptischen Präsidenten, im Zuge des Arabischen Frühlings, wurden in der arabischen Welt als Ausdruck zunehmender Unzuverlässigkeit der USA gewertet. Auch, weil er von dieser Politik der Zurückhaltung mindestens rhetorisch abgerückt ist, erntet Trump heute so viel Unterstützung und Applaus in großen Teilen der arabischen Welt – man denke an seinen triumphalen Besuch in Saudi-Arabien 2017. Ob mit einer so klaren Parteinahme zulasten des Iran allerdings Frieden und Stabilität in der Region dauerhaft gesichert werden können, das bleibt doch sehr fraglich. Mir scheint, dass der amerikanische Ausstieg aus dem Iran-Abkommen die Kriegsgefahr im Nahen Osten eher erhöht als eindämmt. Dazu später mehr.

Obama hat, von der Libyen-Intervention abgesehen, im Nahen Osten keine neuen Kriege angefangen, aber er hat anderen erlaubt, Kriege zu beginnen. Damit hat er Schaden angerichtet. Die Stellung und der Ruf Amerikas als Garant für die Stabilität der Region haben dabei ernsthaften Schaden genommen.

Der relative US-Rückzug oder auch nur die Perzeption eines Rückzuges hat in der nahöstlichen Welt für große Verunsicherung gesorgt. Was Merkel in ihrer Truderinger Rede zum Ausdruck brachte – »Die Zeiten, in denen wir uns auf andere völlig verlassen konnten, sind ein Stück weit vorbei« –, ist ein Gefühl, das sich in den arabischen Staaten schon unter Obama breitgemacht hat.

Und auch für Europa ist das Gefühl, das Merkel mit ihrer Truderinger Rede ausdrückte, nicht erst seit Trump präsent. Das zeigt das Beispiel Ukrainekrieg: Die USA sind bei den Lösungsversuchen der letzten drei Jahre zwar nicht abwesend gewesen. Aber das zentrale diplomatische Format, in dem über die Minsker Abkommen verhandelt wurde und in dem nun über deren Umsetzung gesprochen wird, ist die sogenannte »Normandie-Gruppe«. Sie besteht aus Frankreich, Deutschland, Russland und der Ukraine. Die USA fehlen. Bei den diplomatischen Formaten zur Beendigung der Balkankriege in den 1990er-Jahren wäre das ein Ding der Unmöglichkeit gewesen: Damals spielten die USA die erste Geige.

Was die USA heute tun, sei ein »leading from behind«, ein Führen von hinten. So hat das ein Obama-Berater vor einigen Jahren im Zusammenhang mit der Libyen-Intervention einmal bezeichnet. Demnach soll der Rückzug nicht das Ende eines US-amerikanischen Engagements in europäischen und nahöstlichen Sicherheitsfragen darstellen. Aber die USA unter Obama beharrten eben nicht mehr darauf, überall in der ersten Reihe zu stehen. Nun hat die Debatte über die Rolle der USA eine ganz neue Dimension angenommen, da Trump radikalere Rückzugsoptionen andeutet oder – wie beim NATO-Gipfel im Juli 2018 geschehen – sogar implizit mit einem Ende der NATO droht, um von den Bündnispartnern höhere Verteidigungsausgaben zu erzwingen.

Schon in der Regierungszeit Obamas wollte Amerika also die Lasten der weltpolitischen Führung nicht mehr allein tragen. Und dann kam Trump. Er wird nicht das Ende von Amerika als Weltmacht bedeuten. Die USA bleiben eine weiter wachsende Nation mit aktuell 322 Millionen Menschen (die derzeit nach China und Indien drittgrößte der Welt) und die mit Abstand stärkste Militärmacht. Es wird lange dauern, bis sich das grundlegend ändert.

Die militärische Dominanz der USA könnte sogar noch zunehmen, da Trump die Ausgaben des Pentagon tatsächlich weiter anhebt. Hinzu kommt die überragende technologische Leistungsfähigkeit des Silicon Valley. Die Wall Street bleibt nach wie vor der Nabel der internationalen Finanzwelt. Amerikanische Unternehmen, einschließlich derer in Hollywood, sorgen jenseits von Panzern und Soldaten für eine eindrucksvolle globale »Soft Power«.

Doch wenn Amerika seine globale Schutz- und Ankerfunktion reduzieren will und wird, dann erwächst daraus eine fundamentale Herausforderung:

Wer übernimmt denn dann die Verantwortung? Wer sorgt für Ordnung in der Welt, wenn die USA das nicht mehr tun wollen? Und für die transatlantischen Beziehungen lautet die zentrale Frage: Wie soll Deutschland, wie Europa, mit dem Trump-geführten Amerika umgehen?

Dabei müssen wir den Tatsachen ins Auge sehen: Trump ist kein Stabilitätsfaktor. Er ist impulsiv. Er hat wenig Interesse daran, sich mit komplexen außenpolitischen Fragen auseinanderzusetzen. Diplomatie ist ihm nicht wichtig, das Budget des Außenministeriums wurde 2017 erst einmal zusammengestrichen. Er denkt stärker in Deals, die er öffentlichkeitswirksam verkaufen kann, als in langfristigen Lösungen. Er glaubt an Verunsicherung als Verhandlungstaktik. All das macht Fehler und Misskalkulationen wahrscheinlicher und erhöht Risiken. Aber zugegeben: Mit solchen Taktiken lassen sich sicher auch immer wieder Überraschungserfolge erzielen. Es fragt sich nur, wie nachhaltig diese sind.

Seit dem letzten Jahr ist es besonders schwierig, überhaupt herauszufinden, was die US-Position in wichtigen Fragen ist. Die Botschaften von Trump und seinem Team passen oft nicht zusammen. Nur ein paar Beispiele:

Bei seiner Antrittsrede in Saudi-Arabien zeigte sich Trump versöhnlich und nannte den Islam »eine der großen Glaubensrichtungen der Welt«. Kurz zuvor hatte er sich für ein Einreiseverbot für Muslime in die USA ausgesprochen und gesagt, »dass der Islam uns hasst«. Ja, was denn nun?

Über Putin hat Trump weder vor noch nach seiner Wahl Kritisches gesagt. 2018 hat seine Regierung dann die Russland-Sanktionen nochmals drastisch verschärft. Im Juni 2018 schlug Trump dann vor, Putin wieder zu G8-Treffen einzuladen und verabredete für Mitte Juli 2018 einen ersten bilateralen Gipfel. Welche Russland-Politik wollen die USA denn nun betreiben?

Die neue Nationale Sicherheitsstrategie der USA, die im Dezember 2017 veröffentlicht wurde, betrachtet China und Russland als autokratische Gegner der USA und betont, wie wichtig Werte für die US-Außenpolitik sind. Trump hingegen hat wiederholt Sympathie für Diktatoren gezeigt und Menschenrechte kleingeredet oder ganz außen vor gelassen. Dafür kritisiert er die Verbündeten der USA oft scharf. Sind Werte nun wichtig oder nicht?

Man könnte einwenden, dass manche Äußerungen sich zwar diametral widersprechen, aber dass das ja nur Rhetorik sei. Leider ist es in der Außen- und Sicherheitspolitik aber enorm wichtig, wer was wie formuliert – und wie es verstanden wird. Besonders in der Krisendiplomatie, zum Beispiel zwischen den USA und Nordkorea, ist klare Kommunikation entscheidend. So weiß man nicht: Gilt nun eine Drohung von Trump über Twitter, oder lässt er da nur Dampf ab?

Trumps mangelnde Wertschätzung von Bündnispartnern und sein Diplomatiestil der Verunsicherung machen die Welt gefährlicher, weil Vertrauen verloren geht und Krisen schneller und schärfer eskalieren können. Aber nicht nur deshalb. Indem er die europäischen NATO-Mitglieder, allen voran Deutschland, von der ersten Minute des Brüsseler NATO-Gipfels im Juli 2018 an öffentlich attackierte, hat er der wichtigsten Allianz geschadet. Er hat damit nämlich ihre elementare Grundlage – ihren inneren Zusammenhalt – zur Disposition gestellt. »America First« sei seine Politik. Daran ist im Prinzip nichts auszusetzen. Aber Trump setzt das so um, als ob es nicht »Amerika zuerst«, sondern »Amerika alleine« – und damit in der Konsequenz auch: Europa alleine – heißen soll. Ob Trumps Bekenntnis zur NATO, zu dem er sich dann doch noch in seiner Pressekonferenz am 12. Juli 2018 durchrang, von Dauer sein wird, steht in den Sternen. Wir Europäer werden uns, zumindest für die Ära Trump, an den Gedanken gewöhnen müssen, dass das Weiße Haus womöglich gar nicht mehr an echten Bündnispartnern interessiert ist, sondern die Welt ganz einfach in Fans und Feinde unterteilt.

Seit 1945 hatten wir US-Präsidenten mit ganz unterschiedlichen Ideologien und verschiedenen Schwerpunktsetzungen. Aber alle waren überzeugt davon, dass die liberale internationale Ordnung, wie sie nach dem Zweiten Weltkrieg entstand und sich nach dem Fall der Sowjetunion weiter ausbreitete, gut für die USA, gut für ihre Partner und gut für die Welt sei: Multilateralismus und Kooperation, offene Gesellschaften und offene Märkte, enge Bindungen zwischen den westlichen Demokratien. Trump sieht das fundamental anders. Große Initiativen, die internationale Ordnung zu stärken oder zu stabilisieren, sind von ihm nicht zu erwarten. Im Gegenteil: Bei ihm stehen Machtpolitik und nationales Interesse im Mittelpunkt. Aus seiner Sicht sollte Amerika sich nicht an Institutionen oder Normen binden, und es sollte eine protektionistische Wirtschaftspolitik verfolgen.

Die USA sind im letzten Jahr aus der UNESCO ausgetreten, haben dem Pariser Klimaabkommen und der sogenannten Transpazifischen Partnerschaft, einem großen Handelsabkommen zwischen asiatisch-pazifischen Staaten, den Rücken gekehrt. Im Mai 2018 hat Trump nun auch noch das Nuklearabkommen mit dem Iran aufgekündigt.

Damit hat er eine weitere dreifache Krise ausgelöst:

— Die nun unweigerlich wiederaufflammende Krise um das iranische Nuklearpotenzial und die iranische Außenpolitik
— Die Verschärfung der Konfliktlage in der Region – ohnehin ein Pulverfass mit Syrien, Israel, Saudi-Arabien, der Türkei, Russland und anderen als Konfliktparteien
— Und eine schwere Belastungskrise der transatlantischen Beziehungen: Gibt es überhaupt noch eine transatlantische Partnerschaft?

Mit dem US-Rückzug ist der Fortbestand des Nuklearabkommens mehr als ungewiss. Zwar haben die drei europäischen Partner, Großbritannien, Frankreich und Deutschland, bekräftigt, an dem Abkommen festhalten zu wollen und das Gespräch mit Iran zu suchen. Ihre Erfolgschancen sind aber eher gering. Trumps Entscheidung ist zudem nicht nur für die Stabilität des Mittleren Ostens und die Gefahr eines regionalen Rüstungswettlaufs fatal; sie ist außerdem ein schwerer Schlag für das transatlantische Verhältnis. Die Frage, ob und inwieweit die transatlantische Partnerschaft damit am Ende steht, wird seither rege diskutiert – das allein ist traurig genug. Auch Angela Merkel hat klare Worte gewählt: Die Aufkündigung verletze das Vertrauen in die internationale Ordnung.

Mein Freund Richard Haass, viele Jahre in leitender Position im US-Außenministerium aktiv, brachte die aktuellen Entwicklungen in der amerikanischen Politik so auf den Punkt: Wir sähen gerade »die große Abdankung« der USA, das freiwillige Aufgeben von Verantwortung. Oder, wie es mein Freund, der frühere stellvertretende US-Außenminister Strobe Talbott, per Twitter formulierte: »Britain is only exiting Europe. America is exiting the world«. Wie bitter das klingt. Aber der Eklat, den Trump beim G7-Gipfel 2018 provozierte, indem er nachträglich sein Plazet zum Kommuniqué zurückzog, scheint Talbott recht zu geben.

Amerika: Alternativlos

Es wird in Deutschland immer wieder das Argument vorgetragen, Europa müsse die Zeichen der Zeit erkennen und sich endlich von den USA abnabeln. Durch das, was wir jetzt mit Trump erleben, wird die Notwendigkeit, dass Europa sich handlungsfähiger macht, deutlicher als je zuvor.

Und ich stimme zu: Es kann nicht dauerhaft politisch tragfähig sein, dass 500 Millionen wohlhabende Europäer wesentliche Teile ihrer Sicherheit an den atlantischen Partner auf der anderen Seite des Ozeans outsourcen. Insofern müssen wir das Thema Sicherheit energischer in die eigene Hand nehmen, genau wie es Kanzlerin Merkel in ihrer Truderinger Rede gesagt hat. Europa muss handlungsfähiger werden, mit einer Stimme sprechen und sich zu einer Verteidigungsunion weiterentwickeln.

Doch nun kommt das dicke Aber. Abnabeln ist etwas anderes, als die eigene Handlungsfähigkeit zu stärken. Abnabeln geht nicht. Wer die USA als Partner einfach abschreiben will, verkennt dreierlei:

Erstens können die Europäer kurz- und mittelfristig nicht auf die amerikanische – nukleare – Sicherheitsgarantie verzichten. Wir haben ein zentrales Interesse daran, auch die neue

Regierung in Washington von der Bedeutung eines einigen und friedlichen Europas zu überzeugen – und vom US-Beitrag dazu. Welche Unsicherheit schon die Spekulation über eine Entkopplung der europäischen Sicherheit von jener der Vereinigten Staaten ausgelöst hat, lässt sich an der aufkeimenden Geisterdebatte über eine europäische – oder gar deutsche – Atombombe erkennen. Wir brauchen Amerika, als Partner und als Sicherheitsgaranten.

Zweitens ist es nicht so, dass überall auf der Welt Partner Schlange stünden, die mit Europa die liberale Weltordnung verteidigen wollten. Die EU mag sich mit China einig sein, dass eine neue Ära des Protektionismus schädlich wäre und Klimaschutz wichtig ist. Aber die darüber hinausgehenden Gemeinsamkeiten sind überschaubar. Langfristig wird die liberale Weltordnung nur Bestand haben, wenn sie von beiden Pfeilern der transatlantischen Partnerschaft gestützt wird.

Drittens würden wir die vielen Millionen Amerikaner ignorieren, die eben nicht Donald Trump gewählt haben. Das zivilgesellschaftliche Engagement in den USA oder die Reaktionen der amerikanischen Justiz zeigen, dass das Amerika, das wir kennen und schätzen, wehrhaft ist. Anstatt uns pauschal von den Vereinigten Staaten abzuwenden, sollten wir mit all jenen zusammenarbeiten, die an einer Bewahrung der transatlantischen Wertegemeinschaft interessiert sind. Dazu gehören viele Kongressabgeordnete, dazu gehören Gouverneure, CEOs, die Zivilgesellschaft. Manche Gouverneure in großen Staaten wie Kalifornien zum Beispiel teilen unsere deutschen Klima- und Energieziele und haben dies im Widerstand zu Trump deutlich kommuniziert. Und selbst erzkonservative Abgeordnete aus US-Südstaaten, in denen VW, BMW und Mercedes Werke betreiben, sind uns in der Wirtschafts- und Handelspolitik wohlgesinnt, weil sie die deutschen Investitionen dort sehr schätzen. Wir können und müssen auf vielen Ebenen für deutsche und europäische Positionen werben, auch jetzt im Streit über Stahl- und Aluminiumzölle. »Washington gegen Berlin und Brüssel«, das ist viel zu kurz gedacht.

Europa muss selbstständiger werden, kann aber auf die Allianz mit den USA nicht verzichten. Was also tun? Engage, engage, engage! Auf Deutsch ungefähr: Einbinden und Einfluss nehmen! So führt nichts daran vorbei, die neue amerikanische Regierung so eng wie möglich einzubinden – ohne beunruhigende Entwicklungen schönreden zu wollen. Auch wenn das vielen Europäern nicht gefallen mag – genau das ist die jetzt notwendige Realpolitik.[7]

Klaus Brinkbäumer hat das im *Spiegel* im Mai 2018 so zusammengefasst: »Ein triumphierender Antiamerikanismus ist ebenso gefährlich wie Trotz ... Schlauer Widerstand ist notwendig, und wie traurig und absurd das schon klingt: Widerstand gegen Amerika!«

So können wir einerseits die nächsten drei Jahre so gut wie möglich gestalten und gleichzeitig die Grundlage legen für die Jahre danach. Gemeinsamkeiten herausarbeiten, unsere Interessen aktiv vertreten, mit Konflikten umgehen. Konkret heißt das zum Beispiel: In der Handels- oder der Flüchtlingspolitik werden wir nicht viele Gemeinsamkeiten finden, hier sollten wir also vorsichtig und ganz besonders realistisch miteinander umgehen. Aber in anderen Feldern, zum Beispiel der Ukraine-Diplomatie oder in Sachen Nordkorea, finden wir vielleicht doch neuen Elan für eine gemeinsame Politik, die in unser aller Sinne ist.

Und übrigens: Amerika hat bislang noch aus jedem Irrweg wieder herausgefunden. Und ist – mit allen Fehlern und Schwächen – als westliche Weltmacht alternativlos. Deshalb müssen wir in unserem ureigensten Interesse den Propheten einer »Abnabelungspolitik« eine klare Absage erteilen. Wir dürfen nicht zulassen, dass die Idee des Westens unterlaufen wird, denn wir wissen, dass es einen gangbaren Mittelweg zwischen West und Ost nicht gibt – das ist die Lehre aus dem 20. Jahrhundert, insbesondere für uns Deutsche.

4

Russland – Vom gemeinsamen Haus Europa zum neuen Kalten Krieg?

Scheinriese Russland – Erfolgreich nach eigenen Kriterien

Wenn man über Weltordnung und über Weltmächte redet, denken viele – auch knapp dreißig Jahre nach dem Ende des Kalten Kriegs – nicht nur an die USA, sondern auch an Russland. Zwar ist die Russische Föderation flächenmäßig der größte Staat der Erde, umfasst mit etwa 140 Millionen Einwohnern etwa ein Drittel so viele Einwohner wie Europa und ist eine von fünf offiziell anerkannten Atommächten. Doch eine moderne Großmacht braucht nicht nur Fläche und militärische Macht, sondern auch wirtschaftliche und politische Innovationskraft – also neben »Hard Power« auch »Soft« und »Smart Power«.

In dieser Hinsicht ist Russland eher ein »Scheinriese« mit einem Bruttosozialprodukt, das kleiner ist als das von Italien, einer lahmenden Wirtschaft und einem problematischen Gesundheitssystem. Außer Militärmacht und Energiereserven hat Russland vergleichsweise wenig zu bieten.

»Gute Außenpolitik besteht im Aufbau von Vertrauen, im Gewinnen neuer Freunde und Allianzen und dem Reduzieren alter Feindseligkeiten und Misstrauen«, habe ich im Auswärtigen Amt immer gepredigt. Wenn man Außenpolitik so definiert, kann man fragen: Wie viele neue Partner hat man gewonnen? Mit wie vielen Feinden hat man sich versöhnt? Wie viel Vertrauen hat man aufbauen können? Wie sieht es insgesamt aus mit der eigenen »Soft Power«?

Für Russland fällt diese Bilanz ziemlich negativ aus, mit weiter sinkender Tendenz. Moskaus Beziehungen zu den ehemaligen Sowjetrepubliken Weißrussland, Kasachstan, Turkmenistan, Usbekistan, Armenien, Aserbaidschan und Kirgisistan basieren vor allem auf ökonomischen oder militärischen Abhängigkeiten. In den baltischen Staaten, in Polen wie in ganz Osteuropa hat man Angst vor Russland, und das finden manche in Moskau sogar gut. Mit Georgien und der Ukraine haben sich die Zwistigkeiten zu dauerhaften Waffenkonflikten ausgewachsen – ohne absehbare Versöhnung. Also kaum neue Freunde – aber wachsendes Misstrauen oder gar Gegnerschaft bei den Nachbarn.

Gleichzeitig müssen wir sehen: Russland definiert erfolgreiche Außenpolitik anders als wir. Freunde und Verbündete zählen nicht viel. Es geht um Macht, es geht darum, die große russische Geschichte wiederaufleben zu lassen, und darum, dem Westen die Stirn zu bieten. Ich bin überzeugt, dass man langfristig so nicht erfolgreich sein kann. Aber kurzfristig schon. Und im Moment steht Russland, gemessen an seinen Möglichkeiten, ganz gut da: In der Ukraine und in Syrien hat Russland seine Ziele zumindest kurzfristig erreicht. Und russische Geheimdienst- und Cyber-Aktivitäten (Stichworte: Wahlbeeinflussung in den USA, Nervengiftanschlag in Großbritannien, Hackerangriffe auch in Deutschland) verunsichern die USA und die Demokratien in Europa.

Die Beziehungen Russlands zum Westen, zu den USA und zur Europäischen Union haben sich insbesondere durch die Krim-Annexion und den Ukrainekrieg verschlechtert. Seit 2014 gibt es seitens der EU Wirtschaftssanktionen gegen die Russische Föderation. Moskau wiederum erteilte ein Einfuhrverbot für westliche Agrarprodukte und Lebensmittel. Seither wendet sich Moskau China zu. So unterzeichnete es mit Peking einen Liefervertrag für russisches Erdgas, den Experten aber mehr für eine symbolische Ersatzhandlung als für ein wirtschaftlich profitables Geschäft halten. Auf lange Sicht kann Moskau bestenfalls ein Juniorpartner von Peking sein – und wird dabei Gefahr laufen, langfristigen chinesischen Ambitionen wenig entgegensetzen zu können.

Hinzu kommen schwere Diskrepanzen mit der NATO. Statt Zusammenarbeit gibt es mittlerweile einen Dauerkonflikt. Und aus den G8, dem Gipfel der Mächtigsten, in den Russland im Mai 1998 aufgenommen worden war, wurde es im März 2014 im Streit über die Annexion der Krim wieder ausgeschlossen. Von einer Wiederaufnahme sind wir 2018 weiter entfernt denn je, selbst wenn Trump sie vor dem jüngsten G7-Gipfel in La Malbaie gefordert hat.

»Gemeinsames Haus Europa« – Russland ohne Zimmer

Zwischen Russland und Deutschland besteht ein besonderes Verhältnis, das Jahrhunderte zurückreicht, zu Zeiten von Katharina der Großen einen ersten Höhepunkt erreichte und auf Bündnistraditionen bis Ende des 19. Jahrhunderts zurückblickt. Nach der Feindschaft des 20. Jahrhunderts – zwei Weltkriege, Millionen Tote, der Kalte Krieg und die Spannungen im geteilten Deutschland – dominiert heute die Versöhnung im Zuge der Wiedervereinigung das Denken der meisten Deutschen, aber auch vieler Russen.

Mit dem Fall der Mauer änderte sich das angespannte Verhältnis schlagartig. Damals trugen die Deutschen T-Shirts mit einem Porträt von Michael »Gorbi« Gorbatschow, und sein berühmter Ausspruch von 1989, »Wer zu spät kommt, den bestraft das Leben«, gehört heute ins deutsche Sprichwort-Repertoire wie Zitate aus Goethes *Faust* und Schillers *Glocke*. Damals hatte Gorbatschow erklärt: »Europa ist unser gemeinsames Haus.« Und wir fanden das eine gute Idee. Deutschland war dankbar; und auch Russland profitierte von Deutschlands Unterstützung. So gibt es heute umfangreiche deutsche Investitionen in Russland, und rund 12 000 junge Russen studieren inzwischen an deutschen Hochschulen.

Trotzdem gibt es auch eine wechselseitige Skepsis. Viele Deutsche misstrauen Russland und fürchten eine allzu große Abhängigkeit von Putins Energieimperium. Und das gemeinsame europäische Haus ist auch eher Fiktion geblieben. Die amerikanische Historikerin Mary Elise Sarotte hat diese Metapher viele Jahre später aufgegriffen und konstatiert: »Es wurde ein großes Europäisches Haus mit unzähligen Räumen gebaut, aber keines der Zimmer hat Russlands Namen an der Tür.«

Was war passiert?

Vom Zerfall der Sowjetunion bis zu Putins Münchner Rede

Als Gorbatschow am 25. Dezember 1991 als Präsident der UdSSR zurücktrat und Boris Jelzin am selben Tag die weiß-blau-rote Flagge der Russischen Föderation über dem Kreml aufsteigen ließ, war das für die westliche Welt ein Tag des Aufatmens, während es für die Russen, vor allem rückblickend, ein Tag der Niederlage werden sollte. Es zerbrach die Sowjetunion, das letzte Imperium des 20. Jahrhunderts, und es zerbrach damit auch ein großes Stück russischen Nationalstolzes. Dass die Russische Föderation die Rechtsnachfolge antrat (und damit auch den Sitz im UN-Sicherheitsrat), war zwar tröstlich, aber die Realität zeigte schnell, dass der künftige Weg steinig und schwer sein würde. Mit der Auflösung der Sowjetunion musste das Verhältnis zu den nunmehr unabhängigen Nachfolgerepubliken neu organisiert werden; zugleich waren strategisch wichtige Einrichtungen aus dem Staatsgebiet verschwunden, wie beispielsweise der Stützpunkt der legendären Schwarzmeerflotte auf der Krim.

Die Nachfolgeorganisation GUS, Gemeinschaft Unabhängiger Staaten, der zunächst 12 der 15 ehemaligen Sowjetrepubliken beitraten, büßte schnell an Bedeutung ein. Schon als 1999 Wladimir Putin russischer Ministerpräsident wurde, war der Frust ob des Bedeutungsverlustes Russlands in der Welt groß. Putin bezeichnete den Zerfall der Sowjetunion als »größte geopolitische Katastrophe des 20. Jahrhunderts«. Sein Volk leide unter diesem Trauma. Gorbatschow, im Westen ein Superstar, gilt in Russland als unfreiwilliger Initiator des Untergangs.

Und nach Jahren des Aufschwungs stagniert die russische Wirtschaft nun, was sich aufgrund westlicher Sanktionen und mangelhafter Innovationskraft auf absehbare Zeit nicht ändern wird. Dass mittlerweile ehemalige »Bruderstaaten« wie Polen, Tschechien, die Slowakei, das Baltikum und andere osteuropäische Staaten Mitglied der EU sind oder sich in Anwärterschaft befinden, macht die Sache aus Sicht Russlands nicht besser; im Gegenteil: Dies, und mehr noch die Ausdehnung der NATO auf Staaten des ehemaligen Warschauer Paktes, werden von Moskau als Eindringen in seine Interessensphäre und damit als aggressiver Akt verstanden. Dabei wollte im Westen zunächst kaum jemand eine NATO-Osterweiterung. Das ging von den Staaten in Mittel- und Osteuropa aus.

Im Westen und in diesen Staaten betrachtet man die NATO- und EU-Osterweiterung eher als eine Flucht europäischer Staaten in die Freiheit, etwa so wie es die DDR-Bürger 1989 bei ihrer Abstimmung »mit den Füßen« vorgemacht hatten. Nach 45 Jahren unter sowjetischer Besatzung strebten diese Länder nach Sicherheit und Prosperität in westlichen Bündnissen – freiwillig und in souveräner Selbstbestimmung.

Genau so war es auch 1990 in der Charta von Paris vereinbart worden, als am 21. November in der französischen Hauptstadt das Schlussdokument des KSZE-Sondergipfels von 32 europäischen Ländern, darunter auch Russland/die Sowjetunion, sowie den USA und Kanada unterschrieben wurde. Es war ein Tag, der das Ende der Konfrontation des Kalten Krieges und der Teilung Europas bedeutete:»Durch den Mut von Männern und Frauen, die Willensstärke der Völker und die Kraft der Ideen der Schlussakte von Helsinki bricht in Europa ein neues Zeitalter der Demokratie, des Friedens und der Einheit an.«

Ebendort hat sich Russland selbst, damals noch als Sowjetunion, dem Gedanken verpflichtet, dass alle Staaten gleichermaßen frei sind und ihre Allianzen selber wählen können. Genau das tun diese Staaten inzwischen.

Ich habe selbst einen Putin erlebt, in den Jahren nach 1999, der nach einer engeren Anbindung Russlands an Europa strebte. Dieser Putin hielt 2001 eine Rede vor dem deutschen Bundestag, in der er den Fall der Mauer als eine Zeit erinnerte, in der »die Ideen der Freiheit die totalitär-stalinistische Ideologie« ersetzten. Dieser Putin, Putin 1, sprach zuerst auf Russisch und beendete seine Rede auf Deutsch, mit dem Aufruf, Europa mit Russland zu vereinigen:»Russland ist ein freundliches europäisches Land.« Mit diesem Putin war gut Kirschen essen.

Ich war damals Mitglied der sogenannten Deutsch-Russischen Strategischen Arbeitsgruppe, die auf deutscher Seite von Klaus Mangold, dem damaligen Chef des Ost-Ausschusses, geleitet wurde. Am Ende der Arbeitsgruppen-Treffen gab es auch Sitzungen mit Putin und Schröder selbst. Diese Treffen fanden in einem konstruktiven Geist statt, und es kamen gute Ergebnisse zustande. Das war auch Putins persönliches Verdienst.

Und dann kam der Schnitt. 2007 bekamen wir es mit einem völlig anderen Putin zu tun, einem Putin 2, der sagte: Mir reicht's! Mir ist ein fairer Deal versprochen worden, der aber nicht gehalten wurde. Russlands Interessen werden verletzt, deswegen muss ich meine Interessen mit anderen Mitteln durchsetzen. Auf der Münchner Sicherheitskonferenz geigte Putin den Konferenzteilnehmern die Meinung: Den USA unterstellte er das Streben zu »monopolarer Weltherrschaft«, sie hätten »ihre Grenzen in fast allen Bereichen überschritten«. Die NATO warnte er vor »ungezügelter Militäranwendung«. Nordatlantik-Allianz und Europäische Union würden anderen Ländern ihren Willen aufzwingen und auf Gewalt setzen, so Putin. Die NATO-Osterweiterung kritisierte Russlands Präsident massiv, weil deren militärische Infrastruktur »bis an unsere Grenzen« heranreiche.[8]

Die Schockwelle war groß. Denn es war klar, dass sich diese Rede nicht nur an das Münchner Publikum richtete, sondern an die ganze Welt.

NATO-Osterweiterung und NATO-Russland-Rat

Die Souveränität der Staaten und ihre Freiheit, Allianzen zu schließen – mit wem auch immer –, waren, wie bereits erwähnt, in der Charta von Paris 1990 festgeschrieben worden. Es vergingen einige Jahre, bis den ersten Staaten des ehemaligen Warschauer Paktes Beitrittsverhandlungen angeboten wurden.

Man muss es betonen: Die NATO-Beitritte von mittel- und osteuropäischen Ländern waren kein Selbstzweck. Die Erweiterung der NATO hat ganz Europa sicherer gemacht. Viele kleine Staaten genießen nun den Schutz der Allianz und müssen nicht aufrüsten, um sich sicher zu fühlen. Man stelle sich Europa heute ohne die NATO vor: Von Tallinn bis Bukarest, von Paris bis Berlin würde viel mehr fürs Militär ausgegeben, weil sich jeder um die Sicherheit des eigenen Landes kümmern müsste und nicht auf Alliierte zählen könnte. Vielleicht wäre ohne die NATO die Zahl der europäischen Nuklearstaaten wesentlich größer: Hätten wir Deutschen im Kalten Krieg ohne die NATO wohl freiwillig und endgültig auf die nukleare Option verzichtet? Hätte die Türkei es getan? Die NATO hat also sehr erfolgreich als »Proliferationshemmer« gewirkt. Das ist in Moskau und anderswo viel zu wenig gesehen worden, damals – und bis heute.

Also: Es war im Prinzip richtig und gut für Europa, dass die NATO erweitert wurde. Aus westlicher Sicht hat auch Russland davon profitiert: Denn die sichersten Außengrenzen hat Russland im Westen, Richtung NATO. So sehen wir Europäer das. Leider sieht man das in Moskau völlig anders: Russland hatte schon in den frühen 1990er-Jahren Bedenken gegen die Pläne zur Osterweiterung der NATO geäußert.

Kanzler Kohl sagte damals, er wolle erst mal mit seinem »Freund Boris« reden. Kohl redete mit Jelzin und brachte die Botschaft mit, dass Russland die NATO-Erweiterung für keine gute Idee hielt, es sei denn, sie würde mit einer organischen Veränderung des Verhältnisses zwischen NATO und Russland verknüpft. Daraus wurde die Zwei-Säulen-Strategie: NATO-Erweiterung einerseits, Vertiefung des Verhältnisses zwischen NATO und Russland andererseits. Und fortan haben wir NATO-Erweiterungsschritte informell mit den Russen abgesprochen. Es gab kein russisches Vetorecht, aber intensive Konsultationen.

Um Russlands Vorbehalte endgültig auszuräumen, versicherte man sich dann 1997 in der »NATO-Russland-Grundakte« wechselseitig, dass es darum ginge, eine starke, stabile, dauerhafte und gleichberechtigte Partnerschaft miteinander aufzubauen. Das Dokument stützte sich auf den Doppelansatz. Damit schien klar: Die NATO verstand sich nicht mehr als Bündnis gegen Russland. Mit seiner Unterschrift besiegelte Russland auch, dass es die Osterweiterung akzeptierte. Genau darum ging es ja: In dem Dokument wurden die Rahmenbedingungen der Erweiterung im Einzelnen definiert. Spätere russische Beschwerden, Moskau sei versprochen worden, die NATO nicht nach Osten auszudehnen, sind grundlos und falsch. Und deswegen war die russische Empörung in München 2007 doch etwas überraschend.

Als deutscher Unterhändler bei den Verhandlungen über die Grundakte kann ich sagen: Zu keinem Zeitpunkt hat die russische Seite damals vorgetragen, der Westen habe zugesagt und sei verpflichtet, auf die NATO-Erweiterung zu verzichten. Wenn die russische Seite der Überzeugung gewesen wäre, dass sie auf Einhaltung eines westlichen Versprechens pochen könne, hätte sie an diesen Verhandlungen gar nicht teilnehmen dürfen – in denen es ja genau darum ging, die NATO-Erweiterungsschritte mit den Russen abzustimmen. Leider hat die russische Propaganda durchaus Erfolg gehabt: Auch im Westen meinen heute viele, wir hätten unser Wort gebrochen. Die Fakten sind anders.

Auf dem NATO-Gipfel in Madrid 1997 wurde dann Polen, Tschechien und Ungarn die Aufnahme in die NATO angeboten, 1999 wurde sie vollzogen. Ebenfalls dort kam es zu einer Partnerschaft zwischen der NATO und der Ukraine. Dazu gab es Vereinbarungen zu Abrüstungs- und Kontrollfragen, Waffen- und Technologietransfer sowie zu militärischer Ausbildung. Seither unterhält die NATO ein Büro in Kiew und die Ukraine eine Verbindungsstelle in Brüssel. Damals war das kein Problem.

Nach dem NATO-Beitritt 1999 von Polen, Tschechien und Ungarn wurde der Druck der anderen osteuropäischen Staaten noch stärker: Sie wollten alle möglichst sofort in die NATO; dort suchten sie Schutz. Die NATO lud dann beim Gipfel in Rom 2002 Bulgarien, Rumänien, die Slowakei, Slowenien und die drei baltischen Staaten – Estland, Lettland und Litauen – zu Beitrittsgesprächen ein. 2004 wurden alle sieben Staaten NATO-Mitglieder. Bis dahin nahm Moskau das hin, im Geiste der Grundakte.

In Rom wurde damals auch der »NATO-Russland-Rat« gegründet, um verbesserte Möglichkeiten des Dialogs zwischen der NATO und Russland zu schaffen und die Zusammenarbeit in Fragen der Verteidigungs- und Sicherheitspolitik zu verstärken.

Als aber offen die Frage einer künftigen georgischen und ukrainischen NATO-Mitgliedschaft gestellt wurde, entzündete sich der Streit. Zwar wurde die Frage daraufhin noch einmal auf die lange Bank geschoben – im April 2008 auf dem NATO-Gipfel in Bukarest standen die Beitritte Albaniens und Kroatiens an –, aber da war es schon zu spät. Ein Jahr nach Putins Münchner Rede gelangte die Krise zwischen NATO und Russland damit auf einen ersten Höhepunkt: Denn Putin betrachtete die Erweiterungspläne der NATO als Provokation, weil mit Georgien und der Ukraine erstmals Teile der früheren Sowjetunion zur NATO wechseln würden.

Ich will das alles etwas detaillierter schildern: Beim ersten Erweiterungsgipfel der NATO in Madrid 1997 saß ich, als die Staats- und Regierungschefs mit ihren Außenministern im ganz kleinen Kreis tagten, als Berater direkt hinter Kohl und Kinkel. Es herrschte dicke Luft: Die Franzosen wollten fünf Länder aufnehmen. Die Amerikaner wollten dagegen die kleinstmögliche Zahl. Und wir Deutschen haben dann vermittelt, haben als Kompromiss eine Aufteilung in mehrere Schritte der Erweiterung vorgeschlagen: drei Länder in der ersten Runde, die anderen ost- und südosteuropäischen Kandidaten und die Balten in der zweiten Runde. So konnte die erste Erweiterung auf drei Staaten reduziert werden, um Clinton entgegenzukommen. Und Chirac konnte z. B. nach Bukarest signalisieren, dass Rumänien spätestens in der zweiten Runde drankommen würde. Dieser Vorschlag stand so auf einem handschriftlichen Zettel, den ich Kohl nach vorne durchgab und den er dann nach kurzer Diskussion mit Kinkel auch vortrug. Beifall Clinton. Zustimmung Chirac. Allgemeines Aufatmen. So wurde es beschlossen, nachzulesen im Kommuniqué von Madrid. Das Ergebnis wurde von Moskau zwar nicht begrüßt, aber immerhin toleriert.

Beim NATO-Gipfel in Bukarest 2008, elf Jahre später, passierte das genaue Gegenteil: Da lag ein amerikanischer Georgien- und Ukraine-Plan, der sogenannte Membership Action Plan, kurz MAP, auf dem Tisch. Ein MAP ist noch keine NATO-Mitgliedskarte, aber zeichnet doch klar den Weg zum Eintritt vor. Die Bundesregierung und die Franzosen hielten das damals für viel zu weitgehend. Man ging – entgegen allen Gepflogenheiten – mit dieser Meinungsverschiedenheit in die Gipfelberatungen hinein, weil sie unter den Botschaftern in Brüssel nicht vorab auflösbar war. So kam es dazu, dass Merkel und Sarkozy auf dem Gipfel Nein sagten, Bush Ja. In den Verhandlungen erklärte Bush, er habe den Ukrainern und den Georgiern alles schon versprochen, er könne jetzt keinen Rückzieher machen. In letzter Minute gelang es, den amerikanischen Vorstoß abzuwenden – und zwar, indem man ins Kommuniqué des Gipfels eine Kompromissformel, einen Satz ohne Datum, aufnehmen ließ: »Georgien und Ukraine werden Mitglieder der NATO werden.« Punkt. Man hielt das für eine schlaue Idee. Ohne Datum war das, dachte man, eine unverbindliche Ankündigung, etwa so wie die EU seit Jahrzehnten mit der Türkei über das vereinbarte Ziel einer EU-Mitgliedschaft verhandelte.

Aber es war eben trotzdem eine Ankündigung – und zwar in Putins Ohren eine sehr bedrohliche: »Früher oder später werden wir die Allianz um Georgien und die Ukraine erweitern.« Und informelle Vor-Konsultationen im Stil von Kohl-Jelzin gab es schon lange nicht mehr.

Insofern war diese Kompromissformel aus russischer Sicht keine Entwarnung, sondern eher eine Eskalation. Drei Monate später, im Sommer 2008, hat die russische Regierung den »kleinen Krieg« mit Georgien angefangen. Ab diesem Zeitpunkt steuerten wir peu à peu in eine immer schärfere Konfrontation hinein, bis im September 2014 NATO-Generalsekretär Anders Fogh Rasmussen zum Auftakt eines NATO-

Gipfeltreffens in Newport in Wales sagte: »Wir haben es mit einem dramatisch veränderten Sicherheitsumfeld zu tun. Im Osten greift Russland die Ukraine an.«

Plötzlich gab es wieder Krieg in Europa.

Krieg in Europa: Ukraine – Es knallt!

Worum ging es in der Ukraine und auf der Krim? Seit dem 18. Jahrhundert ist die Hafenstadt Sewastopol an der Südwestspitze der Krim der Hauptstützpunkt der russischen Schwarzmeerflotte. Nach dem Ende der Sowjetunion wurde die Ukraine unabhängig, und damit befand sich der Hauptstützpunkt der Schwarzmeerflotte nicht mehr auf russischem Territorium. Beim Unabhängigkeitsreferendum 1991 votierten 54 Prozent der Krimbewohner für ein Loslösen von Russland – eine Mehrheit, aber deutlich knapper als in anderen Teilen der Ukraine. Im Donbass stimmten über 80 Prozent für die Unabhängigkeit, in Kiew und der Westukraine sogar über 90.

Im Jahr 1997 unterzeichneten der damalige russische Präsident Boris Jelzin und der damalige ukrainische Präsident Leonid Kutschma ein Abkommen über die Sewastopol-Flotte: Russland zahlte für die nächsten zwanzig Jahre Pacht und nutzte die Anlagen gemeinsam mit der ukrainischen Marine. Das Abkommen trat im Juli 1999 in Kraft, Geltungsdauer bis 2017.

Im April 2010 trafen die beiden neuen Präsidenten Russlands und der Ukraine, Dmitri Medwedew und Wiktor Janukowytsch, zusammen und vereinbarten eine Verlängerung um weitere 25 Jahre; nunmehr durfte die russische Flotte bis 2042 auf der Krim bleiben. Im Gegenzug bekam die Ukraine dreißig Prozent Rabatt auf russisches Erdgas. Im ukrainischen Parlament waren nicht alle begeistert über diesen Vertrag; es gab Abgeordnete, die sich nicht so lange an die Russische Föderation binden wollten, zumal man eventuell Erdgas günstiger aus anderen Regionen beziehen könnte. Bei der Sitzung gab es Geschrei, sogar Nebelbomben wurden geworfen. Trotzdem sprach sich eine knappe Mehrheit für die Vertragsverlängerung aus. Oppositionsführerin Julia Timoschenko kündigte juristische Schritte gegen den Vertrag an und bat den Westen um Unterstützung. Schon damals zeichnete sich ab, dass es um mehr ging als um Pachteinnahmen für den Hafen und einen vereinbarten Gaspreis.

Die Spannungen zwischen der Russlandfraktion und dem Westen zugewandten Kräften in Kiew prägten so ein ganzes Jahrzehnt, ehe die Lage Ende 2013 eskalierte. Im November 2013 unterzeichnete Janukowytsch ein eigentlich geplantes Assoziierungsabkommen mit der EU nicht und traf sich stattdessen mit Putin in Sotschi, um ein Abkommen über einen Beitritt der Ukraine zur russischen Zollunion abzuschließen. Die Opposition versammelte sich zum »Euromaidan«, einer massenhaften Protestbewegung auf Kiews zentralem Platz, dem Majdan Nesaleschnosti, Platz der Unabhängigkeit. Sie forderte den Rücktritt des Präsidenten, Neuwahlen und die Unterzeichnung des EU-Assoziierungsabkommens. Anfang Dezember gingen Hunderttausende auf die Straße und wurden im Westen als Freiheitsbewegung gefeiert.

Im Februar 2014 dann die Eskalation: Sicherheitskräfte erschossen Demonstranten. Am Ende waren über achtzig Todesopfer zu beklagen. Und als Janukowytsch dann über Nacht außer Landes flüchtete, kam es tatsächlich zu einem Machtwechsel in Kiew. Aus russischer Sicht war dies ein Putsch gegen eine legitime Regierung. Moskau sprach nun von einer realen Gefahr für die russische Bevölkerung in der Ukraine und hielt »antifaschistische« Maßnahmen zu deren Schutz für geboten. Und prompt besetzten bewaffnete »Selbstverteidiger« der russischsprachigen Bevölkerung der Krim Ende Februar 2014 das Parlamentsgebäude in der südlichsten Region der Ukraine.

2000 russische Soldaten waren auf der Krim gelandet, aus Sicht des Westens und der ukrainischen Regierung eine völkerrechtswidrige bewaffnete Invasion und Besetzung durch die russische Armee. Laut russischer Darstellung ein ganz normaler Vorgang im Einklang mit dem Abkommen über die Schwarzmeerflotte. Die OSZE wollte auf Anfrage der Ukraine unbewaffnete Militärbeobachter entsenden, doch diesen wurde von prorussischen Einheiten der Zutritt zur Krim verwehrt.

Im April räumte Putin ein, dass russische Streitkräfte einheimische »Selbstverteidigungskräfte« auf der Krim aktiv unterstützt hatten. Im Mai stritt er ab, dass russische Truppen in das Geschehen eingegriffen hätten. Im Juni gab er es wieder zu.

Das internationale Verwirrspiel wurde durch massive Eingriffe in die Presselandschaft verstärkt. Statt ukrainischer liefen nun russische TV-Programme auf der Krim. Journalisten wurden bedroht und eingeschüchtert. Die Organisation Reporter ohne Grenzen sprach von einem Klima der Zensur. Russische Sender verbreiteten Falschmeldungen über Schusswechsel in Kiew sowie Angriffe auf prorussische Zivilisten. Die westliche Welt reagierte empört, war aber machtlos. Das ganze Propaganda-Spektakel diente der Stimmungsmache für ein kurzfristig angesetztes und äußerst fragwürdiges Referendum über den Status der Krim, das die Wahl zwischen Verbleib in der Ukraine und Anschluss an Russland bot.

Die sieben verbliebenen G8-Staaten, der Präsident des Europarates und der Präsident der EU-Kommission erklärten geschlossen, das geplante Referendum nicht anzuerkennen.

Am 16. März 2014 fand es trotzdem statt und ergab – Überraschung – eine Zustimmung von 96,77 Prozent der Wählerstimmen für einen Beitritt zu Russland. Jetzt ging alles ganz schnell: Am Tag darauf, dem 17. März, hielt Putin eine Rede zum Beitritt der Krim zur Russischen Föderation, und noch am selben Tag wurde der Beitrittsvertrag unterschrieben. Die Krim-Regierung verkündete, dass die Zeit auf Moskauer Zeit umgestellt werde, der Rubel als Zweitwährung gelte und die Öl- und Gaswirtschaft verstaatlicht werde.

Vor allem Letzteres war pikant, denn vor der Krimküste liegen beträchtliche, bislang nicht erschlossene Öl- und Gasvorkommen. Im Bieterverfahren 2012 unterlegen war ausgerechnet ein russischer Konzern: Lukoil. Ab 2017 hätte dort so viel Gas gefördert werden sollen, dass man etwa 20 Prozent der ukrainischen Gasimporte hätte ersetzen und damit die Importabhängigkeit von Russland hätte reduzieren können. Schon am 18. März beantragte der russische Staatskonzern Gazprom die Förderkonzession für diese Öl- und Gasvorkommen, die sich ja nun nicht mehr im Besitz der Ukraine befanden. Ein Schelm, wer Böses dabei denkt.

Frieden in Genf, Krieg im Donbass

Innerhalb weniger Wochen war die Lage in der Ukraine also auf den Kopf gestellt worden. In Kiew war nun eine europafreundliche Regierung an der Macht, aber die Krim war von Russland annektiert worden, ein offensichtlicher Völkerrechtsbruch und eine Verletzung der Charta von Paris, die strenge Regeln für Grenzänderungen in Europa aufstellte. Aus westlicher Sicht war das Krim-Referendum reines Theater, die Vereinten Nationen oder die OSZE wurden überhaupt nicht einbezogen, Beobachter nicht zugelassen: ein schwerer Völkerrechtsbruch. Demgegenüber versteht man den Beitrittsvertrag in Moskau als die natürliche Heimkehr der Krim nach Russland – aber konnte so etwas ohne Kiew entschieden werden?

Die russische Annexion der Krim konnte und würde also nicht akzeptiert werden, darin waren sich im Westen alle einig.

Schon vor dem Pseudo-Referendum hatten die EU, die USA, die Schweiz, Kanada und Japan unterschiedlichste Sanktionen ergriffen, um das Vorgehen Russlands mit Kosten zu versehen. Verhandlungen über Visumserleichterungen wurden ausgesetzt, Vermögenswerte eingefroren und Einreiseverbote erteilt. Die EU-Sanktionsliste wurde bis zum Jahresende 2014 mehrfach erweitert und bis heute aufrechterhalten.

Russland zeigte sich recht unbeeindruckt und reagierte mit Gegensanktionen. So gab es Einreiseverbote gegen US-Amerikaner, gegen Kanadier und schließlich auch gegen 89 europäische Politiker.

Und als wäre das alles noch nicht genug gewesen, entzündete sich ab Frühjahr 2014 ein zusätzlicher Konfliktherd im Osten der Ukraine, nämlich in der für die Schwerindustrie wertvollen Bergwerksregion Donbass, die bis heute von bewaffneten »Volksmilizen« mit separatistischen Zielen besetzt ist. Auch hier waren russische Soldaten auf der Seite der Separatisten beteiligt – sie waren aber gemäß russischen Aussagen nicht im offiziellen Auftrag Moskaus unterwegs, sondern befanden sich »im Urlaub« in der Ostukraine. Diese Freischärler agierten mit russischem Kriegsgerät und riefen schließlich die Unabhängigkeit der »Volksrepubliken« Donezk und Luhansk aus. Auf die russische Annexion der Krim folgte also nun eine verdeckte Invasion im Donbass. Dem wollte der Westen nicht untätig zusehen. Doch was tun?

Die ersten Friedensbemühungen und Einigungsversuche führten im April 2014 zu den »Genfer Gesprächen« zwischen den Außenministern der USA und Russlands, John Kerry und Sergej Lawrow, der Außenbeauftragten der EU Catherine Ashton und dem Interimsaußenminister der Ukraine, Andrej Deschtschyzja. Dort vereinbarte man, die Spannungen abbauen und die Sicherheit für alle Bürger wiederherstellen zu wollen. Doch die sogenannten Separatisten im Donbass waren nicht bereit, die Waffen niederzulegen.

Anfang Mai 2014 forderte Russland, die Donbass-»Separatisten« anzuerkennen, und schlug vor, eine zweite Genfer Konferenz abzuhalten und die russischen »Separatisten« dazu einzuladen – wozu die ukrainische Regierung nicht bereit war. Gleichzeitig war Russland aber immerhin einverstanden, die OSZE als Vermittler einzubinden.

Das führte dazu, dass ein paar Tage später bei mir – ich war zu dem Zeitpunkt in Washington, D. C. – das Telefon klingelte. Die Bundesregierung bat mich, als Moderator Runder Tische für die OSZE zur Lösung der Krise in der Ukraine beizutragen. Der damalige OSZE-Vorsitzende Didier Burkhalter, Außenminister der Schweiz, hatte diesen deutschen Vorschlag begrüßt, die ukrainische Regierung die Idee bereits im Prinzip akzeptiert. Es sollte einen Dialog zwischen allen politischen Richtungen in der Ukraine und unter Begleitung der OSZE geben, angelehnt an die Runden Tische in der DDR vor der Wiedervereinigung.

Ich sagte zu und hoffte, dass ein Runder Tisch zumindest dafür sorgen könne, dass am 25. Mai in der Ukraine in Ruhe Präsidentschaftswahlen stattfinden könnten. Ein neugewählter ukrainischer Präsident, so hoffte man, könnte dann einen Prozess einleiten, auch über direkte oder indirekte Kanäle nach Moskau, der zu einer friedlichen Lösung des Konflikts führen würde.

Also flog ich als persönlicher Beauftragter des OSZE-Vorsitzenden nach Kiew. Bereits am 14. Mai fand die erste Sitzung meines Runden Tisches in Kiew statt, am 17. Mai in Charkiw die zweite und am 21. Mai in Mykolajiw die dritte – alles unter krisenhaften Rahmenbedingungen. Aber eines wurde dabei erfreulich deutlich: Die Ukraine verfügt über eine lebendige und aktivistische junge Zivilgesellschaft – deren Vertreter nahmen ebenfalls an den Gesprächen teil. Ganz klar, dies war und ist ein großes »Asset« für die Zukunft des Landes.

Am Ende fand die ukrainische Wahl am 25. Mai – außer im Donbass – so frei und fair statt, wie man es unter den extrem schwierigen Umständen nur hoffen konnte. Neuer Präsident wurde Petro Poroschenko, Kritiker des Russlandfreundes Janukowytsch und Unterstützer des Euromaidan.

Die Wahl war ein wichtiger Meilenstein, aber der lange Weg, die Ukraine zu stabilisieren und zu reformieren, begann erst jetzt. Ich mahnte damals in Vorträgen und Zeitungsartikeln an, dass Europa die Ukraine weiterhin stark unterstützen und neue Ansätze für den Umgang mit Russland finden müsse. Aber wie sollten diese aussehen?

Mitte Juli trafen Putin und Angela Merkel in Rio de Janeiro zusammen, am Rande des Finales der Fußball-Weltmeisterschaft. Die beiden stimmten überein, dass die ukrainische Regierung und die »Separatisten« möglichst bald direkte Gespräche miteinander aufnehmen sollten. Telefoniert hatten Merkel und Putin seit Beginn der Krise ohnehin regelmäßig. Die Eselsgeduld der Bundeskanzlerin bei diesen zahllosen Gesprächen, die oft sehr frustrierend gewesen sein müssen, habe ich sehr bewundert. Gute Außenpolitik erfordert oft viel Geduld und manchmal einen sehr langen Atem.

Anfang September traf sich dann im weißrussischen Minsk erstmals eine trilaterale OSZE-Kontaktgruppe aus Vertretern der Ukraine, Russlands und der OSZE. Mit dabei waren auch Repräsentanten der selbstproklamierten Volksrepubliken Donezk und Luhansk. Im Ergebnis vereinbarten die Konfliktparteien eine von der OSZE zu überwachende Waffenruhe und einen Gefangenenaustausch – das Abkommen hieß fortan Minsk I. Doch das Papier blieb Makulatur, der Waffenstillstand wurde nicht eingehalten.

Was als nationale politische Krise in der Ukraine begonnen hatte, war rasch zu einem Konflikt geworden, der die gesamte europäische Sicherheit bedrohte. Etwas nahezu Unvorstellbares hatte Realität angenommen: ein Krieg in Europa, mit stetig steigenden Opferzahlen und keiner Verhandlungslösung in Sicht. Im Sommer 2014 war der Malaysia-Airlines-Flug MH17 auf dem Weg von Amsterdam nach Kuala Lumpur in der Ostukraine von einer russischen Flugabwehrrakete abgeschossen worden. Alle 298 Insassen, darunter achtzig Kinder und 15 Besatzungsmitglieder, kamen ums Leben. Aufgrund eines russischen Vetos im UN-Sicherheitsrat kam es nicht zur Einrichtung eines UN-Sondertribunals zur Untersuchung des Vorfalls. Von den Niederländern durchgeführte Ermittlungen sind inzwischen abgeschlossen. Sie ergaben, dass es wohl russische »Separatisten« waren, die das Flugzeug abschossen haben. Den Schuldigen soll nun, weil ein Großteil der Opfer aus den Niederlanden stammte, auch dort der Prozess gemacht werden. Allerdings ist absehbar, dass Russland seine Staatsbürger niemals ausliefern wird. Die Verdächtigen werden also nicht vor Gericht landen.

Russlands Vorgehen in der Ukraine zeichnet das besorgniserregende Bild eines Landes, das sich nicht mehr an die in der KSZE-Schlussakte vereinbarten Prinzipien über Sicherheit in Europa gebunden fühlt und stattdessen eine »revisionistische« Außenpolitik betreibt. Die Ukraine wird so zum Schauplatz für die Auseinandersetzung zwischen Russland und dem Westen darüber, auf welchen Ordnungsprinzipien die Welt des 21. Jahrhunderts beruhen soll.

In diesem Zusammenhang lohnt es sich, einmal alle fundamentalen Regeln und Abkommen aufzulisten, die Russland mit der Annexion der Krim und der Invasion der Ostukraine aus westlicher Sicht verletzt hat. Nämlich:

— die bereits erwähnten Grundsätze der KSZE-Schlussakte von 1975, in denen sich die Staaten (auch Russland) zur Unverletzlichkeit der Grenzen und zur friedlichen Regelung von Streitfällen verpflichtet haben,
— das Budapester Memorandum von 1994, bei dem der Ukraine Sicherheitsgarantien für die Achtung ihrer bestehenden Grenzen gemacht wurden, während Kiew sich im Gegenzug bereit erklärte, auf die sowjetisch-ukrainischen Nuklearwaffen zu verzichten,
— die Charta von Paris von 1990,
— die NATO-Russland-Grundakte von 1997,
— den Freundschaftsvertrag und den Flottenstationierungsvertrag mit der Ukraine von 1997 sowie
— die Charta der Vereinten Nationen.

All diese Rechtsbrüche wurden und werden von russischer Seite natürlich weiterhin bestritten. Die europäische Sicherheitsarchitektur ist damit de facto zerfallen, eine historisch fatale Entwicklung – nach so viel Versöhnungs- und Vertrauensaufbau, nach so viel Rüstungskontrolle und intensiver Zusammenarbeit.

Um all diese Prinzipien und Vereinbarungen geht es also bei der Sorge, ob Russland mit seiner Politik erfolgreich sein wird. Im Zusammenhang mit der Krim-Annexion und dem Beginn des Ukrainekrieges hatte sich nämlich eine inoffizielle »Putin-Doktrin« entwickelt, und die lautete sinngemäß: Moskau hat das Recht, zum Schutz der russischsprachigen Bevölkerung im Ausland zu intervenieren – und zwar allein auf Grundlage von Moskaus Einschätzung, ob, wann und wie dieser Schutz benötigt wird.

Die Annahme, dass europäische Staaten heute nicht mehr in ihrer territorialen Integrität bedroht seien, hat sich damit als falsch erwiesen. Mit der Annexion der Krim, der fortgesetzten verdeckten Intervention in der Ostukraine und der Verkündung dieser inoffiziellen Putin-Doktrin hat Russland die Geschichte der europäischen Sicherheit in ein früheres Kapitel zurückgeführt, mit besorgniserregenden Konsequenzen.

Bundeskanzlerin Merkel brachte auf der Münchner Sicherheitskonferenz 2017 auf den Punkt, weshalb man diese russische Politik nicht einfach hinnehmen kann: »Das Prinzip der territorialen Integrität, das können wir nicht aufgeben. Das sind wir nicht nur der Ukraine schuldig, sondern das sind wir vielen, vielen anderen Ländern und uns allen selbst schuldig.« Wenn wir hinnehmen, dass sich Staaten einfach Teile ihrer Nachbarn einverleiben, wird die Weltordnung des 21. Jahrhundert eine sehr grausame sein: vom Recht zurück zum Faustrecht.

Das Prinzip territorialer Integrität und die grundsätzliche Achtung des Völkerrechts, die Merkel erwähnte, gilt es nicht allein mit Blick auf Russland zu verteidigen. Auch Chinas Verhalten bereitet den Europäern und Amerikanern, zuallererst aber den Staaten Ost- und Südostasiens, ernsthafte Sorgen. Im Südchinesischen Meer führt Peking Territorialkonflikte unter anderem mit den Philippinen, Malaysia und Vietnam und setzt seine Gebietsansprüche dabei immer vehementer durch – mittels neuer Militärstützpunkte und künstlich aufgeschütteter Inseln. Ein Urteil des ständigen Schiedsgerichtshofs in Den Haag zum Territorialkonflikt zwischen China und den Philippinen, das die Richter zugunsten Manilas fällten, hat Peking schlicht ignoriert. Aus diesem Grunde kann es nicht überraschen, wenn Chinas Nachbarn äußern: Was für die Osteuropäer die Krim ist, sei für sie das Südchinesische Meer.

Aber zurück zu Russland und der Ukraine: Schon im November 2014 hatte Angela Merkel im Anschluss an die G20-Konferenz in Brisbane eine Rede gehalten, in der sie vor einem Wiederaufleben des Kalten Krieges und einer Aufteilung der Welt in Einflusssphären warnte. Auf der Münchner Sicherheitskonferenz im Februar 2015 verwies sie darauf, dass der

Ukraine-Konflikt militärisch nicht zu gewinnen sei: »Das Problem ist, dass ich mir keine Situation vorstellen kann, in der eine verbesserte Ausrüstung der ukrainischen Armee dazu führt, dass Präsident Putin so beeindruckt ist, dass er glaubt, militärisch zu verlieren.«

Also war Krisendiplomatie angesagt. Zusammen mit Frankreichs Präsident François Hollande reiste Angela Merkel Anfang Februar 2015 zunächst zu einem Treffen mit dem ukrainischen Präsidenten Petro Poroschenko nach Kiew und danach zu einem Treffen mit Putin nach Moskau. Auch US-Außenminister John Kerry schaltete sich ein. Mitte Februar wurde das Abkommen Minsk II verkündet: Demnach sollte Minsk I nun vollständig implementiert werden und endlich Waffenruhe einkehren.

Trotzdem ist die Ostukraine bis heute in der Hand von »Separatisten«, und die Krim bleibt von Russland annektiert. Der Krieg ist nicht weiter eskaliert, aber ansonsten haben wir wenig Fortschritt erzielt. Und ob Russland überhaupt an einem Frieden interessiert ist, bleibt völlig unklar.

Europas Sicherheit: Gegen, vor oder mit Russland?

Im Lauf der letzten vier Jahre hat sich die Lage in der Ukraine also kaum verändert – weder zum Guten noch zum Schlechten. Es besteht das Risiko, hier einen langwierigen, einen »eingefrorenen« Konflikt zu schaffen – mit dauerhafter Teilung des ukrainischen Staatsgebiets. Und die Gefahr einer andauernden wirtschaftlichen Misere ist ebenfalls noch nicht gebannt. Ohne Russland sind diese Probleme nicht zu lösen. Die harte Wahrheit ist: Weder die Integrität und Sicherheit der Ukraine noch ihre nachhaltige wirtschaftliche Rehabilitation lassen sich im dauerhaften Konflikt mit dem großen Nachbarn Russland verwirklichen.

Nicht nur in der Ukrainefrage bleibt deshalb der Grundsatz richtig, dass eine tragfähige Sicherheitsarchitektur Europas nur gemeinsam *mit* Russland zu gestalten ist. Genauso richtig ist aber leider auch, dass heute vielen europäischen Ländern auch Sicherheit *vor* Russland geboten werden muss.

Notwendig ist daher eine Doppelstrategie: eine Strategie, mit der wir einerseits mit Putin den Dialog über die Zusammenarbeit führen und fortsetzen – so schwierig das unter den derzeitigen Umständen auch sein mag – und wir ihm andererseits machtpolitische Zugriffsmöglichkeiten auf Europa verwehren. So viel Dialog wie möglich, so viel Verteidigung wie nötig.

Denn eine klare militärische Botschaft und Verteidigungsbereitschaft sind weiterhin unabdingbar. Die NATO hat auf die russische Annexion der Krim, die fortdauernde Unterstützung Russlands für die »Separatisten« in der Ostukraine und russische Übungen, die Angriffe auf westliche Länder simulieren, zu Recht mit einem maßvollen Programm der politischen und militärischen Rückversicherung reagiert. Genau wie das Bündnis im Kalten Krieg Solidarität mit der Bundesrepublik demonstrierte, leistet es diese jetzt für seine östlichen Verbündeten.

Heute ist also von uns Deutschen gegenüber unseren NATO-Partnern genau jene Solidarität gefordert, die wir selbst vor nicht allzu langer Zeit erhalten haben. Wer sich noch daran erinnert, wie wichtig es uns war, dass Amerikaner, Briten, Franzosen, Kanadier und andere sich nicht weit von der innerdeutschen Grenze positionierten, damit sie im Konfliktfall auch direkt betroffen waren und so zweifelsfrei der Bündnisfall galt, wird verstehen, warum sich die Bündnispartner an der Ostflanke die Präsenz ihrer Partner genauso sehr wünschen. Es ist daher gut und richtig, dass die Bundeswehr das Kommando über eines der vier multinationalen Bataillone übernommen hat, welche die NATO nach Polen, Estland, Lettland und Litauen entsandt hat.

Aber die NATO ist das eine. Das andere sind jene Länder, die das Pech haben, keiner Allianz anzugehören. Dazu gehört die Ukraine. Was ist unsere Verantwortung für dieses Land? Die Ukraine muss das Recht und die Möglichkeit haben, sich selbst verteidigen zu können. Auch deswegen ist es nachvollziehbar, dass Amerikaner und andere Bündnispartner entschieden haben, Kiew Defensivwaffen wie Panzerabwehrraketen, Radarsysteme oder auch verbesserte Kommunikationssysteme zu liefern. Lange Zeit strömten nur Waffen aus Russland in die Ukraine, sodass die »Separatisten« über Equipment verfügten, dem die ukrainische Armee nur wenig entgegensetzen konnte.

Wichtiger noch sind aber die finanzielle und wirtschaftliche Hilfe und Rückendeckung für Kiew, gekoppelt an Unterstützung bei der Korruptionsbekämpfung. Das ist für die Ukraine existenziell. Genauso wichtig ist die Förderung der ukrainischen Zivilgesellschaft. Die junge Generation, die auf dem Maidan demonstrierte – nicht gegen Russland, sondern gegen eine korrupte ukrainische Elite, die der Jugend ihre Chancen auf eine europäische Zukunft nahm –, diese Generation trägt die Hoffnung auf eine bessere Ukraine, eine europäische Ukraine. Europa kann zum Beispiel durch Visumfreiheit, Stipendien für ukrainische Studierende oder die Unterstützung von Nichtregierungsorganisationen vor Ort viel zur Stärkung dieser Jugend beitragen.

Neben den diversen Unterstützungsleistungen sind aber auch die 2014 gegen Russland beschlossenen Sanktionen ein wichtiges Instrument der Solidarität mit der Ukraine.

Vorab: Sanktionen sind nie ein Allheilmittel. Manchmal bleiben sie ohne erkennbare Wirkung. Oft treffen sie die Falschen. Gelegentlich werden Sanktionen verhängt, weil uns Diplomaten einfach nichts Besseres einfällt. Es gibt Risiken und Nebenwirkungen, und deshalb sollte man mit diesem Mittel sparsam umgehen und seine Wirksamkeit regelmäßig kritisch überprüfen. Henry Kissinger konstatierte Ende der 90er-Jahre, die USA hätten inzwischen Sanktionen gegen fast die Hälfte der Menschheit verhängt – ob das wohl ein erfolgversprechender Weg sein könne, den man weitergehen wolle? Er warnte damals davor, G8-Sanktionen gegen Indien und Pakistan wegen ihrer Nukleartests zu verhängen – Sanktionen gegen Russland, Kuba, Libyen, Iran, China und andere gab es bereits.

Also: Skepsis bei Sanktionen ist nie falsch. Aber weil die Frage nach Sinn oder Unsinn der aktuellen Russland-Sanktionen seit 2014 die Gemüter in Deutschland so sehr bewegt, will ich dazu noch Folgendes anmerken: Die Sanktionen sollten in Kraft bleiben, solange Moskau und die »Separatisten« bei der Umsetzung der Minsker Beschlüsse nicht umfassend mitziehen. Alle die, die meinen, man könnte die Sanktionen doch auch einfach so abbauen, weil sie angeblich nichts brächten, verkennen die Signalwirkung, die davon ausgeht. Am Ende käme Putin mit seiner Aggression doch durch – er müsste nur lange genug warten.

Die Bundesregierung hat von Anfang an deutlich gemacht: Die europäische Friedensordnung ist sehr wichtig, noch wichtiger als konkrete Interessen deutscher Firmen, denen die Sanktionen zuwiderlaufen. Außerdem ist fraglich, ob die Sanktionen wirklich so wirkungslos sind, wie manch einer behauptet. Wer weiß, wo wir heute stünden, wenn die USA und die EU nicht eine einheitliche Front geboten hätten? Aus meiner Sicht hat Putin die Geschlossenheit des Westens damals unterschätzt.

Aber natürlich muss sich auch Kiew bei der Umsetzung der Minsk-Abkommen voll engagieren, sonst verlieren die Sanktionen ihren politischen Sinn. Auch mit der Ukraine gilt es mitunter Klartext zu sprechen. Dennoch bleibt die Tatsache, dass Kiew das Opfer dieses Krieges ist – und nicht gleichermaßen für die Nicht-Umsetzung des Abkommens verantwortlich gemacht werden sollte.

Die Frage einer NATO-Mitgliedschaft der Ukraine ist im Bündnis de facto längst negativ entschieden worden. Dass die Regierung in Kiew die Hoffnung dennoch nicht aufgeben will, ist zwar verständlich, hilft aber nicht weiter. Hier gilt es, politische Alternativen zur NATO-Mitgliedschaft zu entwickeln, etwa indem sich die Ukraine dem Beispiel Finnlands, Schwedens oder Österreichs folgend als West-Ost-Brücke definiert. Auch eine NATO-Erklärung, dass der Prozess der Erweiterung nach Osten abgeschlossen ist, könnte den Konflikt vielleicht entschärfen. Aber würde der Westen damit nicht seine eigenen Prinzipien verraten – und die auf die NATO setzenden Staaten in Ost- und Südosteuropa gleich mit? Hier geht es wie so häufig auch um die eigene Glaubwürdigkeit. Wir können und dürfen Staaten wie die Ukraine, Georgien, Moldawien, aber auch andere Staaten »zwischen Ost und West« nicht einfach im Regen stehen lassen.

Es gibt also leider keine einfache Antwort.

Am Ende müssen alle Teilnehmerstaaten der OSZE, also auch Russland, gemeinsam nach Wegen zur Stärkung der europäischen Sicherheitsarchitektur suchen. Konventionelle und nukleare Rüstungskontrolle müssen als gemeinsame Projekte der Krisenprävention und der Vertrauensbildung wieder auf die Tagesordnung zurück. Für militärische Muskelspiele darf angesichts der fortbestehenden nuklearen Bedrohungen kein Platz in Europa sein. Auch Visionen strategischer wirtschaftlicher Zusammenarbeit mit Russland verdienen mehr Aufmerksamkeit: Noch 2010 hatte Putin selbst von einer Freihandelszone mit Europa »von Lissabon bis Wladiwostok« geträumt. Aber eins ist klar: Viele konstruktive Vorschläge werden Makulatur bleiben, wenn Russland gar nicht bereit ist, zu einer kooperativen Politik zurückzukehren. *It takes two to tango.* Was also tun? Ich komme auf die Handlungsoptionen weiter unten zurück.

»Wenn die sich vor uns fürchten, ist das doch ganz gut!«

Wie schnell man einem Irrtum aufsitzt, wenn man sich an seinen eigenen Wertvorstellungen orientiert und zu wissen meint, was in anderen vor sich geht, habe ich 1993 in meiner damals neuen Aufgabe als Chef des Planungsstabs des Auswärtigen Amtes erfahren.

Selbstkritisch hatte ich festgestellt, dass ich zwar einiges von den USA, der NATO und der EU verstand, aber wenig vom Osten. Deswegen trat ich eine kleine Dienstreise nach Warschau, nach Kiew und nach Moskau an – alles in allem vier Tage. Als ich am dritten Tag in Moskau ankam, wurde ich von dem damaligen Vizeaußenminister Georgi Mamedow begrüßt. Beim gemeinsamen Abendessen trug ich vor, was ich in den letzten beiden Tagen erfahren hatte:

»Ich komme gerade aus Warschau und aus Kiew. In beiden Ländern begegnete ich einer großen Angst vor Russland.«

Mein Gesprächspartner nickte, also fuhr ich mutig fort: »Wir Deutschen kennen das Phänomen, dass unsere Nachbarn Angst vor uns haben. Wir ergriffen deshalb alle möglichen Maßnahmen, um ihnen – Franzosen, Dänen, Holländern, Tschechen und Polen – die Angst vor Deutschland zu nehmen. Das ist noch nicht perfekt gelungen, aber wir haben zunehmend das Gefühl, dass unsere Nachbarn uns als Freunde wahrnehmen.«

Wieder nickte mein Gesprächspartner, also wagte ich die

offene Frage: »Was bitte macht Russland, um Polen, der Ukraine und den anderen osteuropäischen Staaten die Angst vor Russland zu nehmen?«

Mamedow schaute mich an: »Mein lieber Freund, es ist völlig in Ordnung, wenn unsere Nachbarn ein wenig Angst vor Russland haben. Wenn die sich vor uns fürchten – gut so!«

Dieses Denken ist leider auch heute noch in manchen Köpfen in Moskau präsent: Es ist doch gut, wenn die uns fürchten! Es ist auch einer der Gründe, warum in Warschau, Kiew und anderswo der Wunsch nach einer NATO-Mitgliedschaft so groß war und bleibt. Dort hat man Angst vor Moskau. Als kleiner Staat ohne große militärische Kraft fühlt man sich dem starken Bären aus dem Osten im Ernstfall einfach ausgeliefert.

Unvereinbare Narrative

Die Gegensätze zwischen der russischen und der westlichen Sichtweise wurden in einem Gremium besonders deutlich, das 2015 von der OSZE einberufen worden war: dem sogenannten »Panel of Eminent Persons on European Security as a Common Project«. Sein Vorsitz wurde mir übertragen.

In der OSZE selbst sind insgesamt 57 Staaten aus Nordamerika, Europa und Asien versammelt. Sie ist damit die größte regionale Sicherheitsorganisation und arbeitet laut eigener Zielsetzung daran, »dass mehr als eine Milliarde Menschen in Frieden, Demokratie und Stabilität leben können«.

Wie im Eingangskapitel erwähnt, hieß die OSZE ursprünglich Konferenz über Sicherheit und Zusammenarbeit in Europa (KSZE) und war zunächst eine Initiative des Warschauer Paktes – mitten im Kalten Krieg. Tatsächlich zustande kam die Konferenz aber erst in der Folge der Ostpolitik Willy Brandts, als der damalige deutsche Bundeskanzler Anfang der 1970er begann, die frostige Stimmung zwischen den beiden Blöcken aufzulockern. Zwischen 1973 und 1975 wurde mühsam verhandelt, das Ganze mündete am 1. August 1975 in der schon mehrfach erwähnten KSZE-Schlussakte, die der Konfrontation des Kalten Krieges ein Ende setzen sollte. An den Verhandlungen beteiligt waren sieben Staaten des Warschauer Paktes, 13 neutrale Länder und die 15 NATO-Staaten; heute würde man das Treffen vermutlich »G35« nennen.

Moskau hoffte auf Anerkennung der damals noch umstrittenen Grenzen in Europa. Der Westen hoffte auf die Durchsetzung von Menschenrechten jenseits des Eisernen Vorhangs. Und das Tauschgeschäft gelang: In der Schlussakte von Helsinki verpflichteten sich die teilnehmenden Staaten einerseits zu der Unverletzlichkeit der Grenzen und zur friedlichen Regelung von Streitfällen, aber auch zur Nichteinmischung in die inneren Angelegenheiten anderer Staaten sowie zur Wahrung der Menschenrechte und Grundfreiheiten.

Weil die Konferenz ein solcher Erfolg war, gab es im Anschluss Folgetreffen in Bukarest, Madrid, Wien und noch mal in Helsinki. 1995 entschloss man sich, die Konferenz zu institutionalisieren, und gründete die »Organisation für Sicherheit und Zusammenarbeit in Europa«, kurz OSZE, deren Vorsitz jährlich unter den Mitgliedern wechselt. Leider führte die OSZE in der Folgezeit eher ein politisches Schattendasein, wohl auch wegen der komplizierten Entscheidungsprozeduren. Nur bei Einstimmigkeit sind nämlich Beschlüsse möglich, und leider findet sich fast immer jemand unter den Mitgliedstaaten, der ein Veto einzulegen bereit ist. Deshalb war es geradezu sensationell, dass es dem Schweizer OSZE-Vorsitzenden Didier Burkhalter 2014 gelang, in der Ukraine-Krise eine Vermittlerfunktion zu übernehmen und nicht nur OSZE-Beobachter in die Krisenregion zu entsenden, sondern auch einen politischen Dialog zu initiieren – auch wenn daraus bislang noch kein Frieden erwachsen ist.

Das »Panel of Eminent Persons«, dessen Vorsitz ich also 2015 übernahm, sollte Vorschläge zur künftigen OSZE-Rolle bei Konfliktprävention und -bearbeitung und zu den Grundfragen der Sicherheitsarchitektur im Euroatlantisch-Eurasischen Raum entwickeln – natürlich im Geiste der Helsinki-Schlussakte und der Charta von Paris – und insbesondere mit Blick auf den ungelösten Konflikt in der Ukraine. Das Panel bestand aus mehr als einem Dutzend hochrangiger Persönlichkeiten mit langjähriger praktischer Erfahrung in verschiedenen Bereichen europäischer Sicherheit. Sie kamen aus ganz verschiedenen OSZE-Ländern: Griechenland, Türkei, USA, Ukraine, Lettland, Frankreich, Schweiz, Georgien, Russland, Vereinigtes Königreich, Polen, Finnland, Kasachstan, Serbien und Deutschland.

Gemeinsam mussten wir feststellen, dass es zwischen dem Westen und Russland solch große Differenzen in der Wahrnehmung der gegenwärtigen europäischen Situation gab, dass eine Einigung auf einen gemeinsamen Text einfach nicht möglich war. Die unvereinbaren Narrative waren eine richtige Katastrophe, besonders für mich als Vorsitzenden.

Wir haben uns am Ende nur so zu helfen gewusst, dass wir sowohl das westliche als auch das russische Narrativ jeweils getrennt wiedergaben. Und der Vollständigkeit halber nahmen wir noch ein drittes Narrativ auf, nämlich die Sichtweise der Länder »dazwischen«, also insbesondere der Ukraine, Georgiens und anderer Staaten, die nicht zur NATO oder der EU gehören, aber auch nicht der russischen Einflusssphäre angehören wollen.

Dieser »Graben der Narrative« zwischen Russland und dem Westen ist seit 2015 leider nicht nur nicht zugeschüttet, sondern eher noch tiefer geworden.

Die russische Argumentation zu den aktuellen Krisen in der Ostukraine, auf der Krim oder auch in Georgien geht etwa folgendermaßen: Die Ursache aller Schwierigkeiten liegt im unerträglichen Verhalten des Westens. In den 1990er-Jahren habe der Westen die russische Schwäche ausgenutzt, leere Versprechungen von Zurückhaltung gemacht und die NATO-Osterweiterung dennoch vorangetrieben. Dann folgt eine lange Liste von Verfehlungen des Westens, die zum Teil weit zurückreichen und mit den aktuellen Konflikten nicht immer zu tun haben: Kosovo-Intervention, Irak-Intervention, Libyen-Intervention, die Art, wie man durch das Assoziierungsabkommen die Ukraine in die EU zwingen wollte, die Art, wie die CIA die Farben-Revolutionen in Polen und später in der Ukraine in Gang gesetzt habe, usw. Der Westen drücke der ganzen Welt seine Ordnungsvorstellungen auf und wundere sich dann, wenn Staaten, die eine andere Ordnung wollen, zurückschlagen. Russland sei nun endlich wieder stark genug, sich zu wehren.

Die westliche Argumentation dagegen geht etwa so: Nach dem Ende der Sowjetunion konnten Hunderte von Millionen von Menschen in Mittel- und Osteuropa endlich frei über ihr Schicksal entscheiden. Dass viele dieser Länder in die EU und die NATO wollten und nach Freiheit und Demokratie strebten, ist nicht die Schuld des Westens. Dessen Ziel war es schlicht, ein Europa in Frieden und Freiheit zu schaffen. Dass Russland diesen Weg nicht mitgehen will, ist bedauerlich und bedenklich.

Gleichzeitig fragt sich der Westen natürlich selbstkritisch: Was ist unser Anteil an der aktuellen Konfliktlage? Wie sehr hat der Irakkrieg die Weltordnung beschädigt? Haben wir möglicherweise russische Interessen nicht hinreichend zur Kenntnis genommen, als es um die Assoziierung der Ukraine an die EU ging? War es falsch, dass sich westliche Außenminister auf den Maidan gestellt und den Demonstranten Unterstützung zugerufen haben?

Und ja, wir kommen dann zu dem Ergebnis, dass wir wohl tatsächlich auch manches falsch gemacht haben. Nur: Rechtfertigt das die russische Annexion der Krim? Rechtfertigt das, dass Moskau die militanten »Separatisten« im Donbass nunmehr im dritten oder vierten Jahr mit Waffen am Leben hält? Rechtfertigt das die russische Intervention in Georgien 2008?

So verläuft die asymmetrische Debatte in Endlosschleifen: Zwei Narrative stehen sich diametral gegenüber, ohne gemeinsame Basis. Und während die Amerikaner und Europäer sich mit selbstkritischer Fehleranalyse auseinandersetzen, sieht man in Moskau sämtliche Fehler weiterhin ausschließlich auf Seiten des Westens. Selbstkritik gilt als Nestbeschmutzung.

Das führt gleichermaßen zu Sprachlosigkeit wie zu Spannung. Und das kann – wie in einer großen Ehekrise – nur überwunden werden, wenn man zu einer Form des Gesprächs zurückfindet, bei der beide Seiten bereit sind, Fehler einzugestehen, dem Gegenüber Respekt und Wertschätzung zu bezeugen und gemeinsam einen Weg nach vorn zu suchen. Doch dazu braucht man ein Grundmaß an Vertrauen.

Wir im Westen misstrauen, weil wir uns von den Russen hintergangen fühlen und weil Russland in den letzten Jahren – so klar muss man das sagen – die Sicherheitsordnung in Europa beschädigt hat und die europäischen Demokratien zudem politisch zu schwächen versucht. Viele führende Politiker im Westen fühlen sich auch persönlich enttäuscht, weil ihnen die russische Führung immer wieder direkt ins Gesicht gelogen hat. Da fällt es irgendwann schwer, noch irgendeine sinnvolle Vereinbarung zu treffen.

Die Russen misstrauen, weil sie sich von der NATO umzingelt fühlen – was wir wiederum kaum nachvollziehbar finden. Denn niemand in Moskau wird ernsthaft behaupten wollen, dass die auf Verteidigung ausgelegte NATO-Bündnispolitik eine

Art Einkreisungsversuch in Vorbereitung eines großen Russ-
landfeldzugs ist. Diese Idee könnte man mit viel Fantasie vielleicht heraufbeschwören, wenn die NATO in mehrfacher Di-
visionsstärke in Polen aufkreuzen würde. Genau das passiert
aber nicht. Der Westen hält sich ausdrücklich an die Vereinbarungen der NATO-Russland-Grundakte. Wir reden von nur
etwa 4000 Soldaten, die in Osteuropa rotieren. Russische
Ängste sind da arg konstruiert. Es ist nicht übertrieben, die
Grenze Russlands zur NATO als den wohl sichersten Grenz-
abschnitt der Russischen Föderation zu bezeichnen. Leider
wird das in Moskau ganz anders gesehen.

Besser für uns nachvollziehbar dagegen ist, dass die Polen
sich verunsichert fühlen, wenn in russischen Militärübungen
ein Nuklearangriff auf Warschau simuliert wird. Ebenso nachvollziehbar ist, wenn die Balten sagen, sie fühlen sich durch
den Gedanken an russische »kleine grüne Männchen« verunsichert – also durch die nie so richtig zugegebene, aber nach-
gewiesene Präsenz russischer Soldaten auf der Krim und in
der Ostukraine. Die kleinen baltischen Staaten haben erhebliche russische Minderheiten. Sie sorgen sich, was passieren
könnte, sollten plötzlich auch bei ihnen »grüne Männchen«
landen, von denen Moskau nichts zu wissen behauptet. Alles
verständliche Sorgen.

Die Krise mit Russland überwinden – Aber wie?

Nicht akzeptabel ist die Idee, man solle einfach seinen Frieden
mit der ungelösten Lage auf der Krim und in der Ostukraine
machen und sie als Dauerprovisorium akzeptieren. Solche
Äußerungen kamen vielleicht bei bestimmten Zielgruppen im
deutschen Wahlkampf im Sommer 2017 ganz gut an. Aber
echten Frieden in der Ostukraine brächte derlei sicher nicht –
und übrigens auch keinerlei Vertrauensgewinn in allen ande-

ren osteuropäischen Staaten. Denn mit einer Akzeptanz völker-rechtswidriger Grenzverletzungen wären als »Selbstverteidigung mit Unterstützung Freiwilliger« getarnte Interventionen Russlands enttabuisiert und Tür und Tor geöffnet für weitere vermeintlich harmlose Grenzüberschreitungen. Um dem entgegenzuwirken, braucht es einen langen Atem.

Im Übrigen gibt es hier einen historischen Präzedenzfall: So hielten nämlich die USA und die Briten über viele Jahrzehnte an der Eigenständigkeit der baltischen Staaten fest, die im 20. Jahrhundert erst von den Nazis besetzt und dann in die Sowjetunion eingegliedert worden waren. Diese Haltung erschien während des Kalten Kriegs bisweilen etwas absurd, aber der jahrelang wiederholte völkerrechtliche Einspruch gegen die Einverleibung war höchst hilfreich, als die baltischen Staaten nach dem Zerfall der Sowjetunion auf ihre Unabhängigkeit drängten. Gleiches mag irgendwann auch für die Krim gelten.

Die Frage heute muss jedoch erst einmal lauten, welche Handlungsoptionen wir in der Gegenwart haben. Was könnte man tun, um die Ukraine-Krise zu lösen? Inzwischen sind im Osten des Landes schon über 10 000 Menschen durch Kampfhandlungen ums Leben gekommen, und fast jede Woche werden es mehr.

Das sogenannte Normandie-Verhandlungsformat, bei dem Deutschland und Frankreich mit Russland und der Ukraine verhandeln, stößt an seine Grenzen. Die Minsker Vereinbarungen, die in diesem Rahmen festgelegt wurden, sind und bleiben zwar richtig, aber schon die einfachsten Umsetzungsschritte stocken seither. Auch ein Außenministertreffen im Frühsommer 2018 brachte keine erkennbaren Fortschritte. Wie kann es weitergehen? Aus meiner Sicht müssen ein Teilabzug der Waffen von der Demarkationslinie und die Durchsetzung eines Waffenstillstands am Anfang stehen. Es braucht zudem jede noch so kleine vertrauensbildende Maßnahme, zum Beispiel einen Austausch von Gefangenen. Seit Herbst 2017 wird mit

Russland über eine UN-Friedenstruppe diskutiert, die den Frieden in der Ostukraine absichern soll. Eine gute Idee, die bislang freilich schon an der fundamentalsten aller Fragen scheitert: Wo sollte und dürfte die UN-Truppe aktiv werden? Aus russischer Sicht nur an der innerukrainischen Kampflinie, nicht an der russisch-ukrainischen Grenze. Das würde die Idee der Friedenstruppe aber ad absurdum führen.

Der frühere amerikanische Präsident Dwight D. Eisenhower hätte in diesem Fall wohl sein Lieblingsrezept empfohlen: »If you can't solve a problem, enlarge it!« – Wenn du ein Problem nicht lösen kannst, vergrößere es!

Was heißt das in diesem Fall? Nun, man könnte zunächst versuchen, das Verhandlungsformat zu vergrößern. Heißt: Man bittet die USA, die bisher nur informell und indirekt beteiligt waren, und zum Beispiel die EU an den Tisch. Dann hätte man etwa das Erfolgsformat, mit dem auch der Nukleardeal mit dem Iran 2015 zustande kam. Ich schlage also einen Neubeginn des Verhandlungsprozesses in einem vergrößerten Rahmen vor. Gerade angesichts der Debatte über eine UN-Friedenstruppe im Donbass würde es doch Sinn ergeben, die Veto-Mächte im Sicherheitsrat möglichst von vornherein mit einzubeziehen, insbesondere die USA, statt an dem bisher erfolglosen Normandie-Format dauerhaft festzuhalten. Und mit dem Hinweis auf das Projekt UN-Truppe könnte dieser Neubeginn auch ganz ohne Gesichtsverlust auf allen Seiten ins Werk gesetzt werden.

Ein weiteres Argument: Wenn Putin ein Interesse daran hat, den Ukraine-Konflikt zu beenden, ist es unwahrscheinlich, dass er einen Friedensvertrag für die Ostukraine unterschreibt, den er ausschließlich mit der deutschen Bundeskanzlerin und dem französischen Präsidenten ausgehandelt hat. Er wird sicher gehen wollen, dass das Ergebnis auch vom Weißen Haus mitgetragen wird. Schließlich macht er keinen Hehl daraus, dass ein zentraler Beweggrund russischer Ukraine-Außenpolitik die NATO-Erweiterungspolitik ist. Und in der Tat hat die russische Politik in der Ukraine, aber auch in Georgien, die anvisierte NATO-Mitgliedschaft verunmöglicht, indem beide Länder nunmehr instabil sind und angefochtene Grenzen besitzen – beides No-Gos für eine NATO-Mitgliedschaft. Die NATO-Erweiterungsfrage wird aber – aus russischer Sicht – letztlich nicht in Berlin oder Paris entschieden, sondern in Washington. Also, auch wenn es schwerfällt: Die USA und die EU müssen an den Verhandlungstisch.

Zugegeben: Trump wird sich mit einem echten »Reset« der amerikanisch-russischen Beziehungen so lange schwertun, wie der Verdacht nicht entkräftet ist, Russland habe den amerikanischen Wahlkampf 2016 zu seinen Gunsten manipuliert. Der US-Kongress hat Trump in dieser Frage jedenfalls bisher die Hände gebunden.

Die Rückkehr der nuklearen Frage

Dabei ist es mehr als wünschenswert, wenn nach den Jahren des Schweigens zwischen Moskau und Washington eine neue amerikanisch-russische Gipfeldiplomatie entstünde. Dass sich Trump und Putin nun im Juli 2018 treffen wollen, ist also sehr zu begrüßen – solange sich die Sorge nicht bestätigt, Trump würde über die Köpfe amerikanischer Alliierter hinweg (und auf deren Kosten) »Deals« mit Putin schließen. Denn Russland mag in ökonomischer Hinsicht nur eine Art Mittelmacht sein, militärisch dürfen wir Moskau aber nicht unterschätzen. Zusammen mit den USA besitzen die Russen über neunzig Prozent des globalen Atomwaffenreservoirs und verfügen heute mit 6850 Stück über die weltweit größte Anzahl an nuklearen Sprengköpfen – noch vor den USA mit 6450 Atomsprengköpfen.[9] Die Rüstungsausgaben Russlands haben sich von 2004 bis 2014 verdoppelt.

Solche Zahlen werden ungern gehört. Viel lieber erinnert man sich an bessere Zeiten: 1987 wurde der INF-Vertrag unterzeichnet, einer der wichtigsten Nuklearverträge überhaupt. INF ist die Abkürzung für Intermediate-Range Nuclear Forces, zu Deutsch nukleare Mittelstreckenwaffen. Der Vertrag regelte in einer »doppelten Null-Lösung« auf sowjetischer Seite den Abbau aller 857 Mittelstreckenraketen mit 1667 Sprengköpfen und auf amerikanischer Seite den Abbau aller 429 Raketen und Sprengköpfe. Damit wurde zum ersten Mal eine bestimmte Waffenkategorie komplett verboten – ein großer Erfolg der Diplomatie, der das Ende der Nachrüstungsdebatte bedeutete und einen wesentlichen Beitrag zum Ende des Kalten Kriegs leistete.

Heute steht der INF-Vertrag wieder unter massivem Beschuss. Die USA werfen Russland vor, entgegen dem Vertrag eine neue nuklear bestückbare Mittelstreckenrakete entwickelt zu haben. Mittlerweile hat sich auch die NATO besorgt gezeigt und Russland aufgefordert, die Vorwürfe mit konkreten Belegen zu entkräften. Russland wiederum sieht im US-Raketenabwehrschirm für Osteuropa einen Verstoß gegen den Vertrag, weil es das amerikanische System mit seinen Installationen in Polen und Rumänien als gegen Russland gerichtet sieht – nicht gegen Raketen aus dem Iran oder anderen Staaten.

Zwar ist der INF-Vertrag ein Vertrag zwischen der Russischen Föderation und den USA. Streitfragen darum sind also nur zwischen diesen beiden Staaten zu lösen. Aber sie gehen uns Europäer ganz unmittelbar etwas an – und wir sollten uns viel deutlicher einmischen. Das Ende des INF-Vertrags wäre für uns eine Katastrophe. Sollte der INF-Vertrag scheitern, wäre es zudem nahezu ausgeschlossen, dass »New START«, der zu Zeiten von Obama und Medwedew abgeschlossene Vertrag, verlängert wird, welcher zu einer deutlichen Reduzierung amerikanischer und russischer strategischer Nuklearwaffen führte. Es war übrigens bei der Münchner Sicherheitskonferenz 2009, wo der Startschuss für »New START« gegeben wurde. Und es war bei der Münchner Sicherheitskonferenz 2012, wo der Vertrag besiegelt wurde. Darauf bin ich schon sehr stolz! Aber möglicherweise existiert schon 2021 kein einziger nuklearer Rüstungskontrollvertrag mehr zwischen den USA und Russland. Das könnte im schlimmsten Fall zu einer neuen Welle nuklearer Rüstung auch in Europa führen.

Europa braucht aber keine nukleare Aufrüstung, sondern den Wiederbeginn von Rüstungskontrollen. Nötig sind Abrüstungsgespräche.

Gespräche, Gespräche und noch mal Gespräche

Was wir also brauchen, sind konkrete und umsetzbare Vorschläge, die gegenseitiges Misstrauen verringern, Vertrauen aufbauen und langfristig eine umfassende euro-atlantische Sicherheitsgemeinschaft begründen. Solche Vorschläge gab es und gibt es immer wieder.

Schon 2013 hat eine internationale Experten-Gruppe, der ich angehörte, einen Bericht »Building Mutual Security in the Euro-Atlantic Region«, deutsch: »Aufbau wechselseitiger Sicherheit im euro-atlantischen Raum«, als Ergebnis einer Reihe von Treffen vorgelegt, die auf der Münchner Sicherheitskonferenz 2012 begonnen hatten. Unter gemeinsamem amerikanischen, russischen und europäischen Vorsitz hatten sich rund dreißig Experten aus Politik und Militär aus den USA, Russland, Polen, Frankreich, Großbritannien und Deutschland Gedanken über die Sicherheit Europas gemacht, wie es sich Charles de Gaulle 1959 in provozierender und inspirierender Weise erträumt hatte: ein friedliches Europa, das vom Atlantik bis zum Ural reicht.

Der Bericht fordert Gespräche und Verhandlungen in einer Vielzahl von Bereichen. Inhaltlich müsste es dabei natürlich zuallererst um das Thema Nuklearwaffen gehen. Raketenabwehr, Streitkräfte und konventionelle Waffen sind die nächsten Themen. Aber auch die Themen Cyber-Sicherheit und Weltraum-Aktivitäten gehören in die Liste – und zwar jeweils mit einer kurzfristigen Perspektive für die nächsten fünf und einer längerfristigen für die nächsten 15 Jahre.

Und weil dieser Bericht bereitliegt, die Experten bereitstehen, aber bislang keine Umsetzung erfolgt ist, haben die vier Vorsitzenden dieser Expertenrunde im Sommer 2017 vor dem G20-Gipfel in Hamburg noch mal einen Vorstoß gemacht.

Diese vier sind Des Browne, ehemaliger britischer Verteidigungsminister, Igor S. Iwanow, ehemaliger Außenminister und Ex-Sekretär des Sicherheitsrates der Russischen Föderation, Sam Nunn, ehemaliger US-Senator und Vorsitzender des Senatsausschusses für Verteidigungsfragen, und ich selbst. Also eine westlich-russische Gemeinschaftsaktion.

Wir vier und unsere Mitstreiter sind alte Hasen der Außenpolitik, bringen diplomatische Erfahrung mit und haben uns in verschiedenen Rollen mit Abrüstungs- und Friedenspolitik beschäftigt. Wir waren uns schon vielerorts begegnet; mit Iwanow beispielsweise hatte ich schon in Dayton 1995 zusammengearbeitet. Alle vier haben wir den Kalten Krieg einschließlich Bau und Fall der Mauer und die Hoffnung auf ein geeintes friedliches Europa miterlebt. Alle vier wissen wir allzu gut, wie schwer es ist, Frieden zu schaffen und Frieden dauerhaft zu erhalten.

Und so schrieben wir aus Sorge über die aktuelle Lage einen offenen Brief an Präsident Putin und Präsident Trump:

»Die gegenwärtige Kluft zwischen Russland und dem Westen scheint tiefer zu sein, als sie das seit dem Ende des Kalten Krieges je gewesen ist. Mangels neuer Initiativen sind die Beziehungen zunehmend von Misstrauen geprägt, und wichtige Schritte zur Verbesserung der Sicherheit aller Menschen im euro-atlantischen Raum werden nicht diskutiert, geschweige denn vorangetrieben.«

Wir wiesen die beiden mächtigsten Männer der Welt darauf hin, welche einmalige Gelegenheit sich bei ihrem ersten Treffen, beim G20-Gipfel in Hamburg, böte, um »schnellstmöglich praktische Schritte einzuleiten, die die stetige Verschlechterung der Beziehungen stoppen und reale Bedrohungen reduzieren können«.

Immerhin: Sie haben in Hamburg wirklich miteinander gesprochen. Und das, obwohl eine Annäherung zwischen den beiden durch die innenpolitischen Diskussionen in den USA fast unmöglich schien.

Wir regten in unserem Papier folgende Punkte an: eine gemeinsame Erklärung, dass ein Atomkrieg nicht gewonnen werden kann und niemals geführt werden darf, die Wiederaufnahme des bilateralen militärischen Dialogs zwischen den Vereinigten Staaten und Russland, eine gemeinsame Initiative zur Verhinderung von Terrorismus mit Massenvernichtungswaffen und informelle Übereinkünfte über den Umgang mit Cyber-Gefahren.

Der Hamburger Gipfel 2017 hat leider keine echten Fortschritte bei all diesen Fragen gebracht. Heißt: Diese Punkte bleiben weiterhin aktuell. Wir haben den Appell deshalb im Juli 2018 wiederholt. Die Sorge, dass Russland und der Westen noch stärker auseinanderdriften, hat sich weiter verstärkt. Einer der engsten Putin-Vertrauten, Vladislav Surkov, schrieb im Frühjahr 2018, Russland stehe jetzt vor 100 Jahren geopolitischer Einsamkeit. Der epische Weg Russlands, Teil der westlichen Zivilisation zu werden, sei nach 400 Jahren jetzt am Ende. Hoffentlich bleibt das nicht das letzte Wort aus Moskau.

Die Ereignisse in der Ukraine im Jahr 2014 waren ein Weckruf für die europäische Sicherheit. Eine tragfähige euroatlantische Sicherheitsarchitektur braucht die respektvolle Zusammenarbeit aller Beteiligter. Im Haus Europa darf Russland weder ausgeschlossen werden, noch auf dem Flur schlafen müssen. Es braucht ein eigenes Zimmer, vorausgesetzt, es wird nicht randaliert.

Skeptiker sagen: Wir sollen am Haus bauen, während es brennt? Ja, das stimmt. Das ist eine Herausforderung. Aber wir sollten dennoch versuchen, den Brand zu löschen und an dem Haus weiterzuwerkeln.

Das ist der große Zwiespalt in unseren Beziehungen zu Russland. Wir sind heute – leider – in vielen Fragen Kontrahenten, ja, sogar Gegner. Russland betreibt eine expansive Außenpolitik und möchte westliche Demokratien schwächen. Dennoch sollten wir uns immer wieder um Russland und die russische Bevölkerung bemühen. Aus meiner Sicht wäre es ein starkes positives Signal unserer Offenheit, wenn wir die Visumsbefreiung für Russen – trotz allen politischen Ärgers mit Putin – jetzt verkünden. Immerhin haben die Ukrainer dieses Privileg bereits erhalten – warum also jetzt nicht auch die Russen?

Das mag widersprüchlich klingen, aber in solch einem Spannungsfeld wird Außenpolitik gemacht. Und langfristig konzipierte Außenpolitik ist allemal überzeugender als das kurzatmige Reagieren auf Provokationen oder Krisen. Was bleibt, ist leider heute eine schwere Vertrauenskrise zwischen dem Westen und Russland, eine große Gefahr für die internationale Ordnung und Stabilität. Die Konsequenzen zeigen sich nicht zuletzt am Krisenherd Syrien.

5

Krieg in Syrien –
Eingreifen oder wegsehen?

Vom Arabischen Frühling zum außenpolitischen Albtraum

Syrien. Was seit Jahren als zehrender, endloser, in seinem Elend schier unerträglicher Krieg unsere Nachrichten dominiert, hatte eher harmlos angefangen, ja, eigentlich sogar mit einer gewissen Euphorie. Im Frühjahr 2011 ging die syrische Bevölkerung demonstrierend auf die Straße. Ihr Protest richtete sich gegen den langjährigen Staatspräsidenten Baschar Hafiz al-Assad.

Die Demonstrationen in Syrien reihten sich in eine Vielzahl von Ereignissen im Nahen Osten ein, auf die die westliche Öffentlichkeit anfangs mit Begeisterung schaute: »Arabischer Frühling« hieß das zuversichtlich klingende Schlagwort, das via Fernsehen und Zeitungen freudig die Runde machte. Nach und nach schienen sich die Menschen im Nahen Osten gegen ihre Unterdrücker zu wehren – und das auf friedliche Weise.

Dabei hatte es einen entsetzlichen Auftakt gegeben, nicht in Syrien, sondern ein paar Tausend Kilometer weiter westlich, ebenfalls an der Mittelmeerküste, nämlich in Tunesien: Am 17. Dezember 2010 suchte ein junger Tunesier namens Mohamed Bouazizi den Freitod. Er hatte sich in der kleinen Provinzstadt Sidi Bouzid als Gemüsehändler durchgeschlagen, doch dann beschlagnahmten lokale Ordnungskräfte seinen Verkaufswagen, weil ihm die Verkaufslizenz fehlte. Mit ein bisschen Bargeld zur Bestechung oder mit entsprechenden Beziehungen hätte sich der arme Händler freikaufen können.

Aber beides fehlte ihm. Es kam zu einem Handgemenge, eine Polizistin ohrfeigte ihn. Er reichte Protest bei einer höheren Stelle ein, doch der wurde abgelehnt. Erniedrigung und Ohnmacht brachten ihn schließlich derart zum Verzweifeln, dass sich der 26-Jährige direkt vor dem örtlichen Verwaltungsgebäude mit Benzin übergoss und mit einem Feuerzeug in Flammen setzte. Sein Tod veränderte die Welt.

Zunächst sah alles nach einer Hollywood-tauglichen Story aus. Erst Proteste in Tunesien, dann sprang der Funke über: die »Arabellion« begann. Fast überall in der Region wurde spontan demonstriert. Menschen in Tunesien, Algerien und Libyen, in Jordanien, Kuwait und Oman zogen mit Sprechchören durch die Straßen, demonstrierten für Freiheit, tanzten auf den Plätzen ihrer Städte.

Aus der Sicht vieler in Europa schien das wie der Anfang eines Sommermärchens: Knapp über zwanzig Jahre waren seit der friedlichen Revolution im Osten Deutschlands vergangen, als DDR-Bürger mit regelmäßigen Demonstrationen immer montags am Eisernen Vorhang rüttelten und am Ende vierzig Jahre sozialistische Repression abschüttelten, ohne dass ein einziger Schuss fiel. Die Erinnerung war noch frisch.

Die Welt staunte. Erlebten wir einen vergleichbar historischen Moment wie den Fall der Berliner Mauer und die Demokratisierung Osteuropas? Das Wunder der friedlichen Revolution von 1989 schien sich 2011 zu wiederholen.

Aber der Arabische Frühling währte nur kurz. Denn ein Happy End fand die Geschichte bislang nicht. Im Gegenteil: Dem einen Toten folgten Tausende. Tunesien kämpft heute weiter um seine demokratische Zukunft und hat erhebliche Fortschritte gemacht, aber in einigen anderen arabischen Staaten kam nach dem Frühling der Winter: Terror, Gewalt und Vertreibung. Die sozioökonomische Lage der meisten dieser Länder hat sich weiter verschlechtert, und manch ein Diktator konnte seine Macht nach einer Übergangszeit voller Unsicherheit restabilisieren. Oder ein Unrechtsregime wurde einfach durch ein anderes ersetzt.

Ein Problem ist, dass auch Diktatoren fernsehen und Zeitung lesen. Sie warten nicht darauf, dass sich Geschichte wiederholt und sie durch friedliche Proteste um Macht und Stellung gebracht werden. Sie lernen, indem sie beobachten, was in anderen Ländern passiert, welches Verhalten ihrem Bewertungsmaßstab nach zum Erfolg und welches zum Misserfolg geführt hat. Entsprechend passen sie ihr eigenes Verhalten an.

Die Despoten in der arabischen Welt bekamen genauso wie ihre Bevölkerungen mit, was sich da zuerst in Tunesien und kurz darauf in Ägypten abspielte. Und genau wie sich die Bürger von den mutigen Demonstranten anstecken ließen und massenhaft auf die Straße gingen, kopierten auch die Machthaber die Abwehrstrategien ihrer Amtskollegen.

Nicht nur wir assoziierten die Geschehnisse 2011 mit der deutschen Revolution von 1989; auch die Intellektuellen in Tunis und Kairo bezogen sich in ihren Artikeln und Meinungsbeiträgen auf die friedlichen Demonstranten aus Dresden, Leipzig und den vielen anderen ostdeutschen Städten. Und die autoritären Machthaber suchten ihrerseits nach Vorbildern, denen es gelungen war, ihre Macht zu sichern.

Und die fanden sie auch: Denn 1989 gab es nicht nur eine friedliche Revolution in Deutschland, sondern etwas früher – nämlich Anfang Juni – auch die brutale Niederschlagung von Studentenprotesten auf dem Platz des Himmlischen Friedens in Peking. In der DDR hingegen blieben die Panzer glücklicherweise auf dem Kasernenhof. Aber für Regime, deren einziges Interesse der Machterhalt ist, war dieser Unterschied und seine Konsequenzen eine Lehre.

Ägypten: Die Proteste im Land am Nil begannen am 25. Januar 2011, einem Dienstag. Genau eine Woche später, am 1. Februar, erklärte Präsident Husni Mubarak, er werde bei der nächsten Wahl im September nicht wieder kandidieren. Aber die Menschen gingen weiterhin auf die Straße, forderten seinen Rücktritt. Der Tahrir-Platz in Kairo stand im Zentrum der internationalen Berichterstattung. Der autoritäre Staat versuchte die Demonstrationen aufzulösen. Es gab Tote und Verletzte. Mehr als 800 Menschen kamen in nur einer Woche ums Leben. Am Donnerstag, dem 10. Februar, erklärte Mubarak, er werde im Amt bleiben, aber die Amtsgeschäfte seinem Vize übergeben. Dem Volk reichte das nicht aus. Die Proteste hielten an. Am Nachmittag des nächsten Tages verkündete Mubarak seinen Rücktritt und übergab die Staatsgeschäfte an den Obersten Militärrat.

Was in Ägypten passierte, wiederholte sich nach und nach in ähnlicher Weise in anderen arabischen Ländern: Anfangs ging alles sehr schnell. Der Despot versuchte, der Protestbewegung so lange wie möglich zu trotzen, und gab nur stückchenweise seine Macht auf. Der Druck der Straße zwang ihn schließlich nieder. Ab jetzt ging es in Zeitlupe weiter. Der Aufbau des neuen demokratischen Staates war mühsam und zäh – und ist fast nirgends gelungen. Vielerorts gab es mehr Rück- als Fortschritte.

In Ägypten eskalierte der Streit über die neue Ordnung, ging über in Gewalt, schließlich in Militärherrschaft, und am Ende stand die Festigung des autoritären Systems, das man eigentlich hatte stürzen wollen. Und so kam mancher außenstehende Beobachter zu dem Fazit: »Die Araber können das einfach nicht mit der Demokratie.« Was ein völlig falscher Schluss ist. Darauf komme ich gleich zurück.

Libyen: In verschiedenen Landesteilen wurde am 17. Februar 2011 der »Tag des Zorns« ausgerufen. Die Protestzüge machten deutlich, dass sich die Menschen weder mit Reförmchen abspeisen noch von staatlicher Repression abschrecken ließen; aggressiv und gewaltsam brachten sie ihre Unzufriedenheit zum Ausdruck.

Machthaber Muammar al-Gaddafi schaute dem Treiben nicht lange zu. Ihm war natürlich nicht entgangen, dass vier Wochen vorher sein tunesischer Nachbar Ben Ali in die Flucht geschlagen worden und eine Woche zuvor sein ägyptischer Kollege Mubarak zurückgetreten war. Als am 22. Februar auch der algerische Präsident Bouteflika ankündigte, sein Amt eventuell »aus gesundheitlichen Gründen« abzugeben, und auf den Druck der Straße hin am 23. Februar den dort seit 19 Jahren bestehenden Ausnahmezustand aufhob, war absehbar, wie sich die Lage auch in Libyen entwickeln könnte. Gaddafi wählte darum kurz entschlossen einen krassen Weg der Machterhaltung.

Mit massiver Repression und brutaler Gewalt ging er gegen die Demonstranten vor. Dutzende kamen ums Leben. Doch statt der von Gaddafi erhofften Stabilisierung passierte das Gegenteil. In der Krise zerfielen Staats- und Militärapparat. Ranghohe Militärs und Diplomaten stießen zu den Aufständischen hinzu, um sich und ihren Familien-Clan zu schützen, und halfen nun, den Widerstand zu organisieren. So etablierte sich schnell eine politisch-militärische Führung des Aufstands: Ehemalige hohe Vertreter des Regimes verbündeten sich mit langjährigen Oppositionellen und bildeten in Bengasi einen Nationalen Übergangsrat. Sie appellierten an die internationale Gemeinschaft zu intervenieren und sie im Kampf gegen die Repression des Diktators zu unterstützen.

Gaddafi tobte. Als er am 17. März öffentlich ankündigte: »Wir kommen heute Nacht. Und es wird keine Gnade geben«, konnte man die beginnende Katastrophe quasi live im Fernsehen mitverfolgen: Völkermord mit Ansage.

Die Weltöffentlichkeit reagierte überraschend schnell und in unerwartet großer Einigkeit. Der Sicherheitsrat der Vereinten Nationen verabschiedete unter Enthaltung Russlands und Chinas (aber auch Deutschlands) eine Resolution, die die Einrichtung einer Flugverbotszone in Libyen und damit einen beschränkten Militäreinsatz erlaubte. Großbritannien, Frankreich und die USA schickten Kampfflugzeuge.

Und noch ein Akteur trat auf die Bühne des Libyen-Konfliktes: die Arabische Liga, sonst oftmals zerstritten.

Die Staaten der Arabischen Liga sind gemeinsam flächenmäßig etwa dreimal so groß wie die Europäische Union und werden von 350 Millionen Menschen bewohnt, was etwa zwei Dritteln der europäischen Bevölkerung entspricht. Die Arabische Liga ist anders als die EU kein echter Staatenverbund, sondern eine lose Interessengemeinschaft, die 1945 in Kairo gegründet wurde und zunächst nur eine Reminiszenz an das alte Osmanische Reich war, das mit dem Ersten Weltkrieg zerbrach. Sie zielt nicht auf die langfristige Integration von Staaten und Gesellschaften, sondern im Gegenteil auf die langfristige Bewahrung nationaler Souveränität – und auf die Schlichtung innerarabischer Streitfälle.

Angesichts des Nichteinmischungsgebots und der immer wieder beschworenen Souveränität der Mitgliedstaaten war es umso erstaunlicher, dass die Arabische Liga bei Ausbruch des Bürgerkriegs in Libyen so schnell eine Entscheidung gegen Libyen herbeiführte, eine Flugverbotszone proklamierte und ihren Mitgliedstaaten das Mandat erteilte, militärisch gegen Gaddafi vorzugehen. Libyen und später auch Syrien wurden als Mitglieder suspendiert, und zwar – einmalig in der Geschichte der Liga – mit dem Verweis auf Menschenrechtsvergehen.

Man könnte das als Fortschritt hin zu einer Öffnung der Liga gegenüber liberalen Werten und Menschenrechten deuten. Wahrscheinlich aber kam es zu dem schnellen Konsens einer Libyen-Intervention, weil die meisten Staaten der Arabischen Liga mit dem libyschen Herrscher noch eine Rechnung offen hatten. Gaddafi hatte nämlich keine Gelegenheit ausgelassen, sich unbeliebt zu machen, vor allem bei Saudi-Arabien. So war er angeblich 2003 in Attentatspläne gegen den damaligen saudi-arabischen Kronprinzen verstrickt und wurde beim Gipfel der Arabischen Liga in Doha 2009 in einer öffentlichen Sitzung derart ausfällig gegenüber König Abdullah, dass ihm der Ton abgedreht wurde.

Statt im Glanz eines Arabischen Frühlings, den sich die Menschen als friedlichen Sieg einer demokratischen Zivilgesellschaft erträumt hatten, befand sich Libyen nunmehr im Krieg.

Syrien: Aus dem Frühling wird Winter

Auch in Syrien gewannen Proteste im Laufe des Sommers 2011 an Dynamik, und es schien, als fände eine bald 50-jährige Ein-Parteien-Herrschaft ihr Ende. Das Land stand seit 1963 unter der Herrschaft der Baath-Partei, einer säkular-sozialistischen Partei. An ihrer Spitze und an der Spitze des Landes stand nach einem innerparteilichen Putsch 1970 Hafiz al-Assad, der Vater des heutigen Regierungschefs Bashar al-Assad. Der Vater griff mit harter Hand durch. Vor allem gegen die Muslimbrüder ging er brutal vor. Als im Jahre 2000 Bashar al-Assad die Nachfolge seines verstorbenen Vaters antrat, hofften viele auf eine Öffnung des strengen Regimes.

Tatsächlich gab es schon damals einen Frühling, den Frühling von Damaskus, der offene politische Debatten mit sich brachte. Themen wie die Aufhebung des geltenden Ausnahmezustands und die Abschaffung des Kriegsrechts wurden diskutiert, ebenso die Stellung der Frau in der Gesellschaft und das Verhältnis zu Palästina und zu Israel. Man forderte die Freilassung politischer Gefangener, das Recht, Parteien und

NGOs zu gründen, und irgendwann auch sehr deutlich die Aufhebung des Artikels 8 der syrischen Verfassung, der vorsieht, dass die Baath-Partei den Staat führt – man forderte also nichts weniger als ein Recht auf freie Wahlen.

Schon nach wenigen Monaten schwenkte Assad Junior aber wieder auf den früheren Kurs seines Vaters um, ließ Oppositionelle verhaften, politische Salons verbieten und Aktivisten zu Gefängnisstrafen verurteilen. Ich habe ihn in dieser Phase persönlich erlebt, als ich den damaligen Kanzler Schröder nach Damaskus begleitete. Assad, das war ziemlich klar, war von den alten Männern der Baath-Partei, die ihn keine Sekunde lang mit Schröder allein ließen, politisch fest eingemauert. Keine Hoffnung auf Reform!

Trotzdem lebte der »Damaszener Frühling« in den Köpfen vieler Syrer weiter. Als 2011 der Arabische Frühling ausbrach, begegnete die Regierung ersten Anzeichen von Protest mit massiver Repression. Die Protestwelle begann in der Peripherie des Landes und erreichte im Sommer die Großstädte Hama und Homs, schließlich auch Damaskus.

Präsident Assad kündigte anfangs – nach dem Prinzip Zuckerbrot und Peitsche – parallel zu den Repressionen einen Reformprozess an. Die Reformen aber ließen auf sich warten, die Demonstrationen nahmen zu, und die Niederschlagung der Proteste durch das Militär kostete immer mehr Menschenleben. Monat für Monat verschärfte sich die Lage im Land. Die Repression mobilisierte die Opposition.

Binnen kurzer Zeit eskalierte der Konflikt: Im April ging die syrische Regierung mit Panzern gegen Demonstranten vor. Im Mai drangen syrische Truppen in Wohngebiete in Homs und anderen Städten vor. Im Juni weitete das syrische Regime sein militärisches Vorgehen aus. Regierungstruppen stürmten eine Grenzstadt und hinderten Flüchtlinge am Verlassen des Landes. Im Juli kam es in Hama zur größten Demonstration seit Beginn der Proteste mit Zehntausenden Menschen. Insgesamt zogen Hunderttausende Demonstranten in vielen Teilen Syriens auf die Straßen. Der daraufhin erfolgte Beschluss des syrischen Kabinetts, andere Parteien als die regierende Baath-Partei zuzulassen, war nur noch ein Tropfen auf den heißen Stein. Im August marschierten Truppen in Hama ein, es gab mehr als hundert Todesopfer. Die Hafenstadt Latakia wurde nach Protesten von Kriegsschiffen, Panzern und Bodentruppen angegriffen.

Gleichzeitig wuchs der internationale Druck. Während die NATO mit Mandat des UN-Sicherheitsrats parallel in Libyen gegen Gaddafi vorging, reagierte die internationale Staatengemeinschaft auf die Geschehnisse in Syrien zwar zunächst verhalten. Im April verurteilte die EU-Außenbeauftragte Catherine Ashton die Gewalt in Syrien, US-Außenministerin Hillary Clinton forderte ein Ende der Gewalt. Auch UN-Generalsekretär Ban Ki-moon und die UN-Hochkommissarin für Menschenrechte Navanethem Pillay verurteilten die Gewalt gegen die Demonstranten, während die Türkei den diplomatischen Druck auf Syrien erhöhte.

Im Mai aber verhängten die USA Sanktionen gegen Syrien. Der UN-Sicherheitsrat war gespalten: Russlands Präsident Dmitri Medwedew lehnte eine Verurteilung Syriens durch die Vereinten Nationen ab. Die EU verabschiedete ein Waffenembargo und verhängte gemeinsam mit den USA Sanktionen gegen Präsident Assad und weitere Mitglieder der politischen Führung. Die Arabische Liga verurteilte das gewaltsame Vorgehen gegen Demonstranten, während die US-Regierung in Abstimmung mit der EU Präsident Assad erstmals explizit zum Rücktritt aufforderte. Im September sah es aus, als stünde die Ära Assad vor ihrem Ende.

Währenddessen bewegten sich Syriens Nachbarn zwischen ungewollter Verflechtung und absichtsvoller Einflussnahme in den syrischen Konflikt: Saudi-Arabien unterstützte die Rebellen, ohne ein großes Geheimnis daraus zu machen, weil

Assad dem Land ein Dorn im Auge war. Ebenso die Türkei. Katar, das beim internationalen Militäreinsatz in Libyen eine tragende Rolle spielte, erkannte in Syrien eine weitere Gelegenheit, sich international zu profilieren und aus dem Schatten Saudi-Arabiens zu treten. So finanzierte das Land auch die Gründung eines politischen Oppositionsgremiums. Man wollte mit einer bereits etablierten Exil-Regierung bereitstehen, sobald Assad endlich das Feld räumt.

Regime Change – Wissen, was danach kommt

Die westliche Öffentlichkeit sympathisierte unverhohlen mit den syrischen Rebellen. Man wollte die Menschen in ihrem Kampf um Freiheit und Demokratie unterstützen, fast selbstverständlich bedeutete das auch die Lieferung von Waffen und Munition.

Dabei wusste man aus früheren Kriegen und Konflikten, dass die Unterstützung von Rebellen sich über die Zeit zum Eigentor entwickeln kann. Die USA können ein Lied davon singen.

Wie wollte man jetzt in Syrien sicherstellen, dass die oppositionellen Gruppen, die man im Kampf gegen das Regime unterstützen wollte, sich nicht ausgerechnet mit islamistischen Kampfgruppen zusammentaten, die in anderen Kontexten wiederum gegen amerikanische Verbündete kämpften?

Assad beklagte sich über die Einflussnahme der Nachbarländer und forderte Respekt vor der Souveränität Syriens. Damit fand er Gehör bei Russland. Dem Kremlchef missfielen Präsident Obamas Worte: »Assad muss weg!« Denn damit war der Elefant im Konferenzraum des UN-Sicherheitsrates, der den Russen schon in der Frage Libyen/Gaddafi 2011 Bedenken gemacht hatte, beim Namen genannt: »Regime Change« – die Idee des erzwungenen Regimewechsels, der Sturz des Autokraten.

Auch in europäischen Hauptstädten, mit besonders großer Begeisterung in Deutschland, wurde immer wieder dieses eine Ziel formuliert: Assad muss weg. Aus heutiger Sicht ist das verantwortungslose Politik gewesen, weil ja keine wirkliche Strategie dahinterstand: Wenn Assad weg wäre, was genau würde dann wohl passieren? Hatte man in Berlin oder Brüssel einen Plan B? Natürlich nicht.

Eine Bloggerin, die jemenitische Menschenrechtlerin Tawakkul Karman, hatte die Welt davor gewarnt. Von ihr stammt der mahnende Satz, den sich alle, die einen Regime Change fordern, merken sollten: »Wir müssen wissen, was danach kommen soll.«[10] Die 31-jährige Mutter von drei Kindern, Mitglied der gemäßigt-islamistischen Islah-Partei Jemens, hatte in der Frühphase des Arabischen Frühlings Hunderte Frauen hinter sich versammelt und war zur Stimme der Opposition in ihrem Land geworden. 2012 lud ich sie zur Münchner Sicherheitskonferenz ein. Die beeindruckende Frau redete den Anwesenden ordentlich ins Gewissen und hielt wohl eine der besten Reden, die ich als Vorsitzender der Konferenz erleben durfte.

Tawakkul Karman hatte bereits im Januar 2011, am Tag nach dem Sturz des tunesischen Despoten Ben Ali, zu den ersten Kundgebungen in Jemens Hauptstadt Sanaa aufgerufen. Sie wurde verhaftet, eingesperrt und wieder freigelassen. Ihre Verhaftung löste Massendemonstrationen aus. Im Oktober 2011 bekam sie – stellvertretend für alle Aufständischen in der arabischen Welt – den Friedensnobelpreis.

Die Warnung, kein Regime zu stürzen, ohne eine überzeugende Strategie für danach aufzuweisen, stimmt nicht nur für den Jemen, der heute übrigens ähnlich im Chaos versinkt wie Libyen und Syrien. Die Idee des Regime Change hat in der Geschichte nur selten Erfolg produziert. Denn ein Diktator weniger macht noch keinen demokratischen Sommer!

Nach Revolutionen haben Gesellschaften oft Jahre oder Jahrzehnte gebraucht, um sich zu stabilisieren, und nur wenige

Revolutionen haben demokratische Strukturen hervorgebracht. Auf die Französische Revolution folgten zuerst Zeiten brutalen Terrors und dann der Alleinherrscher Napoleon, der Europa mit Krieg überzog. Die Russische Revolution 1917 brachte keine Demokratie, genauso wenig wie die kubanische 1959 oder die iranische 1979. Hier verschwanden alte autoritäre Regime, aber es entstanden weder Freiheit noch Demokratie.

Und Deutschland hat doch das Laboratorium im eigenen Land: Nach vierzig Jahren sozialistischer Diktatur wechselten Millionen DDR-Bürger quasi über Nacht in ein demokratisches System. Knapp dreißig Jahre später stellen Wissenschaftler aber fest: Selbst in dieser langen Zeit sei es nicht gelungen, dass alle fröhlich Gemeinsamkeit zelebrieren – eine nicht unwichtige Voraussetzung für das Funktionieren einer Demokratie.[11]

Wenn der Wandel im Denken und Fühlen schon in Deutschland, einem hoch entwickelten Staat, ein Problem ist, wie soll das in Ländern funktionieren, in denen Identität und Loyalität sich meist aus religiöser oder ethnischer Zugehörigkeit speisen? Die arabischen Länder haben bisher keine Tradition demokratischer Strukturen im westlichen Sinne, nichts, was sich über Jahre oder Jahrhunderte herausgebildet hätte. In Europa haben wir lange gebraucht, um parlamentarische Experimente durchzuführen und um Gewaltenteilung und unabhängige Rechtsprechung zu akzeptieren. Das war ein mühseliger Prozess, der immer wieder von schwersten Verwerfungen und Kriegen unterbrochen wurde. Demokratie quasi über Nacht überstülpen: Das geht eben nicht.

Irakkrieg 2003 – »Oder sind Sie ein Rassist, Ischinger?«

Trotzdem ist die Idee weitverbreitet, man könne Demokratie exportieren wie ein neues Automodell, und allein die »Verschrottung« eines alten Herrschaftsmodells führe zu einem neuen politischen System nach westlichem Vorbild. Die Idee wird noch immer von einigen in den USA gepflegt und genährt – vor allem von neokonservativen Intellektuellen, kurz »Neocons« genannt. Einige Vordenker der neokonservativen Bewegung lernte ich kennen, noch bevor ich 2001 Botschafter in Washington wurde. Unter ihnen waren damals Richard Perle und Paul Wolfowitz die in Deutschland bekanntesten Köpfe.

Aus Sicht der Neocons gab es in den 1990er-Jahren, als Russland erst einmal von der Bildfläche verschwunden war, in der Weltpolitik diesen sogenannten »unipolaren Moment«. Man meinte, die Amerikaner könnten, weil sie keine Rivalen mehr hatten, mit ihrer überlegenen militärischen Macht die Welt nach ihren Vorstellungen gestalten: Konflikte ausmerzen, Frieden schaffen, Kapitalismus und Freiheit verbreiten. Kurz: Es hatte eine gewisse Überheblichkeit im amerikanischen Denken eingesetzt.

Aus dieser Überheblichkeit entsprang auch die Idee, den irakischen Herrscher Saddam Hussein loszuwerden. Wie in Kapitel 3 schon kurz beschrieben, wurde dieser Plan 2003 tatsächlich umgesetzt: Mit der Begründung, es gäbe dort chemische Waffen, griffen die USA den Irak an. Die Kriegspläne der Amerikaner spalteten die EU in Befürworter (Großbritannien, Polen) und Kritiker (Deutschland, Frankreich). Das transatlantische Bündnis war schwer belastet.

Militärisch hatte man einen schnellen Erfolg zu vermelden: Saddam in der Luft und am Boden zu besiegen war – wenngleich mit erheblichem Aufwand – in wenigen Wochen gelungen, zumal Saddams Herrschaft durch UN-Sanktionen und regionale Isolation bereits an Stärke eingebüßt hatte.

Aber der Traum vom Regime Change löste sich schnell in Luft auf: Die USA schafften es nicht, den Irak zu sichern und einen nachhaltigen Wiederaufbauprozess des Landes voranzutreiben. Bis heute leiden die Menschen im Irak unter einer angespannten Sicherheitslage, in der Terrormilizen ihr

Unwesen treiben, die schiitische Mehrheit die höchsten Regierungsämter fordert und Spannungen zwischen der kurdischen Regionalregierung im Norden und der Zentralregierung in Bagdad jederzeit eskalieren können. Diese Instabilität machte sich der Islamische Staat nur kurze Zeit später zunutze.

Regime Change entsprang und entspringt oft westlicher Hybris. Diejenigen, die sich an Regime Change versuchten, haben ihre Möglichkeiten, auf das jeweilige Land einzuwirken, fast immer überschätzt.

Im transatlantischen Streit über den Irakkrieg 2003 kam es zu einer Diskussion zwischen der damaligen sicherheitspolitischen Beraterin des US-Präsidenten, Condoleezza Rice, und mir. Ich hatte gesagt, es sei eine Illusion zu glauben, im Irak würde die Demokratie wachsen und gedeihen, sobald Saddam beseitigt sei.

Rice schaute mich empört an: »Wir haben doch euch, den Deutschen, und den Japanern die Demokratie beigebracht. Warum soll das im Irak nicht funktionieren?! Oder sind Sie ein Rassist, Ischinger?«

Nun, inzwischen wird sie das auch etwas anders sehen. Der Einmarsch der USA im Irak 2003 hatte jedenfalls nicht den Effekt, den sich die neokonservativen Intellektuellen in Washington damals erhofft hatten. Statt zur Stabilisierung des Nahen Ostens beizutragen, hat der Krieg das Chaos verstärkt. Wie sich herausstellte, war der Irak-Plan eine fast karikaturhafte Überschätzung der eigenen Möglichkeiten. Statt sich in Richtung Demokratie zu bewegen, fiel der Irak in einen Bürgerkrieg, der weitgehend zwischen Sunniten und Schiiten ausgefochten wurde. Dieser Krieg kostete unzählige Menschen das Leben, machte die Entstehung des sogenannten Islamischen Staats erst möglich und wird in der US-amerikanischen Außenpolitik noch lange nachwirken – vielleicht ähnlich wie der Vietnamkrieg.

Im Nachhinein ist der Verlauf wenig überraschend: Denn wem oder was fühlen sich Menschen zugehörig? Mit wem kann sich ein irakischer Kurde oder ein Schiit identifizieren? Mit einem Staat, der ihn jahrzehntelang unterdrückt hat? Saddam Hussein hatte als Repräsentant einer sunnitischen Minderheit das Land mit eisernem Griff regiert. Dass sich bis 2003 unglaublich viel Zorn aufgestaut hatte, war völlig offensichtlich. Und dass die Versöhnungsbereitschaft unter den Menschen nicht besonders ausgeprägt war, kann man gut verstehen. Genauso konnte man sich ausrechnen, dass die Sunniten, die das Land dominiert hatten, ihre Privilegien nicht einfach so abtreten würden. Dass es mit der Demokratie im Irak sehr, sehr schwierig werden würde, war also absehbar.

Und übrigens: Ja, in Deutschland und Japan hat das mit der Demokratie nach dem Zweiten Weltkrieg geklappt. Aber dort waren die USA und ihre Alliierten zu jahrzehntelanger Besatzung und zur Hilfe bei einem sehr teuren und aufwendigen Wiederaufbau bereit gewesen. Und auch die historischen Voraussetzungen waren völlig andere. Es ist eben ein Unterschied, ob man es mit einem Land zu tun hat, in dem es eine lange Tradition lokaler Selbstregierung und unabhängiger Rechtsprechung gibt, also eine eingeübte und etablierte Gewaltenteilung – oder mit einem Land, in dem all dies fehlt. Die Vorstellung also, man könne im Irak erreichen, was man den Deutschen in relativ kurzer Zeit wieder hatte nahebringen können, nämlich Rechtsstaat und Demokratie: Das war ahistorisch und griff viel zu kurz.

Das »Nein« Deutschlands unter Bundeskanzler Schröder zur Irak-Intervention 2003 war also nicht nur aufgrund der fehlenden völkerrechtlichen Legitimation berechtigt, es hat sich auch politisch und historisch als richtig erwiesen. Trotzdem wäre es ein Fehler, daraus abzuleiten, dass ein Nein zu militärischen Interventionen *immer* die richtige Antwort ist.

Es gibt verschiedene Argumente, die immer wieder gegen eine deutsche Beteiligung an militärischen Interventionen ins Feld geführt werden: Eins davon ist pazifistisch und lehnt jede Art von Gewalt als Unrecht ab. Doch damit kommt man in ein moralisches Dilemma. Denn auch durch Nicht-Handeln kann man sich schuldig machen.

Der französische Philosoph und Schriftsteller André Glucksmann wies in der Diskussion um den Libyen-Einsatz die Frage nach einem gerechten Krieg schlicht zurück: »Niemand [...] hat das Recht zu behaupten, einen richtigen oder gar gerechten Krieg zu führen. Es gibt nur notwendige Kriege und nicht notwendige. Um Schlimmstes zu verhindern, nimmt man das geringere Übel in Kauf.«[12]

Schon bevor er Bundespräsident wurde, hat Joachim Gauck 2012 zu verdeutlichen versucht, dass Außenpolitik oft die Wahl zwischen mehreren Übeln ist: »Zu welchen Maßnahmen müssten engagierte Demokraten denn greifen, damit ›alles gut‹ wäre in Afghanistan?«, fragte er und schilderte das Dilemma, in dem Politiker und Diplomaten gleichermaßen stehen: »Gut ist alles nur im Paradies. Aber dort, wo wir leben, haben wir es mit begrenzten, fehlerhaften, auch terroristischen Menschen und despotischen Systemen zu tun. Dort, wo wir leben, wird nicht das Endgültige, nicht das Paradiesische gestaltet, sondern das Machbare und das weniger Schlechte.«[13]

Militärische Interventionen sind also nie gerecht oder gut – aber genauso wenig ist es ihre Vermeidung. Entscheidungen dafür oder dagegen sind, wie außenpolitische Entscheidungen insgesamt, oft die Wahl zwischen mehreren Übeln. Wenn Politiker und Diplomaten es schaffen, aus diesen vielen schlechten Optionen das geringste Übel zu wählen – und erfolgreich umzusetzen –, ist schon viel erreicht. Das mag ernüchternd klingen, entspricht aber der Realität.

Die politische Wirklichkeit ist nicht schwarz-weiß

Denn es geht eben meist nicht um eine Entweder-Oder-Entscheidung. Wie bereits erwähnt: Zwischen denen, die Demokratie im Zweifel mit Gewalt herbeiführen würden, und den Realpolitikern, die Repression als Preis für Stabilität in Kauf nehmen, gibt es viele Zwischenstufen. Die außenpolitische Wirklichkeit ist nicht schwarz-weiß, sie ist eine Welt der Grautöne.

Die Skepsis, dass ein vom Westen forcierter Regimewechsel nicht automatisch Demokratie hervorbringt, ist berechtigt. Ebenso die Kritik, dass westliche Interventionisten wie der einstige US-Verteidigungsminister Donald Rumsfeld ihrer Verantwortung nicht gerecht werden, wenn sie bomben, aber dann nicht bauen und beraten.

Wer beides äußert, wirbt damit aber noch lange nicht für eine Beschwichtigungspolitik gegenüber Diktatoren und autoritären Mächten.

Die Debatte muss in der grauen Mitte ausgefochten werden, statt den rasanten Umwälzungen um uns herum mit künstlichem Schwarz-Weiß – hehre Ideale versus egoistische Interessen – zu begegnen. Wie viel Einmischung sinnvoll und wie viel Heraushalten klug ist und wann auch Nichthandeln politisch-moralische Konsequenzen hat – das sind die schwierigsten Fragen unserer Außenpolitik. Sie lassen sich nur lösen, wenn man akzeptiert, häufig zwischen mehreren unbefriedigenden Optionen wählen zu müssen.

Gaddafis guter Ruf und Familie Wallerts Leben

Zum Thema unbefriedigend: In einer extremen Notlage der Bundesrepublik Deutschland hat uns nämlich ausgerechnet Gaddafi geholfen. Das kam so: Am Ostersonntag im Jahr 2000 haben Anhänger der islamistischen Terrororganisation Abu Sayyaf 22 Touristen und Hotelangestellte auf der malaysischen Insel Sipadan vor der Ostküste Borneos entführt und in ein Lager mitten im Dschungel auf die philippinische Insel Jolo verschleppt. Darunter war auch die Göttinger Familie Wallert – Renate, Werner und ihr Sohn Marc. Ein gewaltsamer Befreiungsversuch der philippinischen Armee scheiterte. Irgendwann hatten sich rund drei Dutzend Journalisten in den Hotels der Insel einquartiert und berichteten quasi live. Das Drama mit permanenten Gewalt- und Todesdrohungen dauerte Wochen und Monate. Die Bilder von der verschreckten Mutter liefen durch alle Fernsehprogramme. Sie wurde nach zwölf Wochen freigelassen, ihr Mann und ihr Sohn blieben aber in Geiselhaft.

Die deutsche Diplomatie einschließlich BND hat sich monatelang mit den Entführern herumgeschlagen. Natürlich gab es Geldforderungen. Aber es war ein strenges Gebot, dass man kein Lösegeld bezahlt, damit daraus kein Geschäftsmodell werde und man nur weitere Touristen gefährde. Da war guter Rat teuer.

Jedes Scheitern hätte furchtbare Folgen gehabt. Jeder weitere Tag war für Familie Wallert lebensbedrohlich. Jeder Fehler hätte ihr Leben kosten können.

Nun hatte der zweitälteste Sohn des libyschen Staatschefs Gaddafi gute Kontakte zu den philippinischen Muslimen. Er war zudem Vorsitzender der Gaddafi International Foundation of Charitable Associations (GIFCA). Es stellte sich heraus, dass die Stiftung bereit war, finanzielle Forderungen zu übernehmen. Also müsste Deutschland kein Lösegeld bezahlen. Die Gegenleistung, die das Regime Gaddafi forderte, war interessant: Durch die Verwicklung Libyens in den Lockerbie-Anschlag, einen Bombenanschlag auf ein Flugzeug der amerikanischen Pan American World Airways, der sich 1988 ereignete, war das Land in der internationalen Gemeinschaft isoliert. Ein Libyenbesuch des Bundeskanzlers, so hoffte Tripolis, könnte diese Isolation aufweichen helfen. Wir haben den Besuch dann zugesagt. So läuft Diplomatie dann auch mal. Die Wallerts kamen frei, der Fall war gelöst. Ohne deutsches Lösegeld.

Als die Libyer später auf den versprochenen Besuch des Kanzlers zurückkamen, haben wir auf terminliche Engpässe verwiesen und stattdessen einen Besuch von Außenminister Joschka Fischer angeboten. Der hat tatsächlich in Libyen einen Zwischenstopp gemacht, hat aber Gaddafi selbst gar nicht zu Gesicht bekommen. Aber immerhin haben wir den Versuch unternommen. Das war's. Thema abgehakt.

War es falsch, diese Hilfe anzunehmen? War es falsch, damals sozusagen die Hände Gaddafis zu schütteln als Preis dafür, die Familie Wallert freizubekommen?

Ich gebe nur eins zu bedenken: Wenn wir uns kategorisch weigern, mit allen Diktatoren und Menschenrechtsverletzern zusammenzuarbeiten, dann müssen wir die Beziehungen zu etwa der Hälfte der Welt einfrieren. Das kann die Antwort doch auch nicht sein, oder? Deshalb wäre es auch falsch, Donald Trump das Treffen mit Nordkoreas Kim als menschenrechtsverachtenden Fehler anzukreiden. Diplomatie heißt auch, mit Aggressoren zu verhandeln, wenn es sein muss.

Deutschlands historische Schuld und das Nichteinmischungsgebot

Dem zweiten, speziell deutschen Argument gegen Interventionen – dem Verweis auf Deutschlands historische Schuld – begegnete Bundespräsident Gauck in seiner Münchner Rede 2014. Auch aus der deutschen Schuld, so kritisierte er, dürfe man kein »Recht auf Wegsehen« ableiten: Sonst »kann aus Zurückhaltung so etwas wie Selbstprivilegierung entstehen.

[...] Zudem sollte es heute für Deutschland und seine Verbündeten selbstverständlich sein, Hilfe anderen nicht einfach zu versagen, wenn Menschenrechtsverletzungen in Völkermord, Kriegsverbrechen, ethnische Säuberungen oder Verbrechen gegen die Menschlichkeit münden. Die Achtung der Menschenrechte ist nicht nur der Kern des Selbstverständnisses westlicher Demokratien. Sie ist eine ganz grundsätzliche Bedingung für die Garantie von Sicherheit, ja, für eine friedliche und kooperative Weltordnung.«[14]

Kurz: Man kann nicht alles mit der eigenen schweren Kindheit entschuldigen. Irgendwann ist es an der Zeit, erwachsen zu werden und Verantwortung zu übernehmen, auch und gerade für die unangenehmen Aufgaben des Lebens.

Das dritte Argument der Interventionskritiker wird zum Beispiel von Putin immer wieder vorgetragen: Wir dürfen nicht in die Souveränität anderer Staaten eingreifen. Wir hätten alle Regierungen gleichermaßen zu respektieren.

Oft wird dieses Argument verknüpft mit dem Vorwurf, der Westen lege ein imperialistisches Verhalten an den Tag, indem er anderen Staatschefs vorschreibe, wie sie ihr Land zu führen haben.

Auch hierauf hatte Gauck schon 2011 eine überzeugende Antwort anzubieten: »Ich würde solche Vorhaltungen sehr ernst nehmen, wenn sie von den Unterdrückten vorgetragen werden, von Menschenrechtsaktivisten in autoritären Staaten. Aber nicht, wenn jene unsere westliche Kultur kritisieren, die ihren eigenen Bürgern nur einen Bruchteil jener Freiheiten zugestehen, die in den westlichen Demokratien eine Selbstverständlichkeit sind. Die Despoten und Diktatoren dieser Welt schützen nur sich selbst und das Unrecht, das Mittelalter gegen den Fortschritt.«[15]

Natürlich ist der legalistische Verweis auf staatliche Souveränität und das Gebot der Nichteinmischung attraktiv für Russen – und Chinesen, die sich ebenfalls gern darauf berufen –, weil sie sich nicht vorschreiben lassen wollen, wie sie mit ihren eigenen Bürgern umgehen dürfen – ob es nun um Dissidenten oder Oppositionelle, Tschetschenen oder Uiguren geht.

Das Pochen auf staatliche Souveränität ist aber vor allem eine Weltsicht aus dem letzten Jahrhundert und davor. Etwa seit dem Westfälischen Frieden von 1648 pflegt und hegt man die Maxime vom Nichteinmischungsgebot in die Souveränität der Staaten und dem uneingeschränkten Recht jeder Nation, ihre inneren Angelegenheiten selbst zu bestimmen. Das macht insofern Sinn, als Staaten die zentralen Subjekte im Völkerrecht sind, deren Miteinander es zu regeln gilt. Aber darf ein Staat deshalb wirklich alles innerhalb seiner Grenzen machen – auch Minderheiten abschlachten? Das kann ja wohl nicht die Antwort sein.

Um die Jahrtausendwende kam Bewegung in die internationale Diskussion. Zu viele Völkermorde, Verbrechen gegen die Menschlichkeit, Kriegsverbrechen waren begangen, zu viele Menschen ermordet worden, ohne dass jemand eingegriffen hatte, etwa in Ruanda oder in Bosnien. Nach langen Diskussionen wurde 2005 von der Generalversammlung der Vereinten Nationen mit überwältigender Mehrheit akzeptiert, dass die nationale Souveränität dort ihre Grenzen findet, wo Herrscher anfangen, ihr Volk nicht zu schützen, sondern zu massakrieren. Die sogenannte »Schutzverantwortung«, englisch: »Responsibility to Protect«, oder ganz kurz: »R2P«, war geboren.

Die Verantwortung, andere zu schützen

Die Idee dahinter: Völkermord, Kriegsverbrechen, Verbrechen gegen die Menschlichkeit und ethnische Säuberungen sind so schwere Menschenrechtsverletzungen, dass sie die Schutzverantwortung der internationalen Gemeinschaft (R2P) auf den

Plan rufen, und zwar dann, wenn die betroffenen Staaten selbst nicht willens oder fähig sind, ihre Bürger vor diesen Verbrechen zu bewahren.

Genau dieses Prinzip hat man in Libyen anzuwenden versucht. Die Resolution Nummer 1973 des UN-Sicherheitsrats, die von Russland und China durch Stimmenthaltung am Ende mitgetragen wurde und die auf die globale Schutzverantwortung verwies, erlaubte in einem gewissen Rahmen eine bewaffnete Intervention in Libyen. Sie zielte, wie André Glucksmann es im Frühjahr 2011 zusammengefasst hat, »allein darauf zu schützen, keineswegs darauf, in das Land einzumarschieren, eine Demokratie zu errichten oder eine Nation aufzubauen«.[16]

Anne-Marie Slaughter, Princeton-Professorin und eine der bekanntesten Expertinnen für Völkerrecht, die unter Hillary Clinton den Planungsstab im US-Außenministerium leitete, unterstrich in einem Plädoyer für den Libyenkrieg im April 2011 genau dieses Schutzansinnen und die Kriterien, nach denen es aus Sicht der USA verwirklicht werden durfte:

»Die USA waren erst bereit, für die Resolution 1973 zu stimmen, als bestimmte Kriterien erfüllt waren: ein Hilfsgesuch der libyschen Opposition und die Befürwortung einer Flugverbotszone durch die Arabische Liga. Jeder Zustimmungsschritt ist ein indirekter Hinweis auf das Ausmaß der Gräueltaten. Erst wenn das brutale Vorgehen einer Regierung das Gewissen der Region aufrüttelt, ist die regionale Organisation zum Handeln bereit. Fordert sie die UN zu Maßnahmen gegen eines ihrer Mitglieder auf, werden die Vereinten Nationen wahrscheinlich zustimmen. Verhält die regionale Organisation sich dagegen passiv, so werden die Nationen außerhalb der Region nur dann gegen den regionalen Konsens handeln, wenn die tatsächlichen oder angedrohten Verbrechen das Gewissen der Welt nachhaltig erschüttern.«[17]

Deutschland hat sich damals der Stimme enthalten, was

ich damals wie heute für falsch halte. Anders als beim Irakkrieg 2003 ging es ja hier gerade darum, ein völkerrechtlich abgesichertes Eingreifen – anstelle einer Koalition der Willigen – zu erwirken. Die deutsche Enthaltung mag innenpolitische Gründe gehabt haben, außenpolitisch aber war sie das falsche Signal. Als ein Land mit einer Geschichte zweifachen Völkermords, das nun in die internationale Gemeinschaft eingebunden ist, hätte Deutschland hier zeigen können, ja zeigen müssen, wie es die Übernahme von Verantwortung interpretiert – zumal ausgestattet mit einem multilateralen Mandat. Berlin ist für die Enthaltung dann auch massiv kritisiert worden.

Es wäre eleganter gewesen, der Resolution zuzustimmen und eine sogenannte »Stimmerklärung« dazu abzugeben, mit der man klarmacht, dass die Zustimmung nicht bedeutet, dass Deutschland die Beteiligung mit eigenen Soldaten ins Auge fasst – und dass man darauf drängt, unbedingt für die Zeit nach einem möglichen Ende des Gaddafi-Regimes zu planen. Das hätte jeder akzeptiert.

Im Nachhinein wissen wir: Das Projekt Libyen-Intervention ist gescheitert, weil die westlichen Mächte sich nicht auf die Verhinderung eines Völkermordes beschränkten, sondern eben doch einen Regime Change herbeiführten, ohne dass dafür die entsprechenden Planungen existierten. Die Frage »Was passiert nach dem Ende der Diktatur?« wurde ganz nach hinten gestellt.

Seit 2011 befindet sich Libyen nun in einem bürgerkriegsähnlichen Zustand. Auch im siebten Jahr nach Gaddafis Sturz ist ein Ende nicht abzusehen. War der Eingriff den Preis wert, den vor allem die libysche Bevölkerung bezahlen muss? Der Diktator ist weg, aber nun regiert das Chaos. Schlimm. Es rechtfertigt aber nicht, wie manche meinen, die damalige deutsche Enthaltung.

Aus Libyen können wir Lehren ziehen und uns an drei Kriterien orientieren, um zu einem vernünftigen Urteil für oder gegen ein militärisches Eingreifen zu kommen:

1. Für jeden Einsatz militärischer Macht, für jede Intervention sollte es eine rechtlich-politische Legitimation, ein Mandat geben. In aller Regel sollte eine Autorisierung durch den UN-Sicherheitsrat vorliegen. Allerdings ist ein Ausnahmefall vorstellbar, dann nämlich, wenn – anders als bei der libyschen Intervention – z. B. China oder Russland von ihrem Veto Gebrauch machen und ein mandatiertes Eingreifen verhindern, dieses aber dennoch politisch-moralisch unausweichlich erscheint. Die Kosovo-Intervention 1999 liefert uns für diesen Notfall ein dramatisches Beispiel, die amerikanischen beziehungsweise amerikanisch-britisch-französischen Luftschläge gegen Syrien 2017 und im Frühjahr 2018 wegen des Einsatzes von Chemiewaffen weitere.

2. Die Länder der Region, um die es geht, müssen ein solches Eingreifen mittragen oder am besten direkt einfordern. So war es im Falle Libyens. Die Arabische Liga hat sich zum ersten Mal in ihrer Geschichte mit Missständen in ihrem eigenen Mitgliederkreis beschäftigt. Auch bei diesem Kriterium sind natürlich Ausnahmen denkbar – etwa wenn die Nachbarn in Komplizenschaft mit einer verbrecherischen Diktatur stehen. Doch ohne ein gewisses Maß an Unterstützung aus der Region ist eine erfolgreiche Intervention kaum möglich, wie die Erfahrung zeigt. Sonst bildet sich schnell die Legende, hier hätten mal wieder die CIA, die USA, die NATO oder sonstwer die Hand im Spiel gehabt und die Dinge von außen manipuliert.

3. Vielleicht das wichtigste Kriterium: Es muss ein klares Ziel definiert sein, das man mit dem Einschreiten erreichen will, und es muss Klarheit darüber herrschen, ob dieses Ziel

mit den zur Verfügung stehenden Mitteln auch erreichbar ist. Die Ziel-Mittel-Relation muss also stimmen. Eine Intervention im Sinne der Schutzverantwortung mag noch so noblen Motiven entspringen. Mangelt es an einem klaren Ziel und den dafür notwendigen Mitteln oder an der Bereitschaft, den möglicherweise hochkomplexen Wiederaufbauprozess nach einer Intervention mitzutragen, ist die Intervention kaum zu rechtfertigen. Ein Militäreinsatz, der im Chaos endet, erweist der Bevölkerung, den Menschen, die eigentlich geschützt werden sollen, einen Bärendienst. Im Klartext: Man sollte nur dann tätig werden, wenn man weiß, dass das Ziel auch realistisch erreichbar ist. Im Falle Libyen hätte das bedeutet, dass der Westen sich parallel zum Einsatz militärischer Macht verpflichtet, Libyen nachhaltig beim Aufbau einer politischen Zukunft zu helfen.

Wir müssen bescheiden sein und nur das in Angriff nehmen, wofür wir im Zweifel auch bereit sind, Opfer zu bringen. Aber wir dürfen unsere Chancen auch nicht überschätzen. Sonst wird aus Verantwortung allzu leicht Fahrlässigkeit.

Wie aber lassen sich Kriege beenden? Was können wir im Rahmen unserer begrenzten Möglichkeiten tun? Im Fall Syrien stellen sich diese Fragen besonders krass.

6

Frieden schaffen ohne Waffen? – Außenpolitik und militärische Macht

Bislang hat jeder Krieg sein Ende gefunden

In dem Krieg in Syrien sind zahlreiche Länder und Interessen wie in einem gordischen Knoten scheinbar unlösbar miteinander verstrickt. Das ist kein ganz neuartiges Phänomen. Auch in früheren Kriegen und Konflikten gab es komplizierte Verflechtungen, die sich wechselseitig immer stärker aufschaukelten. Doch bislang hat jeder Krieg irgendwann sein Ende gefunden, selbst der Dreißigjährige Krieg. Dessen Ende, die Ordnung des Westfälischen Friedens von 1648, gilt manchen als die erste Vorstufe der Europäischen Union, die sich nunmehr schon seit über siebzig Jahren friedenstiftend bewährt hat. Deswegen schauen Experten gern auf die fünfjährigen Friedensverhandlungen des 17. Jahrhunderts in Münster und Osnabrück zurück, um dort Inspiration für die aktuellen geopolitischen Krisen und religiösen Konflikte zu finden.

Dabei müssen wir gar nicht so weit in die Geschichte zurückblicken, ist doch der letzte brutale Krieg auf europäischem Boden – wenngleich jenseits der Grenzen der EU – erst gut zwanzig Jahre her: Die Balkankriege in den 1990er-Jahren schienen damals genauso vertrackt wie heute der Syrienkrieg. Es lohnt sich, diese Krisen genauer zu betrachten, denn man kann daraus wichtige Lehren und Impulse für die heutige und künftige Außenpolitik gewinnen.

Kein Geringerer als Joschka Fischer hat das bereits vor gut 20 Jahren unternommen. Damals noch in der Opposition, wollte er 1996/1997 genau wissen, ob und wie die Drohung mit und der Einsatz von militärischer Macht tatsächlich ursächlich für das Ende des Krieges und den Beginn des Friedensprozesses waren. Mit anderen Worten: Lässt sich der Einsatz militärischer Macht in solchen Konflikten rechtfertigen? Sind militärische Mittel vielleicht sogar ein notwendiges Element einer effektiven Friedenspolitik? Für die Grünen damals – für manche bis heute – sehr ketzerische Fragen. Kein Wunder, dass da Eier und Tomaten flogen. Aber die Fragen, die Fischer damals auch mir, dem Bosnien-Chefunterhändler, stellte, und die hitzigen Debatten, die folgten, waren politisch wichtig und haben sich wenig später auch ausgezahlt. Als die Grünen 1998 als Koalitionspartner der SPD in die Regierung eintraten, stand die Entscheidung über den Einsatz der Bundeswehr im Kosovokonflikt unmittelbar an. Und die Grünen hielten sie aus, wenn auch mit Hängen und Würgen. Denn eins ist unstrittig: Auch wenn bis heute nicht alles auf dem Balkan Gold ist und wir immer wieder voller Sorge auf die Region blicken, so wurde doch den jahrelang wütenden, entsetzlichen »Jugoslawienkriegen« ein Ende bereitet.

Aber der Reihe nach: Was war geschehen?

Anfang der 90er-Jahre zerfiel ein Land mit 23 Millionen Einwohnern innerhalb kürzester Zeit. Jugoslawien war von Beginn an ein Vielvölkerstaat gewesen, in dem Angehörige unterschiedlicher Ethnien und Religionen lebten: Mehr als ein Drittel der Bevölkerung waren Serben, ein Fünftel Kroaten, und daneben gab es Slowenen, Mazedonier, Albaner und Türken sowie noch eine kleine Minderheit an Montenegrinern und Ungarisch sprechenden Magyaren. Ein gutes Drittel der Jugoslawen (überwiegend Slowenen und Kroaten) waren Katholiken, ein zweites Drittel war christlich-orthodox (meist Serben und Montenegriner). Und etwa elf Prozent der Bevölkerung waren Muslime (sogenannte Bosniaken, aber auch Albaner und Türken) sowie eine kleine Gruppe deutsche und ungarische Protestanten und eine Minderheit Juden.

Durch ein föderales System gelang es unter Tito, der Jugoslawien seit 1945 regierte, die unterschiedlichen Ansprüche dieser vielen Teilgruppen unter einen Hut zu bringen. Man hatte die Vorstellung, dass sich mit der Zeit eine jugoslawische nationale Identität herausbilden würde, was durch entsprechende Erziehungsmaßnahmen, aber auch durch massive staatliche Repressionen befördert wurde. So wurde es Kroaten, Serben, Bosniern und Slowenen schlicht verboten, sich auf ihre jeweilige Nationalität zu berufen.

Das funktionierte eine Zeit lang, aber nach Titos Tod 1980 wurden die Autonomiebestrebungen der einzelnen Regionen wieder stärker – auch unter dem Druck wirtschaftlicher Rezession. Sie beriefen sich dabei auf das »Selbstbestimmungsrecht der Völker«.

Der Präsident der serbischen Teilrepublik, Slobodan Milošević, trachtete in diesem Zuge danach, »Großserbien« (in den Grenzen des früheren Jugoslawien) wiederherzustellen, aber die vielen unterschiedlichen Gruppierungen waren nicht bereit, sich in sein imaginiertes Reich eingliedern zu lassen – auch nicht mit Gewalt. Jugoslawien zerfiel – und ethnische und religiöse Differenzen brachen immer stärker hervor.

Balkankriege – Das Massaker von Srebrenica

Die Unabhängigkeitsbestrebungen der Regionen führten 1991 innerhalb Jugoslawiens zu militärischen Konflikten, die fast ein ganzes Jahrzehnt dauerten und mit erheblicher Brutalität verbunden waren. Es reihte sich Krieg an Krieg: Es begann mit dem Zehn-Tage-Krieg in Slowenien (1991), gefolgt vom Kroatienkrieg (1991–1995), dem Bosnienkrieg (1992–1995), dem

Kosovokrieg (1999) und schließlich dem albanischen Aufstand in Mazedonien (2001).

Der Bosnienkrieg war der grausamste. Bis heute kennen wir keine gesicherten Opferzahlen, weil jede der drei beteiligten Kriegsparteien andere Statistiken anführt und man heute immer noch dabei ist, alte Massengräber wieder zu öffnen und die Leichen zu identifizieren. Trotzdem kann man mit einiger Sicherheit sagen: In den Balkankriegen starben insgesamt mehr als 130 000 Menschen, etwa 100 000 davon im Bosnienkrieg. Rund 14 000 Personen werden heute noch vermisst. Dazu kommen zwei Millionen Flüchtlinge und Vertriebene. Vieles von damals lässt an die aktuellen Bilder aus Aleppo, aus Ost-Ghouta, aus Homs oder Palmyra denken.

Auf dem Balkan wurden damals ganze Landzüge entvölkert und mit Landminen verseucht, Städte und Dörfer verwüstet und Moscheen, Kirchen, Bibliotheken und andere Kulturdenkmäler unwiederbringlich zerstört. Auch Syrien zählte noch vor wenigen Jahren zu den schönsten und begehrtesten Reisezielen des Mittleren Ostens. Doch das orientalische Kulturparadies hat sich vielerorts in eine Geröllwüste verwandelt.

Auf dem Balkan begann es damals damit, dass die beiden nördlichsten Provinzen, Slowenien und Kroatien, jeweils nach einer entsprechenden Volksabstimmung ihre Unabhängigkeit von Jugoslawien erklärten. Bosnien-Herzegowina nahm das zum Vorbild und hielt im März 1992 ebenfalls eine Volksabstimmung ab, bei der 99 Prozent für die Souveränität stimmten; allerdings hatten nur etwa zwei Drittel der Bevölkerung teilgenommen. Sofort nahmen dort ethnische Spannungen zu. Ein Großteil der serbischen Bevölkerung war für einen Verbleib in Jugoslawien, während Bosniaken (bosnische Muslime) wie auch Kroaten aus der westlichen Region Herzegowina einen eigenen Staat bevorzugten.

Aus den »Verlierern« und Boykottierern der Abstimmung rekrutierte sich die Armee der bosnischen Serben, um gegen die »Abtrünnigen« vorzugehen und den aus ihrer Sicht rechtmäßigen Staatenbund zu erhalten. Sie wurden von der jugoslawischen (überwiegend serbischen) Armee unterstützt.

Auf der Seite der Separatisten bildeten sich zwei Gruppen: die bosnischen Kroaten, die auch Unterstützung aus dem Nachbarland Kroatien bekamen, und die Bosniaken, also die bosnischen Muslime, die für einen Krieg am wenigsten vorbereitet und am schlechtesten ausgerüstet waren und zunächst nur Unterstützung aus muslimischen Ländern bekamen, später auch aus den USA.

Im restlichen Europa realisierten viele anfangs gar nicht (oder wollten es nicht realisieren?), was da vor ihrer Haustür los war. Erst als – und das ist eine weitere Parallele zu unserer Gegenwart – Flüchtlinge in großer Zahl in EU-Länder strömten, schaute man auf die Region.

Heute schaudern alle, wenn sie den Städtenamen Srebrenica hören. Dort fand das schwerste Kriegsverbrechen in Europa seit dem Ende des Zweiten Weltkriegs statt: Mehr als 8000 Bosniaken, Jungen und Männer zwischen 13 und 76 Jahren, wurden 1995 von Serben ermordet und in Massengräbern verscharrt. Es dauerte Jahre, bis der Internationale Strafgerichtshof für das ehemalige Jugoslawien in Den Haag ausreichend Beweise hatte, um Anklage wegen Völkermordes zu erheben.

Dieses Massaker war deshalb so besonders schrecklich, weil es eine dreijährige Vorgeschichte hatte und dann in wenigen Tagen vor den Augen der UN-Blauhelmsoldaten verübt wurde.

In Srebrenica lebten vor dem Krieg 36 000 Einwohner, aber zum Zeitpunkt des Massakers zudem auch 40 000 Muslime, die aus verschiedenen Orten Ostbosniens geflüchtet waren. Drei Jahre lang wurden sie vom Oberbefehlshaber der bosnisch-serbischen Truppen, Ratko Mladić, und seinen Soldaten eingekesselt und mit Granaten bombardiert. Es gab bereits die ersten Hungertoten, als im März 1993 nach zehn

Monaten der Belagerung schließlich UN-Hilfslieferungen per Konvoi eintrafen.

Die Nachrichten aus der Stadt waren so schrecklich, dass die UN im April 1993 zum ersten Mal in ihrer Geschichte eine Schutzzone einrichteten: 750 (zuerst kanadische, später niederländische) UN-Blauhelmsoldaten hatten den Auftrag, die Muslime, die die Stadt verteidigten, zu entwaffnen und die serbischen Angreifer abzuschrecken. Beides misslang. Im Glauben, die Blauhelme werden sie schützen, gaben die Muslime zwar ihre schweren Waffen ab, behielten aber die leichten. Und die Serben begannen am 6. Juli 1995 einen Angriff auf die Enklave und eroberten binnen fünf Tagen Srebrenica – ohne daran von den Blauhelmen gehindert zu werden. In der Stadt brach Panik aus. Unter den Augen der schlecht ausgerüsteten niederländischen Blauhelmsoldaten, die den Serben ihre Beobachtungsposten und Sperranlagen überließen, wurden die wehrfähigen bosnischen Männer selektiert. Frauen und Kinder wurden in Bussen ins Nirgendwo verfrachtet, von wo aus sie sich zu Fuß in ein Gebiet retten mussten, das die bosnische Regierung kontrollierte. Ihre Väter, Männer, Brüder und Söhne sollten sie nie wiedersehen. Denn als im November 1995, vier Monate nach dem Massaker, der Frieden verkündet wurde, lebte kein einziger Muslim mehr in Srebrenica.

»Ethnische Säuberung« – Unwort des Jahres

Die schrecklichen Berichte aus den Kriegsgebieten rüttelten die Weltgemeinschaft endlich wach. Hier musste etwas geschehen. Es folgten verschiedene, wenig wirkungsvolle – oder wie manche Experten meinen, sogar eher kriegsschürende – Maßnahmen, etwa das UN-Waffenembargo, das aber von verschiedenen Seiten durch Waffenschmuggel unterlaufen wurde. In Deutschland hatte man anfangs gehofft, durch eine diplomatische Anerkennung Sloweniens, Kroatiens und Bosniens den Konflikt beenden zu können; aber davon zeigte sich die serbische Seite in keinster Weise beeindruckt. Russland unterstützte die serbische Regierung ähnlich, wie es heute Assad unterstützt, unter anderem mit dem Argument, dass externe Einmischung in einen souveränen Staat unzulässig sei.

So wütete der Hass weiter, während die Weltöffentlichkeit mehr oder weniger hilflos zuschaute. Es gab Waffenstillstandsbemühungen, die von serbischer Seite allerdings sogleich genutzt wurden, um weiter gegen die bosnische Bevölkerung vorzugehen. Der Begriff »ethnische Säuberung« setzte sich für das dreckige Werk von Mord und Vertreibung durch. Es wurde zum deutschen »Unwort des Jahres 1992«.

Schon seit Anfang Januar 1993 lag der »Vance-Owen-Friedensplan« vor, der nach seinen Urhebern benannt war: den zwei Vorsitzenden der Genfer Jugoslawienkonferenz, dem ehemaligen US-amerikanischen Außenminister Cyrus Vance und dem ehemaligen britischen Außenminister David Owen. Deren Idee war es – und im Kern ist es das, was wir heute als friedenssichernde Lösung verstehen –, Bosnien-Herzegowina als eigenständigen Staat zu erhalten, aber nach innen autonome Provinzen zu schaffen, die sich auf weitestgehend nach Ethnien aufgeteilte Regionen verteilen. Doch es gelang lange nicht, die Konfliktparteien von dieser Lösung zu überzeugen; vor allem die Serben schossen lieber weiter. Es schien hoffnungslos.

Im Juli 1995, mit dem Massaker von Srebrenica, wurde allmählich klar: Die Vorstellung, dass die Kosten des Nicht-Handelns geringer sind als die potenziellen Kosten eines Eingreifens, war eine Fehlkalkulation. Diese Erkenntnis ist auch für den Umgang mit zukünftigen Konflikten, nicht zuletzt mit Blick auf den Krieg in Syrien, von größter Bedeutung.

In jenem Sommer 1995 begriff die europäische Öffentlichkeit endlich, dass sie gerade eine der größten Niederlagen der Nachkriegszeit erlebte, nämlich dass viele Zehntausend Menschen in Bosnien ihr Leben gelassen hatten, ohne dass die europäische Politik imstande gewesen war, dies zu verhindern. Eine dramatische Niederlage, eine niederschmetternde Erkenntnis.

Auf einmal ging alles ganz schnell: Washington schaltete sich aktiver ein. Man redete über eine Militäraktion. Einige Wochen nach dem Massaker begann die NATO dann tatsächlich unter US-Führung eine Intervention, die die Serben an den Verhandlungstisch zwang.

Ziel dieser Verhandlungen war es, die Konfliktparteien auf die im Vance-Owen-Plan vorgeschlagene Formel zu verpflichten: 51 Prozent des Territoriums für die bosnisch-kroatische Föderation und 49 Prozent für die bosnischen Serben. Tatsächlich aber hatten im Frühjahr 1995 die Serben die Kontrolle über etwa 55 Prozent des Territoriums. Deswegen verspürten sie keinen Anreiz, sich an den Verhandlungstisch zu begeben. Dort hätten sie ja Territorium aufgeben müssen.

Was ich damals lernte, war, dass man in der Außenpolitik manchmal nur schlechte Handlungsoptionen hat: schlecht, wirklich schlecht und furchtbar schlecht. Es ist die Wahl zwischen Pest und Cholera, erst recht, wenn es um die schrecklichsten Ereignisse der Weltpolitik geht: Krieg und Völkermord. Was, wenn gute Worte nicht genügen? Was, wenn jede Art von Diplomatie an ihre Grenzen stößt? Was dann tun – und mit welchen Mitteln?

Viele Krisen lassen sich zum Glück auch ohne Militär lösen. Aber in manchen Krisen braucht es leider den Einsatz militärischer Mittel, um zu einer Lösung zu kommen. Militärische Mittel bedeutet jedoch nicht gleich Kampfhandlungen oder Kriegsführung. Wenn die Rede von militärischen Mitteln ist, dann geht es zwar um den Einsatz von Streitkräften, aber ein Schuss muss nicht unbedingt fallen. Manchmal genügt schon deren Androhung, um einen Konflikt zu entschärfen. Und oft ist allein die Tatsache, dass ein Staat über militärische

Machtmittel verfügt, ein Grund dafür, einem Konflikt mit diesem Staat oder seinen Verbündeten aus dem Weg zu gehen.

»Frieden schaffen ohne Waffen!« ist ein gutes Motto, das in der Außenpolitik oberstes Ziel sein sollte. Doch die Kultur der Zurückhaltung, die Deutschland jahrzehntelang gepflegt hat, darf nicht dazu führen, militärische Mittel insgesamt zu dämonisieren. Manchmal bedarf es der Androhung dieser Mittel, um Gesprächsbereitschaft bei Konfliktparteien herzustellen. Das ist dann weder Zynismus noch Militarismus noch »alte Machtpolitik«, sondern ein leider manchmal notwendiges Druckmittel in einem ansonsten unverhandelbaren Konflikt. So bitter es ist: Soldaten, Panzer, Flugzeuge und Schiffe sind manchmal auch notwendige Bestandteile internationaler Friedensbemühungen.

»Die Instrumente des Krieges spielen eine Rolle bei der Erhaltung des Friedens. Und doch muss diese Wahrheit mit einer anderen koexistieren – so gerechtfertigt er auch sein mag, bringt Krieg immer menschliche Tragödien mit sich«, so hat es Barack Obama in seiner Rede zum Friedensnobelpreis im Dezember 2009 formuliert, und er fuhr fort: »Der Krieg selbst ist niemals herrlich, und wir dürfen ihn auch nicht so nennen. Ein Teil unserer Herausforderung besteht also darin, diese beiden scheinbar unvereinbaren Wahrheiten miteinander in Einklang zu bringen: dass Krieg manchmal notwendig ist und dass Krieg zugleich Ausdruck menschlicher Verrücktheit ist.«

In den Balkankriegen verhalfen auf den Weg zum Frieden am Ende nur militärische Mittel: Die kroatischen Streitkräfte führten im Frühsommer 1995 mit US-Unterstützung die sogenannte »Operation Storm« durch und eroberten dank eines Kräftezuwachses innerhalb weniger Wochen dabei so viel Territorium, dass nach amerikanischen Radarsatellitenaufnahmen die Quote 51:49 ungefähr erreicht war. Dann führte die NATO von Ende August bis Mitte September im Auftrag der UN die Operation »Deliberate Force« durch: Luftschläge auf Ziele der bosnischen Serben. Der Einsatz sendete eine klare Nachricht an die bosnischen Serben und ihren Präsidenten Milošević: Wir lassen nicht zu, dass ihr so weitermacht wie bisher. Und die Nachricht kam an.

Gemeinsam mit der »Operation Storm« wurden damit die Voraussetzungen dafür geschaffen, dass die Erzfeinde sich am Verhandlungstisch begegneten. Denn jetzt signalisierten die Serben Gesprächsbereitschaft, weil sie fürchten mussten, dass sie sonst am Ende noch mehr Territorium verlieren würden. Andernfalls hätte der Bürgerkrieg vermutlich noch über Jahre gedauert und vielen Tausend Menschen den Tod gebracht.

Das ist für mich eine prägende Erfahrung gewesen. Und einer der Gründe dafür, warum ich der Meinung bin, dass es abwegig ist, das Militärische von vornherein auszuschließen. Eine echte Chance zu Friedensverhandlungen besteht oft erst dann, wenn alle Beteiligten der Überzeugung sind, dass sie ihre Ziele auf dem Schlachtfeld nicht weiterverfolgen können. Solange auch nur einer glaubt, er könne auf militärischem Wege seine Verhandlungsposition verbessern, wird er nicht ernsthaft verhandeln. Das gilt heute übrigens ganz präzise auch in Syrien. Denn Assad lässt so lange weiter kämpfen, wie der militärische Sieg in Reichweite liegt. Aber dazu später mehr.

Die Konferenz in Dayton – Am Tisch mit deinem Feind

Die Friedensverhandlungen fanden im November 1995 in strenger Klausur fernab aller bosnischen Schlachtfelder auf dem Luftwaffenstützpunkt Dayton in Ohio statt. Die Idee war es, alle Beteiligten so lange zu kasernieren, bis der Frieden geschlossen war. US-Delegationschef war Richard Holbrooke, der vorher Botschafter in Deutschland gewesen war. Ich selbst leitete die deutsche Delegation.

Die Delegierten übernachteten auf der Air Base in schlichten Offiziersquartieren. Abends traf man sich an der Bar zum Drink. Zum Auftakt hatten die amerikanischen Gastgeber zum Dinner ins Air-Force-Museum eingeladen. Zwischen Kampf-Bombern und einer Attrappe der Nagasaki-Atombombe ließ sich Serben-Präsident Milošević von US-Generälen ausführlich Flugeigenschaften und Kampfkraft eines ausgestellten Bombers erklären. Kein Wort fiel dazu, dass nur wenige Wochen zuvor solche amerikanischen Flugzeuge gegen die serbische Armee eingesetzt worden waren.

Die Verhandlungen begannen offiziell am Morgen des 1. November 1995. Es war das erste Mal seit Jahren, dass der serbische Präsident Slobodan Milošević, der kroatische Präsident Franjo Tuđman und der bosnische Präsident Alija Izetbegović im selben Raum saßen.

Die Atmosphäre war angespannt. Das änderte sich, als der Vorsitzende, US-Außenminister Warren Christopher, die drei aufforderte, einander die Hand zu geben. Man spürte die große Überwindung, die es vor allem den Bosnier kostete, während sich der Serbe äußerlich cool gab. Die Wunden waren tief.

Dann eröffnete Christopher die Versammlung: »Wir haben heute eine dringende und wichtige Aufgabe. Wir sind hier, um Bosnien und Herzegowina eine Chance zu geben, ein Land in Frieden und nicht ein Schlachtfeld zu sein, ein Ort, wo die Menschen in ihren Häusern schlafen, zur Arbeit gehen und in ihren Kirchen, Moscheen und Synagogen Gottesdienst halten können, ohne Gewalt oder Tod fürchten zu müssen.«[18]

Es gibt ein Foto von dieser Konferenzeröffnung.[19] Zehn Personen um einen großen runden Tisch. Rechts vom amerikanischen Außenminister Richard Holbrooke, dann weiter gegen den Uhrzeigersinn: der Schwede Carl Bildt als Vertreter der EU, die Britin Pauline Neville-Jones, der Franzose Jacques Blot; dann die drei Hauptpersonen: Milošević, Tuđman und Izetbegović. Dann ich als Vertreter Deutschlands und rechts von mir der Stellvertretende Außenminister Russlands, Igor

Iwanow. Hinter uns saßen unsere Mitarbeiter, insgesamt etwa vierzig Personen.

Es war ein in der Geschichte der modernen Diplomatie ungewöhnlicher, ja einzigartiger Verhandlungsprozess. Der Erfolgsdruck war enorm, die Folgen des vierjährigen Krieges waren schrecklich; und das Risiko zu scheitern war deutlich größer als die Erfolgschance. Es waren einfach viel zu viele unbekannte Größen im Spiel.

Draußen vor dem Tagungsgelände demonstrierten ein paar Dutzend Menschen mit Transparenten, auf denen stand, was manch Vermittler gedacht haben mag: »Milošević' Platz ist in Den Haag, nicht in Dayton!« In Den Haag, vor dem UN-Kriegsverbrechertribunal also. Das Misstrauen gegenüber Milošević war nicht nur in den USA groß.

Obendrein gab es innenpolitischen Streit in den USA: Kongress und Weißes Haus waren uneins über den Plan Clintons, den verhandelten Frieden in Bosnien, so er denn zustande kommen sollte, mit 20 000 amerikanische Soldaten abzusichern. Außenminister Christopher hatte im Vorfeld in einem

Interview keinen Hehl daraus gemacht, was er als Vorbedingung für den Wiederaufbau-Einsatz unter Beteiligung Amerikas in Bosnien sah: »Man kann nicht ernsthaft erwarten, dass dort NATO-Kräfte eingesetzt werden, während gleichzeitig jene Individuen an der Macht sind.«[20] Mit »jenen Individuen« waren natürlich die Kriegsverantwortlichen gemeint.

Eines von »jenen Individuen« saß jetzt mit am Verhandlungstisch. Milošević vertrat auch die bosnischen Serben. Deren Führer, Radovan Karadžić und Ratko Mladić, wurden in jenen Tagen bereits von dem internationalen Tribunal als Kriegsverbrecher gesucht und konnten deshalb nicht in die USA einreisen.

Milošević ging es vor allem um Schadensbegrenzung und um eine schnelle Aufhebung der gegen Serbien verhängten Sanktionen. Diesem Ziel ordnet er alles andere unter. Über das Thema Sanktionen konnte er sich in Rage reden.

Er war in Dayton ein gesuchter Verhandlungspartner. In einem unserer Telegramme schrieben wir damals nach Bonn: »Er genießt seine neue Rolle: Innerhalb weniger Stunden kamen seit gestern die Amerikaner Lake, Perry, Joulwan und Christopher zu ihm.« Gemeint waren der Nationale Sicherheitsberater der USA Tony Lake, US-Verteidigungsminister William Perry, der Oberbefehlshaber der NATO-Streitkräfte in Europa General George Joulwan und der US-Außenminister Warren Christopher.

Für Milošević war Amerika natürlich die wichtigste Macht am Verhandlungstisch, aber er hofierte und umschmeichelte auch uns Deutsche: Deutschland sei für ihn – neben den Vereinigten Staaten – das wichtigste Land in der Kontaktgruppe, im Frieden würden die Beziehungen zu Deutschland mit die wichtigsten sein. »Mr. Ischinger«, sagte er gleich zu Beginn zu mir, »you are the second most important man in Dayton.« Das hat er den anderen Delegationsführern vermutlich auch gesagt ... Als ich allerdings das Thema Kosovo zur Sprache brachte, explodierte er, das sei eine innere Angelegenheit seines Landes.

Verhandlungsmarathon – 21 Tage Nervenkrieg

»Lassen Sie uns hinsetzen und arbeiten. Und lassen Sie uns unser Versprechen bekräftigen, hier in Dayton zum Erfolg zu kommen«,[21] forderte Warren Christopher die drei Präsidenten auf: Dayton sollte als Friedensbegriff in die Geschichte eingehen.

Es wurde eine diplomatische Tour de Force. Wir hatten auf ein Abkommen in kurzer Zeit gehofft. Es sollte 21 lange Tage dauern.

Die Kontaktgruppe, die anderthalb Jahre zuvor das Krisenmanagement auf dem Balkan übernommen hatte und nun die Verhandlungen begleitete, bestand aus fünf Staaten: den USA, Frankreich, Großbritannien, Russland und Deutschland. Zusätzlich war die EU dabei. Dass die Bundesrepublik auf dieser Bühne mitwirken durfte, hatte zu Kritik etwa aus Italien oder Spanien geführt, zumal die Bonner Republik keine Blauhelmtruppen für den Einsatz in Ex-Jugoslawien stellte. Deutschland hatte aber im zweiten Halbjahr 1994 die EU-Ratspräsidentschaft innegehabt und die Kohl-Regierung währenddessen auch den EU-Platz in der Kontaktgruppe besetzt. Nach Ablauf der Präsidentschaft blieben wir auf Wunsch der anderen vier Staaten weiter dabei.

Über Monate hinweg hatte die Kontaktgruppe Entwürfe für ein Abkommen vorbereitet. Nun nutzten wir diplomatische Tricks, um diesem zur Umsetzung zu verhelfen. Dazu gehörten »Proximity Talks«, zu Deutsch indirekte Annäherungsgespräche: Dabei saßen die erbitterten Feinde, die nicht bereit waren, direkt miteinander zu verhandeln, gar nicht in einem Raum, sondern tagten in unterschiedlichen Sälen. Wir Mitglieder der Kontaktgruppe betrieben dann »Shuttle-Diploma-tie« und trugen die Informationen und Argumente von einem Raum in den anderen.

Überzeugungsarbeit fand überwiegend hinter den Kulissen statt. Geholfen hat mir ein vorzügliches kleines Team. Mein damaliger Vertreter Michael Steiner wurde anschließend Stellvertreter des Hohen Repräsentanten in Sarajewo und war auf diese Weise später auch für die Umsetzung des Vertrages von Dayton mitverantwortlich.

Die entscheidende Macht in Dayton war aber natürlich Amerika. In der kritischen letzten Woche, als ein Scheitern drohte, zog der damals siebzigjährige US-Außenminister die Verhandlungen an sich. Er erwies sich als feinsinniger, unermüdlicher und verständnisvoller Vermittler, der selbst nach mehreren durchwachten Nächten im makellos gebügelten Anzug und mit erlesenen Manieren auftrat.

Wie schwierig die Verhandlungen und wie nah wir am Scheitern waren, lässt sich detailliert nachvollziehen, wenn man die Dokumentation der 53 Telegramme aus Dayton studiert, die von meiner Delegation während der bosnischen Friedensverhandlungen nach Bonn versendet wurden. Abweichend von der Regelung, Aktien und Depeschen der deutschen Diplomatie erst nach Ablauf von dreißig Jahren zu veröffentlichen, entschied sich das Auswärtige Amt auch auf meine Bitte dazu, diese Texte bereits im August 1998 zu veröffentlichen.[22] Ich wollte die allzu Amerika-zentristische Darstellung des amerikanischen Unterhändlers Richard Holbrooke durch eine deutsche Sicht ergänzen.

Die Kriegsparteien waren rund um einen Parkplatz auf verschiedene Gebäude verteilt worden. Wie Weberschiffchen pendelten wir Unterhändler hin und her, während sich Bosnier, Serben und Kroaten intensiv mit der Landkarte des künftigen bosnischen Staates beschäftigten. Bis zur Erschöpfung stritten sie um jeden Quadratkilometer.

Am 7. November glaubten wir noch, dass die Gespräche nicht länger als zehn Tage dauern würden, aber die Nervosität wuchs.

Am 10. November gab es einen mutmachenden Erfolg zu vermelden. Hans Koschnick, von der EU als Administrator mit der Koordination des Wiederaufbaus, der Verwaltung und Infrastruktur der kriegszerstörten bosnischen Stadt Mostar beauftragt, hatte in Dresden mit den beiden Bürgermeistern der geteilten Stadt über die notwendigen Schritte zur Friedenssicherung verhandelt. An diesem Tag nun wurde in Anwesenheit des kurzfristig angereisten US-Außenministers eine Vereinbarung über ein »Interim Statut« für die Stadt Mostar unterschrieben. Zehn Tage nach Beginn der Dayton-Konferenz war dieser scheinbar kleine Erfolg ein Hoffnungsschimmer am Horizont und gab Rückenwind für die schwierigen Verhandlungen.

Am 13. November sprachen wir dann bereits vom »Endspiel«. In wenigen Tagen wäre alles geschafft, schien es.

Doch stattdessen steckten wir in einer Situation fest, in der niemand vom Verhandlungstisch aufstehen mochte, weil er glaubte, wenn er noch etwas länger bliebe, könne er vielleicht noch ein Stückchen mehr für sich herausschlagen.

Als die Kriegsparteien nach gut zwei Wochen, trotz diverser Ultimaten, noch immer nicht zur Unterschrift bereit schienen, stellten die US-Unterhändler demonstrativ ihre gepackten Koffer vor ihre Unterkunft, als Zeichen für einen drohenden Abbruch der Verhandlungen. Holbrooke feilte bereits an der Ansprache, in der er das Scheitern verkünden wollte. Wir Europäer rieten zum Weitermachen. Ich hatte aus Bonn die Weisung, Dayton nur dann zu verlassen, wenn keine der Kriegsparteien mehr verhandlungswillig sei.

Die Spannung stieg am 19. November. Außenminister Warren Christopher war inzwischen wieder dazugestoßen und verhandelte Tag und Nacht mit beeindruckendem physischen

Durchhaltevermögen. Seine persönliche Rolle für den Verhandlungserfolg verdient größte Anerkennung. Jeder war physisch und mental am Rande der Erschöpfung: nächtliche Verhandlungen, der wachsende Frust über die zögerlichen Verhandlungspartner, die große physische Nähe zu den Teilnehmern, die scheinbare Unmöglichkeit der Versöhnung, der politische Erfolgsdruck, den jeder aus seiner Hauptstadt verspürte. In der kritischen Schlussphase am Wochenende schalteten sich aus der Ferne auch der deutsche Bundeskanzler und der Außenminister ein. Kinkel drängte sowohl Kroaten wie Muslime zur Unterschrift: »Leute, greift den Strohhalm!«[23]

Keiner von uns, weder die Kontaktgruppen-Mitglieder noch die Bosnier, Kroaten oder Serben hätten noch viel länger durchgehalten. Aber es war genau diese physische Erschöpfung, welche zum Verhandlungserfolg beitrug.

Drei Wochen lang hatte das Verhandlungsdrama auf dem Militärstützpunkt nun schon gedauert. Aber ausgerechnet Alija Izetbegović, der siebzigjährige Präsident von Bosnien-Herzegowina, konnte sich nicht zur Unterschrift durchringen. Ich wusste, dass er große Stücke auf Helmut Kohl hielt. Gemeinsam mit dem Kanzler-Team in Bonn überlegte ich, wie man vorgehen könnte, um den Bosnier zur Zustimmung zu bewegen. Dann hatten wir eine Idee, und ich zog los.

Es war gegen Mitternacht, als ich versuchte, dem bosnischen Präsidenten in seiner Suite gut zuzureden. Ich sagte, Helmut Kohl habe mir ein Bismarck-Zitat mit auf den Weg gegeben, das ich ihm vortragen solle:

»Die Weltgeschichte mit ihren großen Ereignissen [...] kommt nicht dahergefahren wie ein Eisenbahnzug in gleichmäßiger Geschwindigkeit. Nein, es geht ruckweise vorwärts, aber dann mit unwiderstehlicher Gewalt.«[24]

Bundeskanzler Kohl, so erklärte ich, habe in den schwierigen Stunden der deutschen Wiedervereinigung bei diesem Satz Bismarcks Halt gefunden:

»Man soll nur immer darauf achten, ob man den Herrgott durch die Weltgeschichte schreiten sieht, dann zuspringen und sich an seines Mantels Zipfel klammern, dass man mit fortgerissen wird, so weit es gehen soll.«[25]

Als Izetbegović am nächsten Morgen tatsächlich einlenkte, dankte er mir und bat, dem Kanzler Grüße auszurichten: »Seine Worte haben mir über die Nacht geholfen.«

Ich bin nicht sicher, ob die Grüße Kohl je erreichten. Aber die Hauptsache war: Am 21. November 1995 war es geschafft. Der Friedensvertrag wurde in Dayton paraphiert. Am 14. Dezember 1995 wurde er dann in Paris unterzeichnet. So steht es heute in den Geschichtsbüchern.

Doch es war noch längst nicht alles gut.

Dayton-Fehler: Zu kurz gesprungen

Natürlich waren alle erleichtert, dass die Unterschriften geleistet waren, und alle sehnten sich nach Erholung. Aber an diesem Punkt ist Diplomatie wie Fußball: Nach dem Spiel ist vor dem Spiel.

Es gab viel aufzuarbeiten, nach- und vorzubereiten. Die förmliche Unterzeichnung des Friedensvertrages in Paris nahte, Konferenzen in London, Moskau und Bonn. Noch im Dezember 1995 sollten auf dem Bonner Petersberg Abrüstungsverhandlungen zwischen Serben und Kroaten in Bosnien beginnen, mit hochrangigen Experten der internationalen Kontaktgruppe und OSZE-Repräsentanten. Jetzt waren vertrauensbildende Maßnahmen das erste Ziel. An Ruhe war nicht wirklich zu denken.

Dazu kam, dass das Dayton-Vertragswerk kein völkerrechtliches Meisterstück war, sondern das, was eben in dieser furchtbaren Lage unter schwierigsten Umständen verhandelbar gewesen war. Es war alles andere als ein perfektes Dokument.

Manches war mit heißer Nadel gestrickt und würde im Laufe der nächsten Wochen, Monate und Jahre korrigiert und ergänzt werden müssen.

2018 fühle ich mich daran massiv erinnert, angesichts der Entscheidung des US-Präsidenten Trump, aus dem Atom-Abkommen mit dem Iran auszuscheiden. Das Abkommen war über zehn Jahre lang verhandelt worden, und natürlich ließen sich manche westlichen Sorgen kaum oder gar nicht in dem Abkommen unterbringen. Es war – wie Dayton – das Machbare und nicht gleichzeitig auch das Wünschbare. Aber in beiden Fällen war das Machbare immer noch viel besser als gar kein Abkommen.

Aber zurück zu Dayton: Quer durch Europa jubelten die Politiker, dass mit dem Vertrag von Dayton ein großartiges Zeichen gesetzt sei: Die Friedensvereinbarung bedeute nicht nur die Befreiung der geschundenen Bevölkerung in Bosnien von Krieg und Gewalt. Sie sei zugleich von größter Bedeutung für dauerhafte Sicherheit und Stabilität in ganz Europa.

Man verwies voller Stolz auf die Charta von Paris, die fast auf den Tag genau fünf Jahre zuvor, im November 1990, unterzeichnet worden war und in der sich die Mitgliedstaaten der KSZE auf eine gemeinsame Grundlage für ein neues Europa verständigt hatten, eine dauerhafte und gerechte Friedensordnung mit der Respektierung von Menschenrechten und Demokratie, wirtschaftlicher Freiheit, sozialer Gerechtigkeit und gleicher Sicherheit für alle Staaten. Mit den Friedensvereinbarungen von Dayton, so wurde verkündet, sei Europa diesem Ziel einer dauerhaften und gerechten Friedensordnung ein großes Stück näher gekommen.

Es stimmte ja auch. Tausende von Flüchtlingen kehrten binnen kurzer Zeit in ihre Heimat zurück. Öffentliche Einrichtungen begannen wieder zu funktionieren. Schulen, Kindergärten, Müllabfuhr – Dinge des Alltags eben. Aber die politische Arbeit war und wurde leider nicht abgeschlossen.

Dazu gehörte auch der Kosovo-Konflikt, der schon damals brodelte. Er führte im Februar 1998 zum erneuten Ausbruch eines Krieges in der Region, der wiederum Tausende Menschen das Leben kostete, der Schauplatz von Kriegsverbrechen und Verbrechen gegen die Menschlichkeit wurde und der uns zwang, erneut militärisch zu intervenieren.

Doch das Thema Kosovo war in Dayton ausgeklammert worden, um die Verhandlungen mit Milošević nicht zu überfrachten. Das Thema Kosovo war 1995 schlicht nicht verhandelbar.

Der größte Fehler, den wir gemacht haben, ist aber leider ein anderer: Wir haben den Vertrag geschlossen, einen hohen Repräsentanten eingesetzt, Friedenstruppen gebildet. Aber wir haben in der Folgezeit Bosnien und Herzegowina politisch zu sehr sich selbst überlassen.

Nachhaltiger Frieden als Generationenaufgabe

Die Folgen der Jugoslawienkriege sind bis heute in den sieben Staaten auf dem Gebiet von Ex-Jugoslawien – Serbien, Slowenien, Kroatien, Bosnien-Herzegowina, Mazedonien, Montenegro und Kosovo – in allen Bereichen spürbar.

Die Völkermorde und Kriegsverbrechen der Jahre 1992 bis 1995 haben besonders tiefe Narben hinterlassen. Die Vereinten Nationen hatten bereits im Mai 1993 einen Ad-hoc-Gerichtshof mit Sitz in Den Haag gegründet, um die Kriegsverbrechen juristisch zu verfolgen. Vor diesem Internationalen Strafgerichtshof war am 24. Juli 1995 General Ratko Mladić in Abwesenheit als Kriegsverbrecher angeklagt worden – wegen Völkermordes, Verbrechen gegen die Menschlichkeit und zahlreicher Kriegsverbrechen. Noch während wir in Dayton verhandelten, nämlich am 17. November 1995, hatte man die Anklagepunkte erweitert: auf den Angriff gegen Srebrenica. 16 Jahre später, im Mai 2011, wurde Mladić in Serbien verhaftet und an Den Haag überstellt. Die Medien jubelten über die Ergreifung des »Schlächters vom Balkan«. Im November 2017 wurde er zu lebenslanger Haft verurteilt.

Die früheren Kriegsparteien sind noch immer nicht völlig miteinander versöhnt. Um jeder Bevölkerungsgruppe Mitspracherechte zu garantieren, gibt es in Bosnien, einem Staat mit weniger als vier Millionen Einwohnern (etwa so viel wie die Metropolregion Stuttgart), insgesamt 130 Minister, die oft gegeneinander arbeiten. Während der militärische Einsatz und die Friedensverhandlungen in Bosnien und Herzegowina eine große Erfolgsgeschichte waren, gerieten die Bemühungen, Bosnien zu einem lebens- und funktionsfähigen Staat zu machen, etwas unter die Räder.

Im Nachhinein ist mir klar, dass man die bosnischen Kriegsparteien alle paar Jahre erneut an den Verhandlungstisch hätte holen müssen, um die Entwicklung zu moderieren und zu begleiten: Dayton II, Dayton III usw. Wir haben den Fehler gemacht, das Dayton-Werk unvollendet zu lassen. Wir haben weggeguckt und uns anderen Problemen zugewandt.

Natürlich können wir heute, über zwanzig Jahre später, mit einem gewissen Stolz sagen: Es wurde und wird nicht mehr geschossen! Aber das Land ist noch immer nicht wirklich geheilt. Es handelt sich um einen Patienten, bei dem man fürchten muss, dass er jederzeit wieder auf die Intensivstation muss.

Wir springen leider oft ein bisschen zu kurz. Wir neigen dazu zu sagen: Jetzt haben wir etwas erreicht, dann können wir jetzt aufhören. Aber die Bewältigung solcher Krisen erfordert einen sehr langen Atem und ein langfristiges Engagement. Nach dem Zweiten Weltkrieg hätten die Besatzungsmächte auch sagen können: Kriegstreiber Deutschland ist jetzt besetzt, wir nehmen denen alles weg, was militärisch relevant ist, und überlassen das Volk sich selbst. Sollen die mal sehen, was sie aus ihrer verkorksten Geschichte machen! Klugerweise wurde es damals nicht so gehandhabt. Stattdessen hat man sich langfristig engagiert.

Die Bundeskanzlerin ist sehr dafür zu loben, dass sie vor drei Jahren in Berlin die Balkan-Konferenz ins Leben gerufen hat, die seither jedes Jahr in einer anderen Stadt als »Berlin Process« fortgesetzt wird. Damit hat sie einen Prozess gestartet, der zeigt, dass sich die EU-Staaten wieder verstärkt um den Westbalkan kümmern. Es geht ja nicht zuletzt auch um EU-Perspektiven. Slowenien trat bereits 2004, Kroatien 2013 der EU bei. Mit Montenegro und Serbien wurden Beitrittsverhandlungen begonnen. Bosnien und Herzegowina sowie der Kosovo sind Bewerber, ebenso Albanien und Mazedonien.

Deswegen muss man hinhören, wenn die Medien von wachsendem islamistischen Einfluss in der Region berichten oder von russischer Einflussnahme in Serbien. Der Westbalkan ist nach wie vor – und man verzeihe das abgegriffene Bild – ein Minenfeld! Und obgleich ich dieses Arguments eigentlich müde bin: Das Letzte, was derzeit auf dem innenpolitischen Wunschzettel Deutschlands steht, sind ein neuerlicher Krieg in Europa – und die nächsten 500 000 Flüchtlinge, die in Westeuropa Zuflucht suchen.

Es ist in unserem Interesse, dass im Südosten Europas endlich nachhaltig Frieden und Ruhe einkehren. Und das geht nur durch langfristige Anstrengung. Nachhaltiger Frieden ist eine Generationenaufgabe und kostet – leider – auch viel Geld. Und: Wenn die EU nicht einmal im eigenen Hinterhof – Südosteuropa – Frieden und Stabilität schaffen kann, wie soll sie dann international glaubwürdig auftreten?

Das alles erzähle ich als Hintergrund für den gegenwärtigen Syrienkrieg. Ich kann kaum einen Bereich finden, in dem die EU so offenkundig versagt hat wie im Syrien-Konflikt.

Natürlich unterscheidet sich Syrien von Bosnien, aber Syrien ist Anrainer desselben Mittelmeers, an das auch die EU-Staaten Griechenland, Italien und Spanien angrenzen. Zu Lande grenzt Syrien direkt an die Türkei, NATO-Mitglied und Beitrittskandidat für die EU.

Syrien ist unser Nachbar. Das haben wir doch spätestens daran erkannt, wohin die Menschen flüchteten, als es dort anfing zu knallen: Sie haben nicht in Moskau Zuflucht gesucht und auch nicht in Washington vor dem Weißen Haus. Sie haben versucht, nach Europa zu kommen. Dort liegt für Syrer die Nachbarschaft, der naheliegende Zufluchtsort.

Es wäre die historisch-politische Aufgabe Europas gewesen, in Syrien unermüdlich auf einen Waffenstillstand und einen Friedensschluss zu drängen und darüber hinaus an einer regionalen Friedensordnung oder Sicherheitsarchitektur mitzuwirken. Nichts davon haben wir geschafft. Wir haben es noch nicht mal ernsthaft versucht.

Nie zuvor waren wir in Europa so stark von einem Konflikt jenseits unseres Kontinents betroffen und haben so wenig für dessen Lösung getan.[26] Mit dem Krieg in Syrien und dem damit verbundenen Erstarken des Islamischen Staats ist der Terror auf unseren Kontinent zurückgekehrt. Das haben die Anschläge in Paris, Brüssel, Nizza und Berlin gezeigt. Der Krieg hat Hunderttausende zur Flucht veranlasst und damit den inneren Zusammenhalt der EU auf die Probe gestellt. Denn als Reaktion auf die Flüchtlingsströme entstand in vielen EU-Staaten eine »Achse der Angst« aus populistischen und illiberalen Kräften, die Ressentiments schürten und ihr Heil in einem neuen Nationalismus suchten. Diese Achse der Angst pervertiert fast überall das politische Klima, schwächt den demokratischen Konsens und gefährdet so die Zukunft des europäischen Projekts. Hier steht also die Idee Europa selbst auf dem Spiel.

Von Anfang an haben die EU-Mitgliedstaaten ihren Worten keine Taten folgen lassen. Während europäische Regierungen, auch die deutsche, zu denen gehörten, die vollmundig die Absetzung Assads forderten, fehlte es an jeder strategischen Entschlossenheit, dieses Ziel zu verfolgen. Gegner eines Engagements in Syrien hatten davor gewarnt, dass dieses zur Radikalisierung der Konfliktparteien und zur Regionalisierung des Konfliktes beitragen würde. In Berlin sprach man vom »Flächenbrand«, den westliches Eingreifen auslösen könnte. Man unterdrückte so jede ernsthafte Diskussion über Flugverbotszonen und andere Optionen, um die syrische Bevölkerung zu schützen. Alles, bloß nicht selbst handeln müssen, schien das bequeme Motto.

Längst ist der Flächenbrand – ganz ohne eine Intervention des Westens und durchaus auch aufgrund unseres Nichtstuns – Wirklichkeit geworden. Wir sehen ein zerfallendes Land mit Chemiewaffen im Herzen der instabilsten Region der Welt. Syrien wurde zum Aufmarschort für Dschihadisten aus aller Welt. Der regionale Stellvertreterkrieg mit seinen konfessionellen und machtpolitischen Komponenten, der im Lande ausgetragen wird, hat Konsequenzen weit über Syrien hinaus. Er droht schwerwiegende Konsequenzen zu haben – für die Zukunft aller Nachbarländer und den ohnehin gefährlichen Kampf um die Vormacht im Mittleren Osten.

Nichthandeln kann eben auch Schuld und Verantwortung schaffen.

Angesichts der vielen Tausend Toten teile ich die Verzweiflung und die Frustration all derer, die sich an die Vorgänge auf dem Balkan in den 1990er-Jahren erinnern fühlen. Auch in Bosnien haben wir zu lange zu wenig getan. Es ist klar, dass mit jedem Monat, den dieses Schlachten und Morden in Syrien andauert, die Herausforderung des Wiederaufbaus wächst. Und ich meine nicht nur den materiellen Wiederaufbau. Straßen zu flicken, Häuser zu bauen, Brücken zu reparieren, das ist vergleichsweise leicht. Aber der Wiederaufbau im Sinne der Versöhnung, der Koexistenz von unterschiedlichen religiösen, ethnischen und sonstigen Gruppen, die sich zuvor noch gegenseitig niedergemetzelt haben, der Wiederaufbau einer friedlichen Gemeinschaft, das ist, wie wir aus Jugoslawien wissen, eine Generationenaufgabe. Und sie wird immer schwieriger, je länger der Krieg dauert. Insofern ist das Argument, dass man den Krieg in Syrien ausbluten lassen müsse, nicht nur moralisch unverantwortlich, sondern auch politisch grundfalsch.

Ein Verhandlungsfrieden freilich, wie er im November 1995 in Dayton für Bosnien erzielt werden konnte, ist in Syrien nicht in Sicht. Und in Syrien ist die Lage deutlich komplizierter, als sie es in Bosnien je war.

Der Abschluss des Dayton-Abkommens, das den Krieg in Bosnien 1995 schließlich beendete, war letztlich nur möglich, weil Milošević und die bosnischen Serben angesichts der militärischen Realitäten plötzlich doch ein Interesse an einer Verhandlungslösung entwickelten, nachdem sie keine Chance mehr auf einen militärischen Sieg sahen.

Dies ist auch für Syrien der entscheidende Punkt: Aus einer Position der Stärke, in die Assad inzwischen offenbar zurückgefunden hat, wird sein Regime nicht zu den nötigen Konzessionen bereit sein. Solange Assad davon überzeugt ist, dass sich seine Lage im weiteren Verlauf des Konflikts verbessern wird oder er gar den Krieg für sich entscheiden kann, wird er weiterkämpfen lassen. Dieses Kalkül muss die internationale Gemeinschaft brechen, wenn sie eine politische Lösung erreichen will.

Ein sinnvoller Zeitpunkt für eine mögliche westliche Intervention ist nach meiner Einschätzung lange vorbei. Ohne

Zweifel war es falsch, Assad verfrüht am Ende zu wähnen und davon auszugehen, dass sich das Problem schon von selbst löse, indem er irgendwo Asyl sucht, ähnlich wie es vor ihm der tunesische Diktator getan hatte.

Aber auch jenseits eines militärischen Eingreifens stellt sich die Frage: Was sind wir bereit, zu einer wie auch immer gearteten Nachkriegsordnung beizutragen? Ohne eine lang-jährig aktive internationale Friedenstruppe wird jedwede po-litische Verhandlungslösung, genau wie auf dem Balkan auch, nicht von Dauern sein. Wollen wir diesen Prozess nur aus dem Fernsehsessel heraus kommentieren? Und wenn nicht: Sind wir in Europa (und in der NATO) darauf strategisch ausrei-chend vorbereitet?

Sanktionen statt Soldaten

Damit es keine Missverständnisse gibt: Natürlich gibt es zwi-schen Intervention und Nichtstun unzählige politisch-diplo-matische Zwischenschritte und Instrumente, die man zum Einsatz bringen kann, darf und muss. Die Erweiterung von Handlungsoptionen ist, wie ich nicht oft genug wiederholen kann, ein Kernziel aller Diplomatie. Irgendetwas von vornher-ein auszuschließen – ob nun Sanktionen oder die Anwendung militärischer Mittel –, hilft im Allgemeinen nur dem Gegner.

Sanktionen sind ein solches Instrument irgendwo zwi-schen militärischer Gewalt und harter diplomatischer Sprache. Sie sollen politischen Druck verursachen und so zum Einlen-ken bewegen. Aber lässt sich ein Herrscher, der sein eigenes Volk mit Chemiewaffen bombardiert, durch so etwas beein-drucken? Aktuellen Schätzungen zufolge haben 500 000 Men-schen seit Beginn des Krieges ihr Leben verloren. Die Sanktio-nen, die wir Europäer und die USA ja durchaus verhängt haben, konnten das nicht verhindern.

Unterstützt von anderen Staaten, zogen die USA und die EU alle Register, die das Sanktionsmodell bietet: Waffenembargo, Exportverbot von Gütern nach Syrien, Einreiseverbote, Einfrieren des Vermögens und wirtschaftlicher Ressourcen von Assad und hohen Amtsträgern, Sperren der Konten und Vermögen der gesamten syrischen Regierung, Verbot jeglicher Art geschäftlicher Transaktionen, Ölimportverbot usw.

Sicher, wir haben mit diesen Sanktionen die Gewalt des syrischen Regimes verurteilt und der syrischen Bevölkerung zudem mit humanitärer Hilfe unter die Arme gegriffen. Die brutale Gewalt des syrischen Regimes haben wir dadurch jedoch nicht gestoppt.

Angela Merkel hatte übrigens schon bei ihrem ersten Besuch als deutsche Bundeskanzlerin in Washington im Januar 2006 dem damaligen amerikanischen Präsidenten George W. Bush eine kleine Lektion zum Thema Sanktionen verpasst. Die Spannung war riesengroß, wie das erste Gespräch zwischen Merkel und Bush ablaufen würde. Man sprach Englisch. Nach zehn Minuten sprach Bush ein damals wegen der aktuellen Iran-Nuklearverhandlungen stark diskutiertes Thema an:

»Was denken Sie über Sanktionen gegen Iran?«

Merkel antwortete: »Nun, mit den Sanktionen ist das so eine Sache. Man muss wissen, wen sie treffen. Ich wuchs in einem Umfeld auf, in dem wir uns freuten, wenn die Amerikaner gegen die Sowjetunion Sanktionen verhängten, weil wir nicht gerade Anhänger der sowjetischen Nomenklatura waren. Allerdings führte es zu großem Verdruss, wenn es dann als Folge in Templin plötzlich keine Bananen mehr im örtlichen Konsum gab. Dann fragten wir: Was haben *wir* denn jetzt verbrochen? Wieso treffen die Sanktionen *uns*?«

George W. Bush verstand sofort:

»Smart sanctions« oder »targeted sanctions«, gezielte Sanktionen, waren Merkels Stichwörter: nicht mit der Gießkanne alle bestrafen, die nichts dafür können, sondern Sanktionen gezielt gegen Einzelpersonen, Unternehmen und Organisationen richten, deren Verhalten man verändern will.

Der UN-Sicherheitsrat hatte schon 1999 das erste Mal »smart sanctions« verhängt, damals gegen die Taliban in Afghanistan. Ab 2002 wurden dann auch gezielte Sanktionen gegen Osama bin Laden verhängt, und seither werden Smart Sanctions immer wieder als Instrumente der Diplomatie eingesetzt. Auch in Syrien kamen sie zum Einsatz, leider bisher ohne durchschlagenden Effekt.

Das liegt auch daran, dass es sich in Syrien schon lange nicht mehr um einen schlichten Bürgerkrieg handelt; längst tobt dort ein geostrategischer Krieg, ein Krieg, der sich mit dem Unabhängigkeitskrieg kurdischer Separatisten in Syrien, im Irak und in der Türkei verwoben hat, der eine machtpolitische Auseinandersetzung zwischen Saudi-Arabien und Iran, zwischen Russland und den USA beinhaltet, ein Krieg, in dessen Unruhen und Chaos sich eine brutale islamistische Terrorgruppe, die sich *Islamischer Staat* nennt, ein Territorium erobert hat und 2014 unverfroren ein Kalifat ausrief – ein Krieg, in dem es scheinbar nur noch nebenbei darum geht, dass ein Volk einen brutalen Diktator abschütteln will.

Das eigentlich vom Westen propagierte Ziel, das Ende Assads herbeizuführen, wurde klar verfehlt. Im Gegenteil: Das syrische Regime konnte seine strukturelle Überlegenheit gar zementieren. Die syrische Opposition hoffte lange auf umfangreichere Lieferungen aus dem Westen, den Golfstaaten und Saudi-Arabien, die ihr hätten helfen können, die materielle Überlegenheit des Assad-Regimes auszugleichen, das aus Moskau und Teheran versorgt und durch die Hisbollah massiv unterstützt wird. Zugespitzt formuliert: Die Einzigen, die kaum Unterstützung bekamen, waren die Anführer der moderateren syrischen Opposition. Dass diese Kräfte dahinschmelzen würden, war deswegen zu erwarten – hierin liegt eine Tragödie unseres Versagens. Ähnlich hatte es auf dem Balkan ausgesehen, wo Sarajevo lange vergebens um eine Aufhebung des Waffenembargos gekämpft hatte, das eindeutig Belgrad und den bosnischen Serben in die Hände spielte.

»Assad muss weg!« ist keine politische Linie

Wir erinnern uns alle, dass 2011 nicht nur von den USA, sondern auch von europäischen Politikern der Ruf laut wurde: Baschar al-Assad muss weg. Das kam gut an, weil allseits bekannt war, dass Assad ein repressives Regime führte, genozidartige Verfolgungsmethoden anwendete und auch vor dem Gebrauch von Chemiewaffen gegen die eigene Bevölkerung nicht zurückschreckte.

In dieser ersten Phase zog der amerikanische Präsident Obama rote Linien in den Sand und drohte, wenn Assad diese mit dem Einsatz von Chemiewaffen überschreite, höre der Spaß auf.

Wie sah damals die deutsche politische Strategie aus? Hierzulande verkündete man genauso vollmundig, Assad müsse weg, man atmete aber auf, als der Kelch einer möglichen Beteiligung an einer Intervention vorüberging. Man war erleichtert, dass das britische Parlament eine Intervention verbot, Obama daraufhin das Unternehmen »Rote Linie« stoppte und den französischen Präsidenten auf dem Trockenen sitzen ließ, der zum Einschreiten bereit gewesen war. Und weil für Deutschland dadurch das Ganze gesichtswahrend ablief, war man erleichtert, als die Russen sich anboten, dafür Sorge zu tragen, dass Assad all seine Chemiewaffen vernichtet. Kurz: In Deutschland war man heilfroh, nicht handeln zu müssen.

Auch die Europäische Union hat hier Unfähigkeit gezeigt. Sie hat in all den Jahren keinen einzigen glaubwürdigen Versuch gestartet, Friedensverhandlungen zu initiieren. Wir

Europäer haben auf den Konflikt gestarrt wie das Kaninchen auf die Schlange, haben gewartet, bis ausgerechnet Russland und die USA die Initiative ergriffen, um durch Verhandlungen in Genf Frieden in Syrien zu schaffen.

Den treffendsten Kommentar dazu hat mein Freund, der erfahrene algerische Diplomat Lakhdar Brahimi, gegeben: Der Ruf »Assad muss weg« sei kein Ersatz für eine Strategie. Brahimi war 2012 zum UN-Sonderbeauftragten für Syrien ernannt worden, nachdem Kofi Annan aufgrund ausbleibender Fortschritte sein Mandat des Sondergesandten niedergelegt hatte. Anderthalb Jahre später trat auch er von dem Posten zurück, weil er keine Erfolgsaussichten für die Genfer Friedensgespräche mehr sah. Assad weigerte sich, daran teilzunehmen. Die Oppositionellen saßen zwar noch am Verhandlungstisch, hatten aber massiv an Einfluss auf das von Islamisten dominierte Kriegsgeschehen verloren.

Ich hatte im Mai 2013 in Doha Gelegenheit zu Gesprächen mit dem damaligen Premierminister von Katar. Der Frust, um es salopp auszudrücken, über die Unfähigkeit der internationalen Gemeinschaft insgesamt, aber auch über die, diplomatisch ausgedrückt, geringe Sichtbarkeit der Europäischen Union, war riesig.

Inzwischen hat sich in europäischen Hauptstädten genau wie in Washington immer mehr die Idee verbreitet, dass das Regime um Assad das kleinere Übel ist. Im Zusammenwirken mit Russland gegen den IS wird Assad toleriert, zumindest vorläufig. Aus politischem Versagen wird so auch moralisches Versagen.

Aus diesem Krieg kommt keiner mehr mit einer weißen Weste heraus.

Natürlich wird jetzt, nach fast sieben Jahren Krieg, auf die Komplexität des Konfliktes verwiesen und darauf, dass es lange dauern wird, bis alle Konfliktparteien wieder rational denken können und zu Friedensverhandlungen überhaupt in der Lage sind. Stimmt. Aber *to be fair:* Wir haben es ja noch nicht einmal direkt nach Ausbruch des Konflikts ernsthaft versucht.

Der erste Schritt wäre gewesen, seitens der Europäischen Union proaktiv und mit größter Entschlossenheit den Kontakt mit der Russischen Föderation, mit den USA und den arabischen Ländern zu suchen. Kurz: Die EU hätte – wie damals im Bosnienkrieg – mit den USA, Russland und anderen eine Kontaktgruppe gründen können. Eine Kontaktgruppe ist eine informelle Gruppe von Staaten, die konfliktlösende Verhandlungen gemeinsam führt und vorantreibt.

Nun wird mancher, der den Syrien-Konflikt über die Jahre verfolgt hat, vielleicht einwenden: Aber solche Treffen gab es doch am laufenden Band!

Und, stimmt, es gab Konferenzen, Meetings und Treffen aller Art. Der damalige französische Präsident Nicolas Sarkozy beispielsweise hatte gleich im Februar 2012, nachdem Russland und China ihr Veto gegen eine UN-Sicherheitsratsresolution zur Verurteilung der Gewalt in Syrien eingelegt hatten, außerhalb des UN-Sicherheitsrates eine eigene Initiative gestartet. Unter dem Namen »Gruppe der Freunde des syrischen Volkes« verfolgte sie das Ziel, eine Lösung für den Syrien-Konflikt zu finden.

Beim ersten dieser Treffen schlug US-Außenministerin Hillary Clinton vor, dass die Türkei, Katar, Saudi-Arabien und Jordanien eine »No-Fly-Zone« einrichten könnten, also eine Flugverbotszone zum Schutz der syrischen Zivilisten. Der Syrische Nationalrat trat prominent auf dem Treffen auf und propagierte einen Sieben-Punkte-Forderungskatalog, der unter anderem vom syrischen Regime verlangte, die Gewalt zu beenden und abzutreten. Werde dem nicht nachgekommen, so die Forderung, sollten die »Freunde Syriens« keine Länder davon abhalten, der syrischen Opposition etwa durch militärischen Rat, Training oder Waffenlieferungen zu helfen. Das war eindeutig kein Friedensplan und somit wenig hilfreich.

Folgetreffen mit bis zu 114 Teilnehmern und genauso vielen widerstreitenden Interessen waren ebenso wenig erfolgreich. So gab es ein Treffen in Riad, für das sich 34 syrische Oppositionsgruppen und Einzelpersonen zu einem Verhandlungskomitee zusammengeschlossen hatten. Es gab eine Konferenz der Konferenzen, um möglichst viele Akteure zusammenzubringen. Es gab Treffen verschiedener Außenminister, zum ersten Mal auch unter Einschluss Irans.

2017 lud Kasachstan auf Betreiben Russlands, der Türkei und des Iran nach Astana ein. Diesmal waren die Rebellen ausgeladen. Die waren mittlerweile auch in so viele Splittergruppen zerfallen, dass die Frage gewesen wäre, wen man überhaupt einlädt. Zwölf syrische Rebellengruppen hatten sowieso Anfang Januar bereits erklärt, wegen Verstößen gegen die Waffenruhe sämtliche Gespräche über geplante Friedensverhandlungen einzufrieren. Aber auch die drei Teilnehmer von Astana selbst verfolgten keine gemeinsame Linie. Ihre Versuche kamen zu spät, weil die Interessen aller Beteiligten nicht mehr unter einen Hut zu bringen waren.

Das Prinzip der Kontaktgruppe

Mit dem Prinzip einer Kontaktgruppe hatten all diese Formate wenig zu tun. Eine Kontaktgruppe zeichnet sich dadurch aus, dass sich alle Mitglieder einem gemeinsamen Ziel verpflichtet fühlen und von separaten Einzelaktivitäten absehen, die diesem Ziel widersprechen. Deswegen ist ein Schlüssel für den Erfolg einer Kontaktgruppe, dass man von Anfang an vereinbart: Ab jetzt machen wir alle nur noch das, was gemeinsam verabredet ist.

Für Syrien hätte man frühzeitig, also 2011 oder 2012, eine Kontaktgruppe aus der Türkei, Iran, Russland, den USA und der EU errichten können, ergänzt durch Saudi-Arabien. Aber auch die Gruppe, die erfolgreich das Iran-Nuklearabkommen verhandelte, hätte als Modell dienen können: die ständigen Mitglieder des UN-Sicherheitsrats plus Deutschland ergänzt zum Beispiel durch Saudi-Arabien, Iran und die Türkei.

Solch eine Kontaktgruppe fällt nicht vom Himmel. Außenpolitische Friedensprozesse haben, wenn sie erfolgreich sind, viele Väter. Die Wahrheit ist aber, dass einer den Prozess führen muss – jemand, dem man gleichzeitig abnimmt, dass er die anderen ehrlich anhört und einbindet.

Das war im Falle der Balkankriege in den 1990er-Jahren der amerikanische Unterhändler Richard Holbrooke, der es verstanden hat, Russland, Europa insgesamt, Deutschland, Frankreich, Großbritannien und die NATO so einzubinden, dass alle hinterher sagen konnten: Wir haben an dem Erfolg aktiv partizipiert. In Wirklichkeit war es die amerikanische Delegation, die die Strategie auf dem Spielfeld bestimmte und auch die Tore schoss. Die meisten anderen saßen auf der Reservebank und durften sich hinterher im Glanz des Pokals sonnen.

Holbrookes gelegentlich an Brutalität grenzende Zielstrebigkeit, seine Ausdauer, seine diplomatische Verhandlungsbrillanz und sein legendärer politischer Instinkt haben es ermöglicht, dass nach 21 Tagen Verhandlungsmarathon in Dayton im November 1995 der Grundstein für den Frieden in Bosnien und Herzegowina gelegt wurde. Henry Kissinger hat den Bulldozer Holbrooke liebevoll so beschrieben: »Wenn Richard etwas von Ihnen will, sagen Sie am besten sofort Ja. Denn wenn Sie Nein sagen, kommen Sie schlussendlich doch zu einem Ja. Aber der Weg dorthin wird für Sie möglicherweise sehr schmerzhaft sein.«

Das ist die Wahrheit hinter den Schlagzeilen: Man braucht Persönlichkeiten, die so etwas managen können. Das verlangt Führungskraft.

So lief das erfolgreich in Bosnien und später auch im Kosovo. Und so lief es auch bei den Verhandlungen mit Iran, wo die EU eine koordinierende Rolle spielte, aber der Erfolg erst zustande kam, als der damalige US-Außenminister John Kerry das ganze Gewicht der USA einbrachte.

Kontaktgruppe heißt: Es müssen nicht viele, sondern die Richtigen zusammenkommen. Einer der Gründe, warum es zur Bildung einer solchen Kontaktgruppe für Syrien nicht kam, war, dass die USA sich nicht mit dem Iran an einen Tisch setzen wollten, solange noch um das Nuklearabkommen gestritten wurde. Und, um fair zu sein: Es wäre natürlich sehr, sehr schwer gewesen, Iran und Saudi-Arabien gemeinsam an einen Tisch zu bringen. Aber wäre es ganz unmöglich gewesen? Wir haben es ja gar nicht versucht.

In jedem Fall wäre es sinnvoll gewesen, wenn die EU ihr ernsthaftes Engagement in dieser Sache schon einmal dadurch bewiesen hätte, dass sie einen sehr hochrangigen Vertreter zum Sondergesandten in der Syrien-Krise ernannt hätte – jemanden beispielsweise vom Kaliber eines Ex-Präsidenten Frankreichs, eines britischen Ex-Premiers oder eines Ex-Kanzlers, also jemanden, der auf Augenhöhe hätte verhandeln können.

Syrien bleibt so ein Schandfleck in der Geschichte der EU-Außenpolitik, ein Schandfleck der Unfähigkeit. Dazu gehört auch unsere spezifisch deutsche Unfähigkeit, mit dem Einsatz militärischer Mittel zu drohen – das überlassen wir lieber anderen, aber mit keinem guten Ergebnis.

7

Die Vereinten Nationen – Wer sorgt
für die Weltordnung?

Weltfrieden in der Grauzone

Am 7. April 2018 gab es einen (mutmaßlichen) Giftgasangriff auf die syrische Stadt Duma in der Region Ost-Ghouta. Mindestens 42 Menschen wurden getötet, mehr als 500 Menschen in Krankenhäusern behandelt. Eine Woche später reagierten die USA, Frankreich und Großbritannien mit Luftangriffen auf drei Ziele, die laut US-Verteidigungsministerium mit dem syrischen Chemiewaffenprogramm in Verbindung stehen. Die Angriffe seien ein Vergeltungsschlag für den Einsatz chemischer Waffen gegen die eigene Bevölkerung, verübt von der syrischen Regierung unter Baschar al-Assad, hatte US-Präsident Donald Trump erklärt. »Wir sind darauf vorbereitet, diese Antwort fortzusetzen, bis die syrische Regierung ihren Einsatz verbotener chemischer Waffen beendet.«[27]

Schon vor etwa einem Jahr hatte Amerika unter Trump einen Angriff geflogen: damals gegen die syrische Luftwaffenbasis Schairat, ebenfalls als Reaktion auf einen Giftgasangriff mit Dutzenden Toten, der laut UN-Experten auf die Kappe Assads ging.

Syrien kritisierte auch den jüngsten Angriff der USA, Frankreichs und Großbritanniens als klaren Verstoß gegen das völkerrechtliche Gewaltverbot, das Mitgliedern der UN die Androhung oder Anwendung von Gewalt gegeneinander ausdrücklich untersagt und Ausnahmen nur im Angriffsfall oder im Falle einer Autorisierung durch den UN-Sicherheitsrat zulässt. Von der internationalen Gemeinschaft verlangte das Regime, dass sie die Aggression verurteilen müsse. Auch Russland verurteilte die westlichen Angriffe und verlangte eine Krisensitzung des UN-Sicherheitsrates, bei der die »aggressiven Aktionen der USA und ihrer Verbündeten« besprochen werden sollten.

Die Bundesregierung dagegen stellte sich hinter die westlichen Angriffe, und auch die NATO befürwortete sie. Die Ereignisse in Duma hätten nach einer »kollektiven« Antwort der internationalen Gemeinschaft verlangt, erklärte NATO-Generalsekretär Jens Stoltenberg. Auch die Vereinigten Staaten erklärten ihr Vorgehen für gerechtfertigt, obwohl der UN-Sicherheitsrat keinerlei Ermächtigung für die Angriffe gegeben hatte.

Ja, was denn nun? Waren die Luftschläge ein Angriffskrieg und gar völkerrechtswidrig? Oder waren sie legitim und eine angemessene Reaktion auf die Taten eines »Monsters«, wie Trump es formulierte?

Die Wahrheit liegt wohl in der Mitte. Kurz: Man bewegte sich in einer der berühmten »Grauzonen«. Nach dem Motto: Es ist zwar nicht erlaubt, aber richtig verboten ist es auch nicht.

Für Nicht-Juristen, die sich eine klare und konsequente Rechtsprechung wünschen, mag derlei irritierend sein. Das Völkerrecht aber ist voller Grauzonen, die immer wieder aufs Neue durchschifft werden müssen. Der Kölner Völkerrechtler Professor Claus Kreß hat in der FAZ (9. 11. 2017) sehr gründlich dargelegt, wie diese Grauzonen zustande kommen:

Hatte man nach dem Ende des Zweiten Weltkriegs noch jeden Angriffskrieg aufs Schärfste verurteilt, weil er das oberste völkerrechtliche Gebot der Wahrung staatlicher Souveränität verletzte, hatte sich im Lauf der Jahrzehnte ein neuer Gedanke etabliert: der völkerrechtliche Schutz der Menschenrechte. Im Zuge dessen wurde der Völkermord zum »Verbrechen der Verbrechen« erklärt, das zu vermeiden und zu beenden auch (Schutz-)Verantwortung der internationalen Gemeinschaft sei. Menschenrechte – allen voran das Recht auf Leben – wurden damit als mindestens so schützenswert definiert wie bis dahin (nur) die staatliche Souveränität. So sollten »humanitäre Interventionen«, also Eingriffe in die staatliche Selbstbestimmung, plötzlich möglich sein, selbst »wenn diese – wie etwa 1999 im Fall Kosovo – ohne eine Ermächtigung durch den UN-Sicherheitsrat durchgeführt [würden]«. Denn wie könne der Schutz der Souveränität den Vorrang beanspruchen, »wenn eine ganze Zivilbevölkerung zum Opfer brutaler Gewaltanwendung durch die eigene Regierung wird«? Wer Diktatoren und Bürgerkriegstreibern das brutale und grausame Handwerk legen will, muss seine »Schutzverantwortung« wahrnehmen können, selbst wenn ihm ein offizielles UN-Mandat dafür fehlt. Klar ist jedenfalls: Der Internationale Strafgerichtshof würde heute wohl kaum jemanden, der sich in einer Notlage auch ohne UN-Mandat für eine humanitäre Intervention entscheidet, mit einem internationalen Strafverfahren überziehen. Wie beide Ideen, Schutzverantwortung und Souveränitätsprinzip, miteinander in Einklang zu bringen sind, bleibt dennoch eine schwierige Frage. Und sie ist nur im Einzelfall zu beantworten – und damit immer eine politische Entscheidung:

Diese Entscheidung – und die politische Verantwortung, die damit einhergeht – wollen viele in Deutschland nicht übernehmen. Wenn es um den Weltfrieden geht, dann richten sich ihre Augen auf New York. Dort ist der Hauptsitz der Vereinten Nationen, deren Kernaufgabe die internationale Friedenssicherung ist. Die Deutschen halten sie für eine Art Weltpolizei, die sich aller Konflikte annehmen soll und der man entsprechend das Feld zu überlassen hat. So wie man hierzulande im Notfall die 110 wählt, wird in einer weltpolitisch brenzligen Situation gedanklich der UN-Sicherheitsrat angerufen. Doch damit überschätzt man nicht selten die Möglichkeiten der Vereinten Nationen, die 1942 auf Initiative der USA, Großbritanniens, der Sowjetunion und Chinas durch die »Erklärung der Vereinten Nationen« entstanden und denen sich 22 weitere

Nationen anschlossen. Mittlerweile gehören den Vereinten Nationen 193 Staaten und damit fast alle Länder der Welt an. Sie alle sind der UN-Charta verpflichtet, die am 24. Oktober 1945 in Kraft trat und festlegt, wie Kriege und gewalttätige Konflikte zwischen Staaten verhindert oder beendet werden.

Das klingt nach Weltregierung, ist davon aber weit entfernt. Stattdessen handelt es sich bei der Charta der Vereinten Nationen um einen völkerrechtlichen Vertrag, in welchem alle Beteiligten versprechen, Konflikte friedlich auszutragen. Das verlangt Vertrauen von Seiten jedes Mitgliedstaats, dass sich alle anderen ebenso an diese Regel halten. Und dass, wenn dies misslingt, jemand eingreift – die Frage ist nur, ob und wer das wie entscheidet und tut.

Als zentrales und mächtigstes UN-Organ wurde der UN-Sicherheitsrat geschaffen. Dort sitzen fünf ständige Mitglieder, nämlich China, Frankreich, Großbritannien, Russland und die USA, sowie zehn nichtständige Mitglieder, die für jeweils zwei Jahre gewählt werden. Im Juni 2018 wurde Deutschland wieder einmal für zwei Jahre in den Sicherheitsrat gewählt – seine Zeit als nichtständiges Mitglied beginnt am 1. Januar 2019. Die Mitglieder beraten und entscheiden über alles, was sie für friedensgefährdend halten. Entscheidungen des Sicherheitsrats sind nach Kapitel 7 der UN-Charta völkerrechtlich bindend: Der Sicherheitsrat ist also das einzige Gremium, das weltweit geltende Entscheidungen fällen kann und damit sogar Nichtmitglieder bindet.

Das Besondere: Alle fünf ständigen Mitglieder des Sicherheitsrats können durch ihr jeweiliges Veto eine Resolution verhindern. Das hat erhebliche (um nicht zu sagen lähmende) Folgen: Im Kalten Krieg blockierten die Sowjetunion und die USA jahrzehntelang den Sicherheitsrat durch den wechselseitigen Einsatz ihres Vetorechts. Aber auch nach dem Ende des Kalten Kriegs hörte das nicht auf: Beispiel Kosovo 1998/99, Beispiel Ukraine seit 2014, Beispiel Syrien seit 2011.

Da die Vereinten Nationen außerdem keine eigene Polizei oder Armee haben, müssen Mitgliedsländer im Einsatzfall freiwillig ihre Soldaten und Waffen zur Verfügung stellen, meist für »Peacekeeping«, also UN-Friedensmissionen, manchmal aber eben auch für Zwangsmaßnahmen gegen einzelne Staaten.

Die Entscheidungs- und die Handlungsfähigkeit des von Deutschen gern als Weltpolizei idealisierten Gremiums ist also aus mehreren Gründen eingeschränkt. Wenn man das einmal verstanden hat, kann man die Erwartungen an die UN richtig dosieren: Es gelingt selten, Konflikte wirklich zu lösen oder gar zu verhindern. Meist kann der Anspruch nur darin bestehen, die Chancen zu erhöhen, dass ein Konflikt friedlich beigelegt wird – friedlicher jedenfalls als in einer Welt ohne das UN-Regelwerk.

Dennoch zahlreiche Erfolge

In der Praxis sind die vom Sicherheitsrat beschlossenen Missionen durchaus nicht erfolglos geblieben. Bis zum Zeitpunkt der Drucklegung dieses Buches wurden insgesamt 71 Friedensmissionen beschlossen, die in nahezu allen Teilen der Welt aktiv waren oder sind – von A wie Afghanistan bis Z wie Zypern. Darunter sind 14 laufende UN-Missionen; die ältesten reichen bis 1948 (Israel, Palästina) und 1949 (Indien, Pakistan) zurück, die jüngsten wurden 2014 (Zentralafrikanische Republik) und 2017 (Haiti) begonnen. Es gab über 2400 Resolutionen, ob zur Aufnahme neuer Länder, zur Lage in Krisenregionen oder zu Flugzeugentführungen; ob zu Hilfsmissionen, zu Antiminenprogrammen oder zur Verhinderung des Erwerbs von Waffen durch Terroristen.

Mit der Einsetzung der Straftribunale für das ehemalige Jugoslawien (1993) und Ruanda (1994) hat der Sicherheitsrat zudem dafür gesorgt, dass Völkermord, Verbrechen gegen die Menschlichkeit oder Kriegsverbrechen erfasst und verfolgt werden können. Das mündete 2002 in die Schaffung des Internationalen Strafgerichtshofs in Den Haag – obgleich gegen den Widerstand der USA, Chinas, Indiens und anderer Staaten, die ihre Souveränität auch nicht in diesem einen wichtigen Punkt abtreten wollten.

Die EU-Staaten stellten sich im Rom-Statut, dem Gründungsdokument des Strafgerichtshofs, 1998 geschlossen hinter diese neue Institution. Ihr Ziel ist es, schwerste internationale Straftaten, darunter Völkermord, auch international durch ein unabhängiges Gericht zu ahnden.

Die Vereinten Nationen haben also ihre Instrumente über die Jahrzehnte weiterentwickelt: vom reinen Peacekeeping, also dem Entsenden von Friedenstruppen, um die Einhaltung eines Friedensvertrages zu überwachen, über Peace Enforcement, wenn Blauhelmsoldaten helfen, einen Frieden zu erzwingen, bis zu Post-Conflict Peacebuilding, also dem Wiederaufbau tragfähiger Strukturen nach einem Konflikt.

Auch umfassen die sicherheitspolitischen Themen, denen die UN sich widmen, längst nicht mehr nur Kriege und gewalttätige Konflikte, sondern reichen von der Welternährung (der sich das UN-Welternährungsprogramm widmet) über den Schutz von Kindern (durch das Kinderhilfswerk UNICEF) bis hin zum Management von Flüchtlingskrisen (im Rahmen des Flüchtlingshilfswerks UNHCR) – kurz: »peace operations« unterschiedlichster Art.

Erste Kritik: Vetorecht wird missbraucht

Gleichzeitig ist die Schwäche der Vereinten Nationen immer wieder Gegenstand von Kritik. Dabei gibt es vier zentrale Kritikpunkte:

Zunächst das schon erwähnte Vetorecht einzelner Mitglieder des Sicherheitsrats. Die meisten Vetos legte bis April 2018 Russland (beziehungsweise die Sowjetunion) mit 112 ein, gefolgt von den USA (80), Großbritannien (29), Frankreich (16) und China (11).[28] Manche Vetos richteten sich gegen die Aufnahme neuer Mitglieder: China etwa sprach sich 1972 gegen die Mitgliedschaft Bangladeschs aus. Erst 1974 wurde das Land trotzdem aufgenommen. Andere Vetos berühren aber direkt friedenssichernde Maßnahmen: 1999 konnte man einen Friedenseinsatz in Mazedonien nicht verlängern. China hatte Einspruch erhoben, weil Mazedonien mit Taiwan Beziehungen aufgenommen hatte und dafür bestraft werden sollte.[29]

Oft reicht schon die Androhung des Vetogebrauchs: So kommen manche Konflikte im Sicherheitsrat gar nicht erst auf die Tagesordnung, weil eine der fünf Großmächte schützend ihre Hand über einen Delinquenten hält. Die USA tun das oft für Israel, die Russen für Serbien, Weißrussland und die arabischen Länder, die Chinesen für Simbabwe, Birma, Pakistan usw.

Durch die dauerhaften Veto-Blockaden des Sicherheitsrats sahen sich einzelne Staaten oder Staatengruppen immer wieder veranlasst, ohne ausdrückliches Mandat des Sicherheitsrats in weltweite Konflikte einzugreifen – so auch 1999 beim NATO-Luftkrieg um den Kosovo, an dem sich auch Deutschland beteiligte.

Das war eine schwere Entscheidung, an der ich damals unmittelbar beteiligt war. Joschka Fischer, der damalige Bundesaußenminister, aber vor allem seine Partei, die Grünen, standen vor einer Zerrreißprobe. Wollte die Partei der Friedensbewegung wenige Tage nach Beginn der ersten Regierungsbeteiligung den Tabubruch wagen, das pazifistische Ideal aufgeben und zur »Kriegspartei« werden? Oder wollte man an den bisherigen Grundüberzeugungen festhalten und zuschauen, wie Slobodan Milošević ein zweites Mal Teile seiner eigenen Bevölkerung massakrierte?

Es hatte eine ganze Reihe von UN-Resolutionen zum Kosovo gegeben, aber keine ausdrückliche Ermächtigung zur Anwendung militärischer Mittel, um die serbischen Übergriffe und Massaker zu unterbinden. Man scheiterte am Widerstand der Russischen Föderation, die ihre Hand schützend über die Serben hielt und wieder einmal mit dem Veto drohte.

Wenn Deutschland also – das erste Mal in der Nachkriegsgeschichte – an einem militärischen Einsatz aktiv mitwirken würde, dann auch noch ohne offiziellen UN-Auftrag? Wie schrecklich! Doch man rang sich durch: Das Ziel, ein humanitäres Desaster zu vermeiden, wurde als so wichtig und ernsthaft betrachtet, dass man sich nicht eines folgenschweren Nichtstuns schuldig machen wollte. Und wir Deutschen haben die Entscheidung nicht allein getroffen, sondern gemeinsam mit allen unseren europäischen und transatlantischen Partnern.

Es war ein Erfolg in der Geschichte der EU, dass es 1999 gelang, gemeinsam diese Entscheidung zu fällen, auch wenn sie dadurch erleichtert wurde, dass alle NATO-Mitglieder, also auch die USA, Kanada, Norwegen und der gesamte Westen, der Meinung waren, es sei unabdingbar, die Bevölkerung des Kosovo zu schützen. Dafür musste eine Grauzone der Legalität betreten werden. Freilich: In Moskau wurde das als militärisch-juristischer Übergriff gewertet – genau wie später bei den Luftschlägen gegen den syrischen Diktator Assad.

Das Bombardieren im Fall Kosovo begann am 24. März 1999. Die amerikanischen Generäle hatten vorausgesagt, dass Milošević schon nach ein paar Tagen die weiße Fahne hissen würde. Aber Ende März wurde keine weiße Fahne gehisst. Nach einigen Wochen stellte die Generalität händeringend die Frage: »Wir haben alle relevanten Ziele bombardiert. Wen oder was können wir denn jetzt noch bombardieren?« Also nahm man dieselben Ziele noch mal ins Visier. Der Krieg dauerte 78 Tage statt fünf.

Diese massive Fehleinschätzung der militärischen Effektivität hat uns viel zu denken gegeben. Die Entscheidung, Milošević von äußerst repressiven Maßnahmen mit militärischen Mitteln abzuhalten, halte ich dennoch nach wie vor für richtig. Zum Ende der Kampfhandlungen kam es erst am 10. Juni 1999 mit der UN-Resolution 1244, die dann auch einvernehmlich mit Russland beschlossen wurde. Darin wurde die NATO beauftragt, mit der Friedenstruppe KFOR für Ruhe und Ordnung zu sorgen, an der sich Deutschland beteiligte – übrigens bis heute. Damit ist im Kosovo Ruhe eingekehrt. Es wird dort seither nicht mehr geschossen. Das politische Problem aber ist noch immer nicht vollständig gelöst.

2008 proklamierte der Kosovo die Unabhängigkeit, was bis heute mehr als 110 der 193 UN-Mitgliedstaaten anerkennen, darunter die USA und die Mehrheit der EU-Staaten. Aber etwa achtzig Länder erkennen die Unabhängigkeit des Kosovo nicht an, etwa die Veto-Mächte Russland und China sowie die EU-Staaten Griechenland, Zypern, Spanien, Rumänien und die Slowakei. Die Gründe sind vielfältig. Offiziell wird oft auf die UN-Prinzipien der Nichteinmischung und territorialen Integrität verwiesen – demnach sei die internationale Anerkennung des Kosovo eine völkerrechtswidrige Verletzung der serbischen Souveränität. Doch hinter dieser offiziellen Begründung stecken meist andere, spezifisch nationale Sorgen: Wenn die Kosovaren sich aus Serbien herauslösen dürfen, können das dann auch die Katalanen aus Spanien? Diese Sorge Madrids vor dem Präzedenzfall ist seit dem Herbst 2017 und noch einmal stärker im Frühjahr 2018 angewachsen – und solche Sorgen sind ja durchaus auch nachvollziehbar. Auf die Fragen, wie weit das Selbstbestimmungsrecht reicht, von wem es in Anspruch genommen werden kann und inwieweit jeder Staat auf Respektierung seiner territorialen Integrität pochen darf, gibt es leider keine wirklich klaren und abschließenden Antworten des Völkerrechts.

Der andauernde Streit macht die Lage für das kleine Land Kosovo nicht einfacher. Trotzdem: Der Unterschied zwischen damals und heute ist riesengroß. Der Kosovo mag noch nicht Mitglied der Vereinten Nationen sein, aber man fährt aus dem Kosovo nach Serbien und zurück; es gibt wieder Handel; Kinder gehen zur Schule; und es gibt wieder eine Universität in Pristina, von der ich sogar stolzer Träger eines Ehrendoktortitels bin.

Dass man in Serbien den Kosovo immer noch gern als Teil Serbiens, als die Autonome Provinz Kosovo und Metochien betrachtet, erschwert natürlich das Entstehen einer harmonischen Koexistenz zwischen Belgrad und Pristina.

Aber finden sich nicht auch in der deutschen Geschichte ähnliche Gefühlslagen? Viele Deutsche taten sich in der Nachkriegszeit damit schwer zu akzeptieren, dass man auf die urdeutschen Gebiete Pommern oder Schlesien verzichten solle. Im Potsdamer Abkommen von 1945 hatten die Siegermächte des Zweiten Weltkriegs die Gebiete östlich von Oder und Neiße unter vorläufige polnische beziehungsweise sowjetische Verwaltung gestellt. Die DDR erkannte schon 1950 die Oder-Neiße-Linie als endgültige »deutsch-polnische Staatsgrenze« an, während die Bundesrepublik erst 1970 die »faktisch unverletzliche« Ostgrenze im Warschauer Vertrag festschrieb – allerdings unter dem Vorbehalt einer Änderung im Rahmen einer künftigen Friedensregelung.

Noch kurz vor der Wiedervereinigung ging die Sorge um, das geeinigte Deutschland könne diese alten Gebiete wieder beanspruchen. Erst im Zwei-Plus-Vier-Vertrag am 3. Oktober 1990 wurde die heutige Grenze zwischen Deutschland und Polen endgültig vertraglich festgeschrieben.

Das war sicher eine richtige Entscheidung, wenn auch für manche sehr schmerzlich. 1960 war die Anerkennung nicht möglich, aber 1990 war sie es. Deswegen ist zu hoffen, dass auch die Serben künftig einmal vermögen, was sie 2008 noch nicht vermochten: sich mit einem unabhängigen Kosovo zu arrangieren. Und manchmal hilft auch das Ausklammern besonders strittiger Fragen: 2007 schlug ich als damaliger Kosovo-Unterhändler der EU vor, das Verhältnis Serbien-Kosovo nach dem Modell BDR-DDR von Egon Bahr zu behandeln, also Normalisierung ohne formelle Anerkennung: Man klammert das aus, was zurzeit nicht lösbar ist, aber erreicht das, was zurzeit machbar ist. Vielleicht klappt es am Ende tatsächlich. Zeit hilft. Völkerrechtliche Einigungen passieren nicht über Nacht.

Und noch ein zweiter Krieg – wenngleich aus anderem Anlass und unter komplett anderen Rahmenbedingungen – geschah ohne expliziten Auftrag des UN-Sicherheitsrats: die US-Intervention im Irak 2003. Da sie auf das Erblühen amerikanischer Hybris in den 1990er-Jahren folgte, entstand der Eindruck, die Supermacht USA stelle sich über die Vereinten Nationen und greife nun nach Belieben in zwischenstaatliche Konflikte ein. Der Eindruck ist nicht ganz richtig. Die USA haben nicht ein einziges Mal argumentiert, sie bräuchten die Legitimation der UN nicht; sie beriefen sich juristisch vielmehr auf frühere UN-Resolutionen zum Fall Irak und interpretierten diese als zumindest indirekte Ermächtigung zum Eingreifen. Was man den USA in diesem Fall jedoch klar vorwerfen kann, ist die Vorlage falscher Beweismittel. Damit haben sie aber vor allem die eigene Glaubwürdigkeit verspielt.

Zweite Kritik: Falsche Besetzung des Sicherheitsrats

Eine zweite Schwachstelle der Vereinten Nationen ist ihre Zusammensetzung: Die UN wurden gegründet als Generalversammlung aller Staaten, der kleinen wie der großen. Die ganze Welt ist dort versammelt. Nach der Devise »Viele Köche verderben den Brei« meinen manche, darin liege die größte Schwierigkeit, eine entscheidungs- und handlungsfähige Weltorganisation zu etablieren. Doch die größte Schwierigkeit liegt nicht in der Universalität der UN selbst, sondern in der Zusammensetzung ihres wichtigsten Gremiums: des UN-Sicherheitsrats.

Diese beruht auf dem Entstehungskontext der Vereinten Nationen: Sie reflektiert die Machtverhältnisse der Nachkriegszeit. Die USA, die Sowjetunion (jetzt Russland), China, Großbritannien und Frankreich als Siegermächte des Zweiten Weltkriegs sitzen nun als ständige Mitglieder im Sicherheitsrat und verfügen jeder über ein Veto.

Die fünf ständigen Mitglieder im Sicherheitsrat, die sogenannten »P5« (P für permanent), halten sich für die Bestimmer der Weltlage. Die zehn nichtständigen Mitglieder bekommen das regelmäßig zu spüren, sie werden mitunter gar abschätzig als »Touristen« betitelt.

Die aktuellen Machtverhältnisse zu Beginn des 21. Jahrhunderts reflektiert der Sicherheitsrat nur sehr ungenügend. Wichtige Staaten mit großen Bevölkerungen oder von weltpolitischer Bedeutung wie Indien, Brasilien oder auch Japan sind nicht repräsentiert. Daher besteht großer Reformbedarf. Die, die diesen Bedarf nicht als besonders dringlich erachteten, sind natürlich die fünf Veto-Mächte selbst.

Nicht nur ihr Veto erlaubt den P5 den Sicherheitsrat zu dominieren. Allein ihre ständige Präsenz macht es den fünf Staaten leicht, die sicherheitspolitische Agenda des Gremiums zu bestimmen.

Seit Längerem gibt es deswegen eine Debatte um eine grundlegende Reform des UN-Sicherheitsrats. Vor allem die Frage, wer dauerhaft reindarf und wer nicht, wird leidenschaftlich diskutiert. Ein ständiger Sitz im UN-Sicherheitsrat verleiht – vor allem wenn mit Vetorecht ausgestattet – einen privilegierten Status. Wer Großmacht sein will, lässt sich ungern auf den Status eines Touristen oder gar Zuschauers reduzieren.

Deutschland hat seit den 1990er-Jahren immer wieder Versuche unternommen, selbst auch ständiges Mitglied zu werden. Im Juli 2005 legte die sogenannte »Gruppe der Vier« – Japan, Indien, Brasilien und Deutschland – einen Reformplan vor, der für diese vier Staaten einen ständigen Sitz vorsah. Verkürzt hießen die Argumente, Deutschland und Japan seien schließlich neben den USA Hauptgeberländer der Vereinten Nationen, Indien sei ein aufstrebendes Milliardenvolk und Brasilien sei die größte Volkswirtschaft auf dem südamerikanischen Kontinent. Wenig überraschendes Ergebnis: Die Afrikanische Union lehnte diesen Anspruch der Vier ab, weil er Afrika – immerhin ein Kontinent mit bald drei Milliarden Menschen – nicht berücksichtigte. Die notwendige Zweidrittelmehrheit in der UN-Generalversammlung kam damit aus nachvollziehbaren Gründen nicht zustande.

Erweiterungsdiskussionen laufen seit vielen Jahren. Es ist ein Kampf gegen Windmühlen, weil diejenigen, die schon vertreten sind, ihren Platz nicht aufgeben oder ihren Einfluss in einem erweiterten Gremium nicht gemindert sehen wollen. Und die, die reinwollen, können sich nicht einigen. Wer zum Beispiel würde Afrika im Sicherheitsrat vertreten? Nigeria, Ägypten oder Südafrika? Schwierige Fragen.

Und der deutsche Anspruch? Der ist schlichtweg nicht durchsetzbar, meine ich. Ich bin während meiner Washingtoner Botschafterzeit gelegentlich aus Berlin gebeten worden, ich möge im Weißen Haus vorstellig werden und dort für dieses Anliegen werben.

So trug ich eines Tages auch der damaligen nationalen Sicherheitsberaterin Condoleezza Rice mein Sprüchlein vor, warum Deutschland dort nicht fehlen dürfe. Rice entgegnete: »Die Frage ist ja nicht ganz neu. Ich will Ihnen die Haltung der USA gern erläutern.«

Und dann schrieb sie vor sich ein paar Zahlen auf ein Blatt Papier:

»Die Lage heute: China = 1 Sitz. USA = 1 Sitz. Russische Föderation = 1 Sitz. Europa = 2 Sitze (Großbritannien + Frankreich).«

Sie malte einen großen Kreis um die Zahlen und begann daneben eine neue Liste:

»Ihr Deutschen wollt jetzt Folgendes durchsetzen: USA ..., Russland ..., China ..., weiterhin jeweils ein Sitz. Dazu Brasilien, Japan und Indien, auch jeweils ein Sitz. Und Europa drei Sitze?«

Sie schaute mich an: »Ausgerechnet Europa, das jetzt schon mit zwei Plätzen eigentlich einen zu viel hat, soll dann drei kriegen? Wie soll ich das denn den amerikanischen Senatoren erklären, die das absegnen sollen? Das ist vollkommen aussichtslos. In Wirklichkeit müsste doch Europa eigentlich einen Platz abgeben, das wäre gerechter!«

Worauf ich mich freundlich bedankte und das Thema wechselte. Mit anderen Worten: Da unsere britischen und französischen Freunde nun mal zwei Plätze innehaben, ist es schlicht und einfach realitätsfern zu glauben, dass Deutschland einen weiteren – europäischen – Platz bekommen wird.

Da Paris und London keinen Platz für uns machen werden, muss man sich auf realistischere Ziele konzentrieren. Mein Vorschlag wäre, dass sich die Bundesregierung weiter massiv für eine Reform und Erweiterung des Sicherheitsrats einsetzt, die unstrittig überfällig ist. Das stärkste Argument muss lauten, dass die Hälfte der Menschheit nicht vertreten ist: Indien, Afrika, Südamerika. Deutschland sollte also ausdrücklich vor allem eine gesteigerte Legitimität des Sicherheitsrats einfordern, also eine bessere Repräsentation aller Weltregionen. Es sollte sich dann für eine ständige Mitgliedschaft zur Verfügung stellen, wenn das von allen anderen Staaten ausdrücklich gewünscht wird. Und im Übrigen sollte sich Deutschland dafür starkmachen, dass im Zuge der Weiterentwicklung Europas die EU als solche Mitglied wird. Das wird sicher noch einige

Zeit dauern. Aber es wäre ein glanzvolles Ziel, das die Deutschen sinnvoll und ehrenwert vertreten können. Auch der Vorschlag der Bundeskanzlerin aus dem Juni 2018, die nichtständigen Sitze von EU-Mitgliedern zu »europäisieren«, ist ein Schritt in die richtige Richtung. Deutschland kann ab 1. Januar 2019 mit gutem Beispiel voranschreiten, indem es seine Positionen im Sicherheitsrat vorab umfassend in der EU abstimmt.

Auf diese Weise könnten wir vielleicht mit einer gemeinsamen Kraftanstrengung Europas den Druck in Richtung einer Reform des Gremiums verstärken – und zwar im Sinne langfristiger Politik. Das wäre ein glaubwürdiger Beitrag zur Stärkung der Legitimität des ganzen UN-Systems.

Dritte Kritik: Das Gewaltmonopol der UN als zahnloser Tiger

Die dritte Schwachstelle der Vereinten Nationen ist, dass ihnen eigene Streitkräfte fehlen – man ist also auf den guten Willen der Mitgliedstaaten angewiesen.

Gerade die Deutschen verweisen gerne auf das Gewaltmonopol der Vereinten Nationen, also das oben erwähnte und in der UN-Charta verankerte Prinzip, dass Gewalt nur zur Selbstverteidigung eingesetzt werden darf oder wenn sie ausdrücklich vom UN-Sicherheitsrat autorisiert ist. In der Theorie ist das gut und richtig. Wenn die UN-Charta zur Gänze umgesetzt würde, dann wäre der Anspruch auf ein Gewaltmonopol der UN sicher auch umfassender durchsetzbar. Demnach stellen die Vereinten Nationen militärische Kräfte auf, über die der Sicherheitsrat verfügen kann; die Charta spricht von einem Militärkomitee. Die ursprüngliche Idee war, dass der Sicherheitsrat mittels eigener Streitkräfte Krisen und Kriege verhindern oder beenden kann. Dieser Teil der Charta ist aber nie umgesetzt worden. Ohne eigene Streitkräfte bleibt das Gewaltmonopol der UN also leider eine Wunschvorstellung.

Die Durchsetzung des UN-Gewaltmonopols wird zudem erschwert durch die bereits im Eingangskapitel erwähnte Veränderung in der Natur der Kriege und die völkerrechtlichen Konflikte über militärisches Eingreifen, die diese nach sich zieht. Denn die vielen neuen Konflikte, die sich *innerhalb* von Staaten auftun, werfen jedes Mal die Frage auf, ob das Ziel, den Konflikt mit Gewalt zu beenden, einen Bruch staatlicher Souveränitätsrechte legitimiert. Der Sicherheitsrat steht da immer wieder vor sehr schwierigen und umstrittenen Entscheidungen.

In der Praxis umgehen Staaten diese Auseinandersetzung nicht selten: etwa indem sie die Anwendung militärischer Mittel leugnen. Oder sagen: Das war Selbstverteidigung.

Bei der Annexion der Krim waren russische Soldaten in der einen oder anderen Weise involviert. Im Klartext: Es kam russisches Militär zum Einsatz. Moskau aber sagte: »Wir haben damit nichts zu tun. Das kann ja sein, dass da Leute in Uniformen herumlaufen. Aber das sind Freiwillige.« Das sei etwas vollkommen anderes als eine Intervention in einem souveränen Staat. Aber ist es das wirklich?

Zweites Beispiel: Im »kleinen Krieg« zwischen Russland und Georgien 2008, als Südossetien und Abchasien von Georgien abgetrennt wurden, hieß es von russischer Seite: Die Georgier hätten angefangen, die russischen Minderheiten anzugreifen. Deswegen sei die militärische Unterstützung Russlands Hilfe bei der Selbstverteidigung. Und Selbstverteidigung sei gemäß der UN-Charta erlaubt. Aber darf Russland die Abchasen in Georgien verteidigen? Was ist mit der Souveränität Georgiens? Darf man in Moskau entscheiden, was in Georgien zu passieren hat?

Mit anderen Worten: Das Gewaltmonopol der UN ist die Theorie, die Praxis aber sieht viel zu oft anders aus. Wo zum

Beispiel bleibt die UN-Sicherheitsratsresolution, die die Möglichkeit gäbe, in Syrien ein Flugverbot durchzusetzen, damit die Luftangriffe auf die Zivilbevölkerung aufhören? Solange sie ausbleibt, bombardieren russische Flugzeuge mit Genehmigung der syrischen Regierung. Dieselben Russen, die die benötigte UN-Resolution blockieren, erklären: »Wir sind eingeladen. Wir unterstützen einen souveränen Staat. Wir dürfen das.«

So werden Fakten unterschlagen, Dinge zurechtgebogen, es wird geradewegs gelogen. Militärische Mittel werden heimlich angewandt oder auch offen, ohne dass der Sicherheitsrat die Ermächtigung dazu gegeben hat. Damit müssen wir – leider – leben.

Und selbst wenn es klappt, wenn also im Sicherheitsrat Einigkeit herrscht und die Entsendung einer Blauhelmtruppe beschlossen wird, ist damit der Konflikt noch nicht eingedämmt. Erst muss das Mandat für eine solche Mission ausformuliert werden. Ist dies geschehen, müssen Truppensteller gefunden und Soldaten rekrutiert werden. Und dann müssen die Blauhelmkommandeure vor Ort diese Truppe durch die Krisenregion führen. So stehen oftmals eher unzulänglich ausgestattete UN-Missionen neben teuren Hightech-Einsätzen der Industriestaaten. Ohne die aktive Unterstützung seitens der UN-Mitgliedstaaten ist UN-Friedenssicherung deshalb nicht möglich – dabei sollte sie so gut wie möglich abgestimmt sein und im Geiste der UN-Charta erfolgen.

Vierte Kritik: Leere Worthülsen

Und schließlich beruht die Schwäche der UN auch auf einem Mangel an Durchsetzungskraft – immer dann nämlich, wenn UN-Entscheidungen den Interessen wichtiger Staaten zuwiderlaufen, ohne deren Unterstützung es aber nicht geht. Viele

Entscheidungen der Generalversammlung laufen deshalb ins Leere. Um ein Beispiel der jüngeren Geschichte zu nennen: Den Vertrag über das Verbot von Atomwaffen, enthalten in einer Resolution der Generalversammlung, die im Juli 2017 von 122 UN-Mitgliedern unterzeichnet wurde, hat keine der Atommächte unterschrieben – keine davon wird sich daran halten. Die NATO-Staaten haben den Vertrag ebenfalls abgelehnt. Die Atommächte sahen ihre Interessen im Vertrag nicht hinreichend berücksichtigt. Diese Interessen kann man nicht einfach wegbeten. So wird man eine vollständige nukleare Abrüstung kaum erreichen.

Ich schreibe das als Mitglied der »Global Zero Commission«, die versucht, die Vision einer nuklearwaffenfreien Welt durch schrittweise operative Überlegungen zu unterstützen. Und ich schreibe das auch als ein Anhänger der These, dass die Vision von einer nuklearwaffenfreien Welt mehr sein muss als heiße Luft.

In diesem Zusammenhang muss man den Atomwaffensperrvertrag (Treaty on the Non-Proliferation of Nuclear Weapons, kurz NPT) erwähnen, der im Juli 1968 beschlossen wurde, am 5. März 1970 in Kraft trat und auf einem doppelten Versprechen beruht: Die Staaten, die keine Kernwaffen besitzen, versprechen, auf solche dauerhaft zu verzichten. Und die Atommächte versprechen, sich um umfassende Abrüstung zu bemühen. Dieser Vertrag wurde von den fünf Atommächten USA, Sowjetunion, Großbritannien, Frankreich und China initiiert und von 191 Staaten, auch von Deutschland, unterzeichnet.

Es geht also beim NPT – seit einem halben Jahrhundert – um die Erfüllung vertraglicher Verpflichtungen. Bisher ist das nicht ernst genug genommen worden, insbesondere die Abrüstungsverpflichtung der Nuklearmächte. Nur zwischen der Sowjetunion, beziehungsweise Russland, und den USA kam es zu bilateralen Reduzierungsvereinbarungen – bekannt als

Verträge mit den Namen SALT, START und INF –, aber die anderen Nuklearmächte haben sich daran nicht beteiligt. Und leider sind außerhalb des NPT neue Nuklearmächte hinzugekommen – man denke an Indien, Pakistan, an Israel und neuerdings an Nordkorea. Der NPT funktioniert also keineswegs zufriedenstellend.

Nur bei den chemischen Waffen (C-Waffen) ist es gelungen, ein umfassendes Verbot auszuhandeln, das auch mehr oder weniger funktioniert. Doch warum soll die Vorstellung von einer Welt ohne Nuklearwaffen abwegig sein? Eine Welt ohne Nuklearwaffen – Global Zero – bleibt eine gute Vision; sie ist nur leider sehr schwer in die Wirklichkeit umsetzbar. Ein sehr langer Weg liegt da noch vor uns.

Vertrauen und Misstrauen in Nordkorea

Die Machtlosigkeit der UN zeigt sich auch am aktuellen Fall Nordkoreas, wo die Appelle und Mahnungen aus New York, das nordkoreanische Atomwaffenprogramm zu beenden, bei Staatschef Kim Jong-un lange ungehört verklangen. Wie ist das Problem zu lösen? Ist es überhaupt zu lösen? Welche Druckmittel gibt es, wenn die bisherigen Sanktionen, mit denen der Sicherheitsrat Nordkorea belegt hat, Pjöngjang zwar vorläufig zur Aufgabe der kriegstreiberischen Rhetorik und zu einem Stopp von Atomwaffentests bewegen konnten, die vollständige Denuklearisierung der koreanischen Halbinsel aber noch lange nicht erreicht ist? Bei Drucklegung dieses Buches hatten Trump und Kim ihren Gipfel in Singapur gerade hinter sich. Aber mehr als eine Absichtserklärung war die »gemeinsame Erklärung« nicht, die die beiden am 11. Juni 2018 vorstellten. Ergebnisse künftiger Verhandlungen sind ungewiss.

Dazu muss man wissen, dass die nordkoreanische Nuklearrüstung nicht von vorgestern ist. Seit den 1950er-Jahren gibt es – damals mit freundlicher Unterstützung der Sowjetunion – ein Atomprogramm in Nordkorea, das zunächst der energiepolitischen Modernisierung des Landes dienen sollte. Doch die Technik, die Moskau den Nordkoreanern dafür zur Verfügung stellte, die Gas-Grafit-Reaktortechnologie, warf so umfangreiche Mengen an Plutonium ab, dass auch eine militärische Nutzung möglich war. Erst 1985 verknüpfte Moskau die Lieferung der Technik mit der Bedingung, dass Nordkorea den Atomwaffensperrvertrag unterzeichnet.

1993 kam es zur Krise, als Nordkorea ankündigte, aus dem Vertrag aussteigen zu wollen. Es kam zu Verhandlungen, an denen sich Europa beteiligte. Die bisher in Nordkorea genutzte Technologie sollte durch Leichtwasserreaktoren ersetzt werden, die aus den USA geliefert würden. Die EU erklärte sich bereit, sich an der Finanzierung zu beteiligen. Zwischenzeitlich sah alles nach einer guten Entwicklung aus. Im Genfer Rahmenabkommen von 1994 wurde festgelegt, dass Nordkorea »zwei Leichtwasserreaktoren sowie bis zu deren Fertigstellung jährlich 500 000 Tonnen Öl geliefert bekommt«.[30] Es gab sogar zeitweilig eine Annäherung zwischen Nord- und Südkorea. Im Frühjahr 1995 wurde von den USA, der EU, Südkorea und Japan die Korean Energy Development Organization (KEDO) gegründet, die den Reaktortransfer und die Öllieferung sichern sollte.

Doch die Vereinbarungen sind aus allen möglichen Gründen doch nicht zum Tragen gekommen. 2002 gab Nordkorea überraschend zu, es arbeite weiter an einem geheimen Atomwaffenprogramm. 2003 trat es tatsächlich als erstes und bisher einziges Land aus dem Atomwaffensperrvertrag aus.

Bush Junior setzte das Land auf die Liste der »Achse des Bösen« und drohte mit einem Präventivkrieg wie im Irak. Amerikanische Soldaten und Waffen sind seit dem Koreakrieg in Südkorea stationiert, und in der Nähe der geteilten koreanischen Halbinsel kreuzt eine große US-Flotte. Das wiederum nutzt Nordkorea bisher als Argument gegen die Aufgabe seines Atomprogramms – nur mit Nuklearwaffen könne es seine Sicherheit ausreichend garantieren. Diese Logik ist zum Teil auch nachvollziehbar:

So hat etwa die Ukraine 1994 auf den Besitz von Nuklearwaffen verzichtet. Das damals gegebene internationale Versprechen, die territoriale Integrität der Ukraine zu achten, das Budapester Memorandum, wurde seitens Moskaus durch die Annexion der Krim 2014 verletzt. Lautet die Frage: Wäre das auch passiert, wenn die Ukraine noch Nuklearmacht wäre? Man kann auch auf Gaddafi verweisen, der sein Atomprogramm aufgrund internationalen Drucks 2003 aufgab – sein Ende kennen wir. Keine ermutigenden Beispiele für Nordkoreas Führer.

Dass es jetzt, im Jahr 2018, zu direkten Gesprächen zwischen Nordkorea und den USA kam, ist nur zu begrüßen. Aber ob der Zickzackkurs von Präsident Trump, der Kim Jong-un erst als »Raketenmann« verspottete und dann als »ehrenhaften Mann« bezeichnete, zum Erfolg führen kann?

Man kann Trump zugutehalten, dass sein Kurs der maximalen Härte – immer schärfere Wirtschaftssanktionen und der Aufbau einer glaubwürdigen Kriegskulisse – im Frühjahr 2018 dazu geführt hat, dass Kim Jong-un einlenkte. Das Treffen zwischen dem Machthaber Nordkoreas und Südkoreas Präsidenten Moon Jae-in wurde nicht nur von UN-Generalsekretär António Guterres als »wahrhaft historischer Gipfel« gefeiert. Trump-Anhänger forderten deswegen sogar schon den Nobelpreis für den US-Präsidenten. Wenn man diese Töne auch nicht zum ersten Mal aus Nordkorea hört, so hat Kim doch nach Jahrzehnten der Teilung und Spannung nun versprochen, sein Atomwaffenprogramm vollständig abzubauen und die Feindseligkeiten gegenüber Südkorea zu beenden. Dazu hat sicher auch China beigetragen. Der chinesische Staatschef Xi Jinping hatte die vom UN-Sicherheitsrat beschlossenen

Sanktionen mitgetragen und dadurch den Druck auf Nordkorea erhöht, das auf die wirtschaftliche Zusammenarbeit mit dem chinesischen Nachbarn in hohem Maße angewiesen ist.

Inwieweit die am 12. Juni 2018 in Singapur verabschiedete gemeinsame Erklärung Donald Trumps und Kim Jong-uns tatsächlich die Basis für einen verifizierbaren Denuklearisierungsprozess und einen koreanischen Friedensprozess bilden wird, bleibt abzuwarten. Bislang steht US-Zugeständnissen (Donald Trump hat beispielsweise ein für August geplantes gemeinsames Militärmanöver mit Südkorea abgesagt) nur die vage Zusage Nordkoreas gegenüber, die atomare Abrüstung der koreanischen Halbinsel voranzutreiben. Zudem herrschen schon jetzt berechtigte Zweifel daran, ob Kim Jong-un sich an seine in Singapur getroffene Zusage hält. Denn Satellitenbilder zeigen angeblich, dass Nordkorea, statt abzurüsten, weiter an seinen nuklearen Fähigkeiten feilt.

Gerade weil die Entscheidungskraft der Vereinten Nationen oft an ihre Grenzen stößt, sind andere, informellere Formate der internationalen Politik an Bedeutung gewachsen. Dazu zählen Gipfeltreffen, wie das in Singapur, aber auch Gremien wie die G7, G8 oder G20 sowie grenzüberschreitende zivilgesellschaftliche Kampagnen. Um die beiden letzteren Formate soll es im Folgenden gehen.

Lieber tanz ich als G20?

Man kann die Vereinten Nationen ob ihrer mangelnden Erfolge, ob ihrer ineffizienten Arbeitsweise kritisieren. Der Vorwurf gegenüber den G7-, G8- oder G20-Gipfeln ist häufig ein anderer: »fehlende Legitimität«.

»Die Reichsten sitzen unter sich und sagen dem Rest der Menschheit, was für ihn gut ist. Das ist Kolonialismus 2.0«, donnerte beispielsweise Stephan Ueberbach, der Berlin-Korrespondent des SWR.[31] Freihandel, Klimaschutz, Hilfe für Afrika – diese Themen gingen alle an, so lautete sein Argument, deswegen gehörten sie auch dahin, wo alle versammelt sind: »Nämlich in die Vereinten Nationen. Da haben auch die Armen eine Stimme.«

In einer idealen Welt würden sich demokratisch gewählte Regierungen selbstverständlich zur Lösung der Probleme, so es sie denn noch geben sollte, am UN-Hauptsitz in New York treffen und in gewaltfreier Kommunikation optimale Lösungen suchen. Doch 2018 leben wir in einer Welt, in der es kaum gelingt, schon einen vergleichsweise kleinen Staat wie Kolumbien endgültig zu befrieden, geschweige denn einen zum Regionalkonflikt eskalierten Bürgerkrieg in Syrien zu stoppen. Wie soll es dann möglich sein, derart komplexe Themen wie Weltwirtschaftskrisen oder Freihandel in einer knapp 200-köpfigen Gruppe einvernehmlich zu lösen, deren Mitglieder beileibe nicht alle demokratisch legitimiert sind?

Ich stimme deswegen eher Ueberbachs SWR-Kollegen Peter Heilbrunner zu, der in seiner Replik kontert: »Wer den Klimaschutz vorantreiben, die Stabilität des Finanzsystems festigen oder die Globalisierung gestalten möchte, der kommt an solchen informellen Treffen nicht vorbei.«[32] Das Miteinandersprechen an sich sei ein Wert. Das stimmt.

Das G20-Format ist weltpolitisch zurzeit das einzige Format, bei dem die wirklich großen und wichtigen Länder, nämlich die USA, Russland und China, um mal die drei allerwichtigsten zu nennen, mit anderen relevanten Partnern tatsächlich auf der Ebene der Staats- und Regierungschefs zusammensitzen. Früher, vor zwanzig oder dreißig Jahren, musste man auf das nächste »Working funeral«, also auf das nächste Staatsbegräbnis warten, um eine solche Gelegenheit zu haben. Wir sollten froh sein, dass sich die Staatschefs jetzt regelmäßig treffen, um zu beraten, wie sie die brennendsten Fragen der Welt beantworten können.

Im Unterschied zu den Vereinten Nationen treffen sich beim G20-Gipfel nicht Botschafter, die aufgrund von Weisungen aus ihren Hauptstädten agieren, sondern es treffen die Putins, die Xi Jinpings, die Merkels und die Macrons höchstpersönlich zusammen. Deswegen haben solche Treffen einen ganz besonderen Wert.

Bis 2014 gab es das sogenannte G8-Format, in dem die großen westlichen Industrienationen mit Russland zusammensaßen. Das gibt es seit der russischen Intervention in der Ukraine leider nicht mehr, denn Moskau wurde im Zuge dessen von den Treffen ausgeschlossen. Ich persönlich hielt es für einen Fehler, das G8-Format zu suspendieren oder aufzugeben. Wie will man verhandeln, wenn man nicht miteinander spricht? Und mir war klar: Wer jemanden zur Tür rausschmeißt, muss wissen, unter welchen Bedingungen er ihn später wieder reinlässt – ohne Gesichtsverlust. Diese Weisheit stammt übrigens – hier in etwas abgewandelter Form – von Herbert Wehner, dem legendären Chef der SPD-Fraktion aus den 1970er-Jahren.

Ich hatte damals, 2014, vorgeschlagen, nicht den G8-Gipfel im russischen Sotchi abzusagen, sondern stattdessen Putin mitzuteilen, dass alle anderen mit ihm nur einen einzigen Tagesordnungspunkt besprechen wollen, nämlich die Krim. Dann hätte er den Schwarzen Peter gezogen und den Gipfel selbst absagen oder das Diktat der »7« schlucken müssen. Solche Vorschläge stießen damals leider auf taube Ohren. Jetzt ist die G20 der einzige verbleibende multilaterale Rahmen, in dem die westliche Welt Putin persönlich zumindest ins Gespräch einbinden kann. Denn die Tür zur G8 kann eigentlich nur dann wieder aufgehen, wenn entweder der Westen nachträglich die Annexion der Krim durch Russland schluckt – oder Putin seinerseits die Annexion rückgängig macht. Beides höchst unwahrscheinlich und nicht ohne Gesichtsverlust der einen oder anderen Seite möglich. Also ist das G8-Format auf längere Sicht leider praktisch tot.

Um noch ein letztes Mal auf die Dayton-Verhandlung zurückzukommen: Die Kontaktgruppe, die die Verhandlungen begleitete, war ein informeller, zusammengewürfelter und formal von niemandem legitimierter Klub. Fünf Staaten – die USA, Frankreich, Großbritannien, Russland und Deutschland – hatten sich zusammengefunden, um die Verhandlung über Bosnien voranzubringen. Der UN-Sicherheitsrat stimmte am Ende zu, froh, dass es zu einer Friedenslösung gekommen war. Wer würde sich denn ernsthaft hinstellen und sagen: »Das friedliche Ergebnis erkennen wir nicht an; die Kontaktgruppe hätte es nie geben dürfen, weil der UN-Sicherheitsrat zuständig gewesen wäre«?

Für Themen wie die Zuverlässigkeit des Weltfinanzsystems, Flüchtlingsströme, aber auch Probleme wie Terrorismus, Korruption und die Frage afrikanischer Entwicklungspolitik, braucht es übergreifende Lösungen. Dafür müssen Staatschefs und Regierungen auch informell miteinander reden können.

Wir brauchen die G20 deshalb dringender denn je. Hamburg war 2017 für eine Woche die Welthauptstadt der Außenpolitik – und wie sich unter dem Titel »Lieber tanz ich als G20« dazu eine Protestbewegung formieren konnte, war für mich Ausdruck einer unfassbaren Ignoranz gegenüber den globalen Realitäten. Das soll nicht heißen, dass ich es für falsch halte, dass zivilgesellschaftliche Organisationen aus Anlass des G20-Gipfels zu Demonstrationen aufriefen. Im Gegenteil: Ich bin sehr dafür, dass die Zivilgesellschaft sich stärker in die politische Diskussion einbringt. Dann aber nicht schlicht durch Neinsagen. Das G20-Prinzip kategorisch abzulehnen, ist das Gegenteil von konstruktiv. Glücklicherweise gibt es aber jede Menge Beispiele, bei denen zivilgesellschaftliches Engagement deutlich konstruktiver ist – ja sogar wirksam zur Lösung globaler Probleme beigetragen hat.

Bis vor wenigen Jahren war Politik fast ausschließlich eine Aufgabe für Regierungen. Heute ist das anders. Heute spielen

Amnesty International, der BDI, Human Rights Watch, Ärzte ohne Grenzen und andere Gruppen eine ähnlich große Rolle wie staatliche Instanzen.

Vor Jahren wurde beispielsweise die Idee eines weltweiten Landminenverbots durch private Gruppen so weit vorangetrieben, dass das Verbot am Ende tatsächlich Gestalt annahm. Sechs Nichtregierungsorganisationen – Handicap International, Human Rights Watch, medico international, die Mines Advisory Group, Physicians for Human Rights und die Vietnam Veterans of America Foundation – hatten 1992 eine Mobilisierungskampagne gestartet, um die durch Landminen verursachten humanitären Krisen zu bekämpfen. Zunächst bauten sie durch Rekrutierung weiterer nicht-regierungsnaher Unterstützer öffentlichen Druck auf. So entstand 1995 die »International Campaign to Ban Landmines« (ICBL), zu Deutsch Internationale Kampagne für das Verbot von Landminen, als ein Netzwerk von über 1200 NGOs in neunzig Ländern. Zum symbolträchtigen Sitz wurde Genf auserkoren.

Im zweiten Schritt suchte man nun gezielt Koalitionen mit gleichgesinnten Staaten. Im Dezember 1997 wurde dann von mehreren Ländern im kanadischen Ottawa der »Mine Ban Treaty«, die sogenannte Ottawa-Charta, unterzeichnet. Das Ganze war mit einer modernen Medienstrategie vorbereitet worden – damals noch weitestgehend ohne Internet und digitale Kommunikationsnetze – und erreichte durch Beteiligung von Lady Di und einer professionellen Foto-Kampagne via Regenbogenpresse auch die breite Öffentlichkeit.

Diese Strategie führte zu einem bis dahin beispiellosen Erfolg, nämlich einem völkerrechtlichen Verbot einer konventionellen Waffenart: Landminen. Es trat am 1. März 1999 in Kraft. Nicht nur aufgrund dieses Ergebnisses, sondern vor allem wegen der Art der Kampagnenführung selbst wurde die ICBL mit ihrer Koordinatorin Jody Williams 1997 als Modell einer neuen Friedenspolitik mit dem Friedensnobelpreis ausgezeichnet.

Aber: »Die Landminenkampagne, so positiv sie an sich auch zu bewerten ist, offenbart auch das schwindende Vertrauen in die UN-Diplomatie – schließlich konnte das Landminenverbot gerade deshalb verhältnismäßig schnell verankert werden, weil der Normsetzungsprozess von interessierten staatlichen und nicht-staatlichen Akteuren nach außen verlagert wurde«[33] – also außerhalb etablierter internationaler Institutionen stattfand, schrieben die Politikwissenschaftlerinnen Tanja Brühl und Elvira Rosert. Denn faktisch wurden die Vereinten Nationen auf diplomatischer Ebene umgangen. Wer die G20 wegen Umgehung der UN kritisiert, müsste also auch solche Normfindungsprozesse bemängeln.

Und auch wenn sich unzählige Menschen in NGOs engagieren und sie durch Spenden unterstützen, stellt sich hier zusätzlich die Frage demokratischer Legitimität: Wie transparent und rechenschaftspflichtig sind die internen Entscheidungsprozesse dieser Organisationen? Wer wird in welchem Verfahren in zentrale Positionen gewählt, wenn Wahlen überhaupt stattfinden? Gibt es Möglichkeiten demokratischer Kontrolle? Wer kontrolliert die Einhaltung von Regeln und den ordentlichen Umgang mit Finanzen?

Die Welt wird hyperpolar

Das relative Anwachsen von NGOs auf der ganzen Welt führt auch schnell zur nächsten Frage: Wann ist der Punkt erreicht, dass der eine oder andere nichtstaatliche Akteur bei den Vereinten Nationen mitreden sollte? Welche Organisation könnte das sein? Welche Organisation müsste das sein? Wie kann man das organisieren? Das sind schwierige Organisations- und Gestaltungsfragen, denen sich die internationale Politik in den nächsten Jahren widmen muss. Ganz zu schweigen davon, dass viele – nicht nur die autoritär geführten – Mitgliedstaaten der UN einer zivilgesellschaftlichen Öffnung der Organisation eher skeptisch gegenüberstehen.

Diskutiert wird derzeit oft die enorm gewachsene Macht großer Konzerne. Aber auch der Einfluss kleinerer Akteure wächst unaufhaltsam. Wenn wir die wachsende Bedeutung von NGOs mit den technischen Neuerungen verknüpfen, die sich gerade explosionsartig in der Welt verbreiten, dann kann einem leicht schwindelig werden: Die Büchse der Pandora ist nämlich längst geöffnet. Was ist, wenn sich nichtstaatliche Akteure mithilfe moderner Technologien, die nicht mehr staatlicher Kontrolle unterliegen, in das politische Geschehen einmischen – sei es durch Hacking, sei es durch die Manipulation von Wahlen, sei es durch das Lahmlegen des Kühlwasserkreislaufs eines Kernkraftwerks mittels eines Cyber-Angriffs? Was wäre, wenn es einer Gruppe gelänge, die Ampelanlagen von Großstädten lahmzulegen: Wie viel wirtschaftlicher Verlust ergibt sich daraus? Und wie verhindert man einen Cyber-Angriff gegen die heimische Gesundheitsversorgung? Wen stellt man vor welches Gericht, wenn infolge eines internationalen Cyber-Angriffs die Elektrik eines Krankenhauses ausfällt und Menschen sterben?

Mittlerweile hat der engagierte Bürger, aber auch der einzelne Terrorist durch moderne Technologien enorme potenzielle Machtmittel an die Hand bekommen, die ihm der Staat kaum mehr nehmen kann. Um den Sicherheitsgefahren der Cyber-Technologie staaten- und organisationsübergreifend zu begegnen, braucht es Gremien, bei denen sich die Fachleute vertrauensvoll begegnen können.

Die Münchner Sicherheitskonferenz (MSC), die 1963 gegründet wurde und deren Leitung ich 2008 übernommen habe, ist ein solcher Ort. Ursprünglich war sie eine internationale Fachtagung, die »Internationale Wehrkundebegegnung«, auf der vor allem Sicherheitspolitiker und Militärs zusammenkamen. Sie wird privat organisiert und ist keine Regierungsveranstaltung. In den Jahrzehnten des Kalten Kriegs ging es im Kern um eine einzige Frage, nämlich die Glaubwürdigkeit westlicher Abschreckungsstrategien gegenüber der damaligen Sowjetunion. Ewald von Kleist, der Gründer der »Wehrkundebegegnung«, glaubte, die Deutschen müssten sich stärker als bislang an der Debatte innerhalb der NATO beteiligen, wollten sie nicht zum reinen Objekt der Strategien der Supermächte werden. Mit der Wehrkundebegegnung schuf er das Forum für diesen Diskurs. Heute behandeln wir eine Vielzahl verschiedenster sicherheitspolitischer Herausforderungen, von der Terrorismusbekämpfung über die Konflikte im Nahen Osten und die atomare Nichtverbreitungspolitik bis hin zu Fragen von Cyber- und Energiesicherheit. Die MSC ist so ein zentraler Ort der internationalen Außenpolitik geworden. Hier werden keine Beschlüsse gefasst und auch keine Kommuniqués veröffentlicht. Hier wird einfach nur nach Lösungen und Antworten gesucht und oft heiß debattiert. Und genau deswegen kommen Präsidenten, Ministerpräsidenten, Minister verschiedenster Fachrichtungen mit CEOs, Professoren und Generälen in München jedes Jahr gern zusammen.

2018 waren da: mehr als 30 Staats- und Regierungschefs, darunter die britische Premierministerin Theresa May, der Emir von Katar sowie die französischen, israelischen und türkischen Ministerpräsidenten. Außerdem haben über hundert weitere Minister aus aller Welt teilgenommen. Unter den zahlreichen Außenministern waren Sigmar Gabriel aus Deutschland, Sergej Lawrow aus Russland, Irans Mohammed Dschawad Sarif und Adel al-Dschubeir aus Saudi-Arabien. Die Verteidigungsministerinnen Deutschlands und Frankreichs, Ursula von der Leyen und Florence Parly, haben den ersten Konferenztag eröffnet. Auch UN-Generalsekretär Guterres, EU-Kommissionspräsident Juncker, NATO-Generalsekretär Stoltenberg und der nationale Sicherheitsberater der USA, McMaster, zählten zu meinen insgesamt etwa 500 Gästen. Der frühere NATO-Botschafter der Vereinigten Staaten, Ivo Daalder, bezeichnete die Sicherheitskonferenz daher auch einmal als die »Oscar-Verleihung für die Sicherheitspolitik«.

Wenn man eine solche Veranstaltung organisiert, dann stellt sich die Frage, wen man sinnvollerweise einlädt. Wenn man über den Krieg in Syrien reden will, dann muss man natürlich die iranische Regierung einladen und natürlich auch einen Vertreter der syrischen Opposition. Aber man muss eben auch Reporter ohne Grenzen oder Amnesty International einladen. Zudem ist Sicherheit längst keine rein militärische Frage mehr, bei der vor allem Generäle zu Wort kommen müssen. Wer heute über globale Sicherheit reden will, kann Finanzkrisen, Rohstoffkrisen und Klimawandel nicht ausklammern.

Deswegen ist das heutige Teilnehmerfeld der Münchner Konferenz nicht nur geografisch sehr weit gestreut, sondern spiegelt auch ein sehr umfassendes Verständnis von Sicherheit wider. Unter den Teilnehmern im Hotel Bayerischer Hof sind immer noch viele Verteidigungsminister, aber auch viele CEOs, Hightech-Unternehmer, Wirtschaftsverbände, Menschenrechtler, Umweltschützer und andere Führungspersönlichkeiten der globalen Zivilgesellschaft. Die meisten der Debatten werden heute live in Fernsehen und Internet für die Öffentlichkeit übertragen. Ein Millionenpublikum kann den Debatten nun von zu Hause aus folgen und über die sozialen Medien sogar aktiv daran teilnehmen.

Weil die Themenvielfalt so groß ist, gibt es ergänzend zum Plenum der Münchner Sicherheitskonferenz viele Nebenveranstaltungen zu unterschiedlichsten Themen, einschließlich zum Beispiel zu spezifischen regionalen Krisen. Außerdem veranstalten wir MSC-Konferenzen zu besonderen Themen an ausgewählten Orten überall auf der Welt. Beim Cyber Security Summit in Tallinn im Mai 2018 beispielsweise wurden Themen der Cyber-Sicherheit behandelt – die Gefahr der digitalen Einflussnahme auf demokratische Prozesse, der Schutz von kritischer Infrastruktur und die Effektivität von Normen im Cyberspace.

Seit 2009 veranstaltet die Münchner Sicherheitskonferenz außerdem jährlich »Core Group Meetings« an wechselnden Orten. Einem hochrangigen Teilnehmerkreis von Ministern, CEOs, Parlamentariern und anderen Entscheidungsträgern wird die Möglichkeit gegeben, im kleinen Rahmen mit Persönlichkeiten aus den jeweiligen Staaten, in denen die Treffen stattfinden, über wichtige Themen der internationalen Sicherheitspolitik zu diskutieren.

Dass das nicht nur meine Mitarbeiter und ich für eine gute Idee halten, wurde uns 2017 zum dritten Mal in Folge durch die University of Pennsylvania bestätigt, die die Münchner Sicherheitskonferenz erneut als beste »Think Tank Conference« der Welt ausgezeichnet hat. Und auch 2018 war die MSC wieder unter den allerbesten.

All diese Treffen dienen dem Ziel, in einer gefährlicher und ungeordneter gewordenen Welt Institutionen und Regeln zu stärken, also eine »regelbasierte globale Ordnung« zu erhalten und wiederherzustellen. Diese Aufgabe wird angesichts einer zunehmend komplexen Welt nicht einfacher, aber immer wichtiger. Es wäre zu wenig, sie einfach vor dem Hauptsitz der Vereinten Nationen abzuladen und auf das Beste zu hoffen.

8

Europa – Nur gemeinsam stark

Vom Krisentourismus zum Krisenmanagement

Der Krieg in Syrien und seine Folgen für Europa sollten uns gezeigt haben, dass wir uns aus Konflikten jenseits unserer Grenzen nicht heraushalten können. Aber sind wir bereit, für den Erhalt der internationalen Ordnung glaubwürdig einzutreten? Was muss geschehen, damit man uns, die EU, in Moskau oder auch in Peking ernst nimmt? Diesen unangenehmen Fragen können wir nicht mehr ausweichen. Damit stellen sich neue Anforderungen und Erwartungen an uns Europäer. Vor allem wenn wir uns immer weniger darauf verlassen können (und wollen), dass die USA willens und in der Lage sind, im Notfall auch dort aufzutauchen, wo zwar unsere, aber nicht ihre eigenen Interessen unmittelbar berührt sind.

Für die deutsche Außenpolitik gilt nach wie vor: Ohne Europa ist alles nichts. Auf die Unsicherheiten der Gegenwart mit einem Rückzug in die Kleinstaaterei des 19. Jahrhunderts zu reagieren wäre ein Holzweg, der weder Frieden noch Wohlstand bringt. Es gibt kein wichtigeres außenpolitisches Interesse für Deutschland, als ein stabiles europäisches Umfeld zu schaffen und zu erhalten. In den vergangenen Jahrzehnten haben wir immens von einem friedlichen Europa profitiert – politisch und wirtschaftlich integriert in die Europäische Union, sicherheitspolitisch verankert in der NATO. Damit das auch so bleibt, wird Deutschland allerdings wesentlich mehr tun müssen als zuvor.

Die europäische Integration ist für Deutschland nicht nur ein unersetzbares Friedensprojekt, sondern eine strategische Notwendigkeit. Wenn die Bundesrepublik heute in Harmonie mit all ihren Nachbarn lebt, ohne territoriale oder sonstige Auseinandersetzungen, dann doch nicht zuletzt wegen einer EU, in der die Kleinen nicht von den Großen herumgeschubst oder gar bedrängt oder angegriffen werden. Die EU ist die zentrale Bedingung dafür, dass unsere kleineren Nachbarn das Wohlergehen des wiedervereinigten Deutschland heute, anders als am Ende des 19. oder in der ersten Hälfte des 20. Jahrhunderts, nicht als bedrohlich, sondern als Vorteil für sich selbst definieren.

Doch das europäische Projekt ist heute so gefährdet wie seit Jahrzehnten nicht mehr. Gerade in diesen Tagen ist es wieder Mode geworden, das Heil in der Flucht ins Nationale, oder gar Nationalistische, zu suchen. Von Frankreich bis Finnland haben sich in den letzten Jahren national-populistische Parteien in ganz Europa ausgebreitet. Ihre Versprechen aber sind eine Sackgasse, eine Flucht aus dem 21. Jahrhundert zurück ins verhängnisvolle 20. Jahrhundert. Im Angesicht dieser Entwicklung ist es vorstellbar, dass Europa zurück ins Chaos fallen könnte. Aber selbst wenn dieser »schlimmste Fall« nicht eintritt, wäre ein dauerhaft zerstrittenes, von einer Krise in die nächste stolperndes Europa eine schwere, ja existenzielle Belastung.

Während jeder politisch interessierte Amerikaner die Liste der amerikanischen Präsidenten halbwegs vollständig aufsagen kann, werden die meisten Europäer eher achselzuckend reagieren, wenn man nach den bisherigen EU-Kommissionspräsidenten fragt. Die Kanzler und Bundespräsidenten der Bundesrepublik aufzuzählen würde dagegen den sportlichen Ehrgeiz der meisten Bildungsbürger wecken. Auch die Franzosen wüssten sicher die Namen ihrer Präsidenten.

Aber die Köpfe Europas? Wenn Sie nachdenken wollen: Es

sind zwölf, die seit 1967 bis heute an der Spitze der Kommission standen. Oder wüssten Sie den Namen des ersten und einzigen Präsidenten der EWG, der Europäischen Wirtschaftsgemeinschaft? Es war ein Deutscher namens Hallstein, und er amtierte von 1958 bis 1967.

Wenn Jean-Claude Juncker, der aktuell amtierende Präsident der Europäischen Kommission, seine Rede zur Lage der Europäischen Union hält – und das tut er jedes Jahr –, dann werden noch nicht mal die meisten Menschen in Europa wissen, dass es eine solche Rede gibt, geschweige denn ihr zuhören. Wenn hingegen der Präsident der USA seine Rede zur Lage der Nation hält, dann ist das ein globales Nachrichtenthema. Das liegt nicht am Termin, denn der letzte Dienstag im Januar ist auch nicht weniger willkürlich gewählt als der europäische Septembertermin. Und das liegt auch nicht daran, dass der amerikanische Präsident zu einem Volk von über 300 Millionen Menschen spricht; denn der europäische Präsident adressiert über 500 Millionen EU-Bürger.

Es hat vermutlich auch gar nicht so viel mit der mangelnden militärischen Bedeutung Europas zu tun, die leider weder seiner Größe noch seiner wirtschaftlichen Potenz entspricht. Es hat vor allem damit zu tun, dass die europäischen Regierungen ihr Land und sich selbst viel wichtiger nehmen als die EU. Und viel zu oft muss »Brüssel« als Sündenbock für sie herhalten.

»Die da in Brüssel« – Sündenbock EU

Wenn man den nationalen Politikern heute zuhört, dann gibt es ein wiederkehrendes Narrativ, das sich in den 24 Amtssprachen, die in der EU gelten, erstaunlich gleicht: Wenn irgendetwas nicht funktioniert, dann ist es die Schuld der EU. Gibt es jedoch frohe Botschaften, dann sind das gerne nationale

Verdienste, die am besten gegen Brüssel oder die anderen EU-Staaten durchgesetzt wurden. Der jüngste EU-Gipfel in Brüssel im Juni 2018, der vom Thema Asylpolitik dominiert wurde, hätte dies eindrücklicher nicht zeigen können. Brüssel ist die kürzeste Ausrede für jeden politischen Misserfolg. Solche Darstellung ist aus der Sicht des einzelnen Politikers natürlich plausibel. Schließlich wird der polnische Staatschef von Polen und nicht von Dänen, Italienern oder Bulgaren gewählt. In Belgien entscheiden nicht die Kroaten, in Rumänien nicht die Finnen. Die fatale Folge dieses nationalen Erfolgsnarrativs aber ist: Brüssel wird in gewisser Weise das Opfer eines kollektiven europäischen Polit-Mobbings.

Bedenken gegen die EU gab es in der Geschichte immer wieder: In Deutschland fürchtete in den 1950er-Jahren die SPD, die europäische Integration könnte ein Hindernis für eine mögliche Wiedervereinigung werden. Heute wissen wir, dass die Wiedervereinigung ohne die Einbindung Deutschlands in die Europäische Gemeinschaft und in die NATO nicht möglich gewesen wäre. Frankreichs Staatspräsident Charles de Gaulle sperrte sich in den 1960er-Jahren gegen die Union, weil er um die Souveränität der Grande Nation fürchtete.

Noch stärker bangte Großbritannien um seinen Status als Weltmacht und trat 1973 nur zögernd der Union bei, weil die parallel gegründete und als loser Staatenverbund angelegte Europäische Freihandelsassoziation EFTA nicht so richtig in die Gänge kam. Der Protest gegen die europäische »Bevormundung« gehörte stets zur Begleitmusik britischer Politik. In den nächsten Jahren, wenn der Brexit vollzogen ist, werden wir sehen, ob und welche Machtstellung das Vereinigte Königreich in der Welt einnehmen wird. Schon jetzt wächst bei vielen in London die Angst, die eigene Bedeutung könne auf das Niveau einer kleinen Insel im Nordwesten des europäischen Kontinents schrumpfen.

Die Visegrád-Staaten Polen, Tschechien, Ungarn und die

Slowakei, die sich 1991 zusammengetan hatten, drängten zunächst mit aller Kraft darauf, in die EU und die NATO aufgenommen zu werden. In letzter Zeit sind aber besonders in Ungarn und Polen nationale Kräfte an der Macht, die sich durch populistische Abgrenzung und regionale Sonderwege hervortun.

Ihre Argumente gegen die darüber geäußerte Kritik westeuropäischer Staaten sind denen nicht unähnlich, die lange Zeit von China als Gegenwehr zu westlichen Forderungen nach Menschenrechten oder Klimaschutz vorgetragen wurden: »Ihr habt euren Wohlstand erarbeitet, indem ihr euch jahrhundertelang durch Kolonialismus, Sklaverei und Ausbeutung globaler Ressourcen auf Kosten aller anderen bereichert habt – und jetzt sollen ausgerechnet wir auf euch hören und Rücksicht nehmen?«

Aufgrund der neuen nationalistischen Stimmungen schien es in letzter Zeit, als würde die Europäische Union erodieren. Doch es geht der EU wohl wie Mark Twain: Der amerikanische Schriftsteller erklärte Journalisten, die wegen Berichten über sein angebliches Ableben angereist waren: »Die Nachricht von meinem Tod ist stark übertrieben!«

Auch die EU ist zum Glück noch quicklebendig. Die europäische Idee, das ist auch heute noch eine großartige Idee. Ich würde sogar noch einen Schritt weiter gehen: Wenn die Idee der europäischen Integration nicht damals von Robert Schuman, Alcide de Gasperi und Jean Monnet vorangetrieben worden wäre, dann müsste man sie heute noch viel dringlicher erfinden und propagieren – und zwar aus einem doppelten Grund.

237

Der ursprüngliche Europagrund war die Beendigung europäischer Bruderkriege, insbesondere zwischen Deutschland und Frankreich. Nie wieder Krieg! Das war das Europa-Motto der Generation von Helmut Kohl. Das hat die Gründergeneration, die die Einigung bis zur deutschen Einheit an- und vorangetrieben hat, motiviert.

Der Gedanke »Nie wieder Krieg!« ist keineswegs obsolet geworden. Im Gegenteil: Wir erleben derzeit fast täglich, wie dünn der Firnis der Friedenspolitik ist, der seit dem Zweiten Weltkrieg über Europa gelegt worden ist.

Tatsache ist aber, dass in unserer unmittelbaren Nachbarschaft, nämlich im früheren Jugoslawien, vor gar nicht langer Zeit mörderische Bruderkriege stattfanden, mit Hunderttausenden von Toten. Mit ähnlicher Qualität des Hasses und der Mordlust, wie wir sie in Europa in den Jahrhunderten vorher zu beklagen hatten.

Selbst heute, da das erste Fünftel des 21. Jahrhunderts fast vorüber ist, ist die Kriegsgefahr in Europa keineswegs gebannt. Unter der Oberfläche brodelt es. So sind wir von dauerhafter Stabilität auf dem Westbalkan nach wie vor weit entfernt. Und in der Ukraine wird weiterhin scharf geschossen, keine zwei Flugstunden von Frankfurt entfernt!

Natürlich ist die europäische Einigung ein großer Erfolg: 28 Mitgliedstaaten in der EU, 29 in der NATO und mittendrin ein wiedervereinigtes Deutschland. Wurde hier nicht ein Traum wahr?

Einerseits ja. Andererseits sehen wir in Teilen Europas Krisen und Instabilität, ethnische Zwietracht, territoriale Konflikte, massive wirtschaftliche Probleme und Furcht vor Intervention aus dem Ausland. Viele der »Zwischen-Staaten«, angesiedelt zwischen der EU und Russland – von Weißrussland und Moldawien über Georgien und die Ukraine bis hin zu

Aserbeidschan und Armenien – sind noch nicht fest in einer stabilen europäischen Sicherheitsordnung verankert. Und auch innerhalb der EU steht manches infrage, nicht nur infolge des Brexit oder zum Beispiel auch der Katalonien-Krise. Wenn man die politischen Zentrifugalkräfte betrachtet, die sich durch nationalistische Strömungen in Frankreich, in den Niederlanden, in Polen, Ungarn und zahlreichen anderen europäischen Staaten in den letzten Jahren zunehmend lautstark manifestiert haben, dann wird deutlich, dass Konfliktverhinderung in Europa existenziell ist. Es ist eine hochaktuelle zentrale Herausforderung europäischer Innen- und Außenpolitik. Europa ist noch nicht zur Ruhe gekommen.

Doch genau in diesen Zerfallserscheinungen liegt der Kern des zweiten wesentlichen Arguments für die Notwendigkeit einer Europäischen Union: Der Nationalstaat hat sich als Heilsbringer überlebt. Ich möchte nicht falsch verstanden werden: Der Nationalstaat in Europa ist nicht obsolet, er erfüllt weiterhin wichtige Funktionen. Aber er bekommt überall seine Grenzen aufgezeigt.

Über die Wohlstandskurve in Deutschland wird heute in Schanghai oder New York mindestens genauso wie in Berlin mitentschieden. Terrorismus, Klima, Umweltkatastrophen, nukleare Proliferation: Nur bis zu einem bestimmten Grad kann der Nationalstaat gegen solche Bedrohungen alleine etwas ausrichten. Die Herausforderungen von heute und morgen spüren die Bürger zwar deutlich, ihre Ursachen liegen aber zu einem großen Teil jenseits des Staatsgebiets – und damit außerhalb des nationalstaatlichen Zugriffs.

Als ich als Botschafter in London im Europa-Ausschuss des britischen Oberhauses über die Zukunft Europas vorzutragen hatte, hielt mir ein britischer Lord empört vor: »Dear Ambassador, wir brauchen die EU nicht; wir haben das Commonwealth!«

Dieser Lord ist, genauso wie alle anderen Brexit-Befürworter, schlicht auf dem Holzweg. Ich habe dem Lord damals die Frage gestellt:»Glauben Sie wirklich, dass bloß wegen des Commonwealth der Ministerpräsident Indiens Ihnen oder der britischen Regierung mehr als nur einen Höflichkeitsbesuch einräumt?«

Er hat die Frage durchaus verstanden: Wenn hingegen jemand in Delhi erscheint, der den größten Handels- und Exportmarkt der Welt, nämlich die EU, mit 500 Millionen Menschen vertritt, dann ist das auch für Indien eine relevante Größe. Und dann darf man die Erwartung haben, dass der EU-Vertreter anders als der Vertreter eines Kleinstaates tatsächlich ernst genommen wird. Die Europäische Union ist für die europäischen Kleinstaaten der Rettungsanker, um im Rest der Welt überhaupt gehört zu werden.

Ein aktuelles Beispiel: Während ich an diesem Kapitel schreibe, im Frühsommer 2018, brodelt im transatlantischen Verhältnis gerade der Streit um Einfuhrzölle auf Stahl- und Aluminiumimporte, mit denen Trump auch die EU belegt hat. Keiner weiß, wie sich der Streit weiterentwickeln wird. Aber klar ist: Auf Dauer treffen solche Zölle die europäische und dann auch die globale Wirtschaft empfindlich. Es ist ein kurzsichtiges, auch innenpolitisch und wahlkampftaktisch motiviertes Vorgehen Trumps. Aber um Sinn, Unsinn und Rechtmäßigkeit seiner Politik geht es hier nicht. Die Frage ist: Was haben wir dem entgegenzusetzen? Die EU-Kommission hat mit Gegenankündigungen reagiert, die u. a. Zölle auf US-Whiskey und Harley-Davidsons vorsehen. Die Handelspolitik ist in der EU vergemeinschaftet, die EU spricht und handelt für die Mitgliedstaaten. Das führt dazu, dass solche Ankündigungen durchaus Gewicht haben. In der Handelspolitik ist die EU eine Macht, weil sie mit einer Stimme – der Stimme der EU-Kommission – spricht. Und diese Stimme ist kraftvoll.

Ja, keine Frage: Die Europäische Union ist eine Dauerbaustelle. Und immer wieder hat der ein oder andere Bauarbeiter frustriert die Maurerkelle in die Ecke geworfen. Das ging schon 1954 los, als die Europäische Verteidigungsgemeinschaft (EVG) scheiterte, weil Frankreich sich weigerte, den im Mai 1952 unterzeichneten EVG-Vertrag zu ratifizieren. Erst in den 1990er-Jahren wurden wieder Schritte in Richtung einer gemeinsamen Europäischen Sicherheits- und Verteidigungspolitik versucht. Und der Weg ist immer noch weit. Die Briten werden sich ungern erinnern, aber es gab eine Zeit, da wollten sie in die EU und durften nicht: 1963 verhinderte der französische Präsident Charles de Gaulle den britischen Beitritt zur Europäischen Gemeinschaft. Erst zehn Jahre später wurden die Briten aufgenommen. Wieder sechs Jahre später setzte Margaret Thatcher, die britische Premierministerin, den »Britenrabatt« durch, eine Senkung der britischen Beitragszahlungen zum gemeinsamen Haushalt – natürlich sehr zum Missfallen vieler anderer EU-Mitgliedstaaten, die schon allein deswegen heute wenig Bereitschaft zeigen, den Brexit besonders großzügig auszugestalten. 1992 wurde der Maastricht-Vertrag zur Währungsunion in einer Volksabstimmung in Dänemark mit 50,7 Prozent der Stimmen abgelehnt. Auch hier kam es in der Folge zu Ausnahmeregelungen für Dänemark.

Auch die institutionelle Reform, wie sie für die EU um die Jahrtausendwende anstand, war nicht konfliktfrei, denn sie bedeutete Machtverschiebungen. Wie das Beispiel der UN-Sicherheitsratsreform aus dem vorigen Kapitel schon zeigte: Niemand gibt gern Privilegien ab, niemand verzichtet gern auf Gestaltungsmöglichkeiten. Also wurde gestritten.

Zwar setzte man 1999 den Vertrag von Amsterdam in Kraft und 2003 den Vertrag von Nizza, aber das Institutionengefüge der EU bot immer noch Verbesserungsbedarf in Richtung mehr

Demokratie, Transparenz und Effizienz. Der nächste Versuch – diesmal wurde mühsam ein Verfassungsvertrag ausgehandelt – scheiterte 2005 an negativen Referenden in den Niederlanden und in Frankreich.

Der Vertrag von Lissabon, in dem der Einfluss des Europäischen Parlaments und auch die gemeinsame Außen- und Sicherheitspolitik gestärkt wurden, war der nächste Reform-Anlauf. Denn 2004 war es zu einer gewaltigen EU-Erweiterung gekommen: Gleich zehn Staaten waren der EU beigetreten. 15 Staatschefs konnte man noch nach den bisherigen Verfahren um den klassischen Konferenztisch versammeln. 25 waren dafür definitiv zu viel, erst recht, da man schon damals weitere Beitrittskandidaten im Blick hatte. Doch der Weg zum Vertrag war steinig und schwer.

2007 wurde er dann unterzeichnet, 2009 trat er in Kraft – aber er stand zunächst auf der Kippe: In Irland lehnte ihn die Bevölkerung in einem Referendum zunächst ab. 2009 gab es eine zweite Volksabstimmung, die positiv ausging. In Deutschland gab es kein Referendum, aber es kam zu Verfassungsklagen: Das Bundesverfassungsgericht befand den Vertrag prinzipiell für verfassungskonform, bestand aber auf Nachbesserungen in Details.

Seit 2014 wird auch das im Lissabon-Vertrag vereinbarte Verfahren umgesetzt, nach dem Entscheidungen im Rat der Europäischen Union mit »doppelter Mehrheit« getroffen werden: Es müssen also 55 Prozent der Staaten zustimmen und diese müssen gleichzeitig eine 65-Prozent-Mehrheit der europäischen Bevölkerung repräsentieren.

Mit dem Lissabon-Vertrag wurde zudem ein »Europäisches Bürgerbegehren« eingeführt, mit dem eine Million Menschen aus verschiedenen Mitgliedstaaten die Europäische Kommission zwingen kann, sich mit einem Thema zu beschäftigen. Das wurde seit 2012 schon mehrfach versucht, die Themen reichten von Regelungen der Kunststoffentsorgung über

Roaming-Gebühren bis zum bedingungslosen Grundeinkommen. Bislang war kein Begehren erfolgreich, die meisten scheiterten schon an der nötigen Zahl an Unterschriften. Aber solche neuen politischen Instrumente müssen erprobt und erlernt werden. In jedem Fall bieten diese Verfahren eine neue große Chance für ein noch besser demokratisch legitimiertes europäisches Einigungsprojekt.

Leichte Beute – Die Kakophonie europäischer Außenpolitik

Die Besorgnis mancher über die Zukunft der EU teile ich nicht. Die Unkenrufe, die EU zerfalle, bewahrheiten sich nämlich nicht. Die EU wird auch die nächsten Krisen überstehen. Sie sind Teil eines Reifeprozesses, der die Einigung vorantreibt und den Staatenbund stärker machen wird. Derzeit ist die EU nach siebzig Jahren Proklamation des Friedens dabei, sich den Fragen der inneren und äußeren Sicherheit zuzuwenden. Jetzt geht es darum, zu klären, wie sich die EU politisch und militärisch so aufstellen kann, dass sie als sicherheitspolitischer Akteur auf der globalen Bühne anerkannt und respektiert wird.

Die Vertretung unserer Interessen funktioniert dann am besten, wenn Europa mit einer Stimme spricht und gemeinsam handelt. Deswegen ist das bisher praktizierte Konsensprinzip bei außen- und sicherheitspolitischen Entscheidungen so hinderlich. Jede Entscheidung kann durch jedes einzelne Mitgliedsland ausgebremst werden. Wie kommt man da zu einer handlungsfähigeren europäischen Außenpolitik?

Natürlich können wir die Kakophonie der europäischen Außenpolitik noch ewig weiter fortsetzen. Da reist dann am Montag der französische Außenminister sagen wir nach Saudi-Arabien, um dem dortigen Kollegen seine Position zum Nahostkonflikt darzulegen. Am Dienstag kommt der dänische Außenminister und erzählt seinerseits, was er zu dem Konflikt denkt und rät. Am Mittwoch kommt der deutsche Außenminister, dessen Ansichten und Empfehlungen ganz leicht von den dänischen und französischen abweichen. Und wenn am Freitag dann der Minister aus Österreich antritt, hört der Saudi-Minister schon gar nicht mehr zu. Was aber wäre, wenn die EU mit einem klaren Plan auftreten und mit einer Stimme sprechen würde? Also weg vom Krisentourismus zu echter EU-Krisenpolitik. Darum muss es jetzt gehen.

Im Sommer 2017 gab es zwischen den USA und Europa Streit über Sanktionen gegen Russland. Der US-Kongress war im Begriff, ein Gesetz mit neuen und zusätzlichen Sanktionen gegen Russland zu verabschieden, die möglicherweise auch die Interessen bestimmter europäischer Energiekonzerne getroffen hätten. Der deutsche Außenminister Gabriel äußerte zusammen mit dem österreichischen Kanzler Kern öffentlich seine Entrüstung: Wir lassen uns nicht von Washington die europäische Energiepolitik vorschreiben. Dabei äußerte er den Wunsch, dass die anderen EU-Mitgliedstaaten in gleicher Weise reagieren und ebenso in Washington vorstellig würden.

Diesem Wunsch folgten indes nur wenige, weil viele offenbar eine andere Vorstellung von der europäischen Energiepolitik und Energieaußenpolitik haben als Deutschland und Österreich. In Polen, in den baltischen Staaten und der Ukraine beobachtet man mit Sorge, dass sich Europa mit der Nordstream-2-Gasleitung von der deutschen Ostsee bis nach St. Petersburg bei der Energiezufuhr noch abhängiger von russischem Gas – und damit von Moskau – zu machen droht.

Die Frage ist hier nicht, ob Nordstream 2 gut ist oder nicht. Die Frage ist, ob wir eine gemeinsame EU-Politik wollen oder nicht. Wer eine europäische Außenpolitik fordert, der kann sie nicht nur für Teile des außenpolitischen Spektrums wünschen. Wer eine gemeinsame Außenpolitik will, die diesen Namen verdient, der muss sich auch für eine gemeinsame Energieaußenpolitik einsetzen.

Ein anderes außenpolitisches Thema, das den Europäern in Zukunft mehr Geschlossenheit abverlangen wird, ist der Umgang mit dem immer selbstbewusster auftretenden China. Am Glauben, China könne ein »responsible stakeholder« der bestehenden liberalen Weltordnung werden, sind mittlerweile begründete Zweifel aufgekommen. Pekings völkerrechtlich fragwürdiges Vorgehen im Südchinesischen Meer, seine Gründung alternativer internationaler Institutionen und nicht zuletzt Xi Jinpings Herzensprojekt, die neue Seidenstraße (genannt »One Belt, One Road«), die es mit Standards der Transparenz und Rechenschaftspflicht nicht allzu genau nimmt, sind nur einige wenige Gründe. Gerade »One Belt, One Road« hat aber auch gezeigt, wie leicht es China fällt, die Europäer auseinanderzudividieren. So haben sich 16 mittel- und osteuropäische Staaten mit China im Rahmen der 16+1-Gruppe zusammengetan – in der Hoffnung auf stärkere Investitionen Pekings. Eigene Interessen und Standards gegenüber der neuen Wirtschaftsgroßmacht durchzusetzen – auch, aber nicht ausschließlich im Bereich ausländischer Investitionen – wird den Europäern in Zukunft aber nur gelingen, wenn sie mit einer Stimme sprechen. Und kritische Worte gegenüber Peking werden mit der zunehmenden Abhängigkeit einzelner europäischer Staaten von China sicher nicht leichter.

Wir müssen uns also auf den schwierigen Weg einlassen, eine gemeinsame Außenpolitik festzulegen – und auf dem Weg dorthin auch bereit sein, notwendige und vielleicht auch schmerzhafte Kompromisse einzugehen.

Noch mal: Die Idee Europa ist eine großartige; zu Recht hat die EU im Jahre 2012 den Friedensnobelpreis erhalten. Neben Uneinigkeit ist aber ein weiteres Problem der EU, dass gemeinsame Projekte natürlich nur funktionieren, wenn sie auf Regeln basieren, die erstens klug konzipiert sind und zweitens auch eingehalten werden.

Leider haben wir manche dieser großen europäischen Gestaltungsprojekte – zum Beispiel Schengen, also die Abschaffung der Binnengrenzen, oder der Euro, also die gemeinsame Währung – als Schönwetterprojekte konzipiert und darauf vertraut, dass es schon nicht regnen wird.

Wie wir dann feststellen mussten, hat es mit der Finanz- und Eurokrise seit 2009 in unsere gemeinsame Währung kräftig hineingeregnet, und wegen der Flucht- und Migrationskrise seit 2015 wurde auch das Schengen-System von schweren Gewittern geplagt. Und obendrein mussten wir feststellen, dass wir für solche Regentage keinen verlässlichen Plan B aufgestellt hatten: keinen Krisen- und Notfallplan, um die notwendigen Rettungsaktivitäten auszulösen.

Beide Krisen haben wir halbwegs glimpflich überstanden, wenn sie auch noch nicht endgültig überwunden sind. Aber für die Zukunft ist klar, dass wir krisenresilientere Projekte brauchen. Das ist keineswegs unmöglich, zwingt aber zu neuen Auseinandersetzungen innerhalb der Europäischen Union. Es verlangt zunächst auch, Vertrauen zurückzugewinnen, nach innen und nach außen.

Wirtschaftliches Wachstum hilft dabei. 2016 und 2017 wuchs die EU-Wirtschaft erfreulicherweise wieder. Darauf kann man aufbauen. Denn nur wenn wir Wachstum produzieren, haben wir auch etwas zu verteilen. Und es ist nun einmal so, dass viele der ärmeren EU-Mitglieder, die von der EU mehr Leistungen erhalten, als sie in die Gemeinschaft abführen, die Wohltaten der EU-Gaben als konstitutives Element ihrer Mitgliedschaft betrachten. Oder etwas schlichter gesagt: Sie sind primär deshalb dabei, weil finanziell etwas für sie abfällt. Wachstum heißt Wohlstand, heißt Jobs, heißt weniger Jugendarbeitslosigkeit. Das zu gewährleisten ist eine große Generationenaufgabe für die EU.

Zudem brauchen wir bessere Mechanismen der finanziellen Stabilität. Am Ende muss einerseits sichergestellt sein, dass die Nettozahler nicht das Risiko eingehen, alte Schulden der europäischen Nachbarn und Partner übernehmen zu müssen. Andererseits können wir in dem Maße, in dem wir Haftungsrisiken reduzieren, Instrumente größerer Solidarität schaffen. Dazu gehört dann vielleicht auch ein europäischer Finanzminister, über den ja schon lange diskutiert wird. Gleichzeitig sollten Deutschland und die anderen Nettozahler bereit sein, die Diskussion über stabilere Strukturen offensiv, nicht defensiv zu führen. Das heißt ja nicht, dass morgen in Griechenland das Wohlstandsniveau Bayerns erreicht werden muss. Es heißt ja auch nicht, dass das Pro-Kopf-Einkommen in Bremen genauso hoch sein muss wie in München. Aber die Unterschiede dürfen sich nicht zu einer politischen Sprengkapsel auswachsen.

Zum anderen gibt es im Bereich der inneren Sicherheit dringenden Handlungsbedarf. Wir haben den Schengen-Raum, aber eine unzureichende grenzübergreifende Zusammenarbeit im Bereich der Polizei und der Geheimdienste. An der Frage, ob wir trotz offener Grenzen Terrorismus effektiv bekämpfen können, wird sich aber entscheiden, ob die europäischen Bürger der EU das Versprechen abnehmen, dass sie für ihre Sicherheit sorgt und die Kontrolle behält. Deshalb reicht es auch nicht, polizeiliche Zusammenarbeit in der EU in homöopathischen Dosierungen zu verstärken. Warum steht die Diskussion über ein europäisches FBI, aufbauend auf Europol, nicht viel weiter oben auf der Agenda?

Das deutsch-französische Tandem: Neu geölt?

Für diese und weitere sehr wichtige Fragen gibt es für Deutschland keinen besseren Partner als Frankreich, zumal unter Präsident Macron. Der hat seit seiner Wahl einige große europäische Ideen und Visionen vorgestellt – von der Reform der Eurozone bis zu einem gemeinsamen europäischen Verteidigungshaushalt. Die Große Koalition wird mit Frankreich nicht immer einer Meinung sein. Aber es darf nicht sein, dass jede französische Idee, die etwas verändern würde, gleich zerredet wird. Wir haben eine einmalige Gelegenheit, in den kommenden ein bis zwei Jahren Europa mit einem gestärkten deutsch-französischen Tandem – dem »couple franco-allemand«, wie es in Paris heißt – voranzubringen.

In den 1980er- und frühen 1990er-Jahren schrieben Helmut Kohl und François Mitterrand vor den Tagungen des Europäischen Rates gemeinsame Briefe, die eine Grundlage für die europäische Agenda und europäische Entscheidungen bilden konnten. Ganz so wird es nicht mehr gehen, die EU ist heute eine andere als damals. Aber wir brauchen diesen deutsch-französischen Motor dennoch. Dem europäischen Reformprozess täte es gut, wenn er von einer wiederbelebten deutsch-französischen Beziehung begleitet und aktiv gestaltet würde. Deshalb ist es gut, dass wir derzeit an einer Neuauflage des Élysée-Vertrags von 1963 arbeiten, die 55 Jahre später die Bedeutung unserer Freundschaft neu konzipiert: für ein ganz neues Zeitalter und unter völlig veränderten globalen Rahmenbedingungen. Genau dieses Ansinnen haben Abgeordnete des Bundestages und der französischen Nationalversammlung Anfang 2018 verkündet. Es ist eine gute Idee und steht sinnbildlich für die Notwendigkeit, alte Verbindungen zu stärken und aufzufrischen.

Deutschland, so höre ich oft, möchte ein ganz normales Land sein, wie jedes andere EU-Mitglied auch, und seine nationalen Interessen verfolgen dürfen. Aber wie kann es sein, dass es ausgerechnet in Deutschland so viel Anstrengung kostet, Unterstützung und Enthusiasmus für die EU zu wecken? Sicher, die Eurokrise, die Erweiterungsfragen, die Flüchtlingsdiskussionen kosten Kraft und steigern nicht die Euphorie. Aber es stimmt auch, dass wir viel zu wenig darüber reden, welche Vorteile Deutschland alltäglich durch die EU, den Euro und den EU-Binnenmarkt genießt.

Deutsche Nachrichten und Talkshows verbringen sehr viel Zeit mit Themen wie der Pendlerpauschale und dem Ehegattensplitting und viel weniger Zeit mit europäischer Verteidigung, dem Ukrainekrieg und der nötigen Ausstattung der Bundeswehr. Auch im Bundestag sind Außen- und Verteidigungspolitik keine beliebten Ausschüsse. Erfolgreiche Karrieren werden eher auf sozialen, finanziellen oder wirtschaftlichen Gebieten gemacht. Visionäre Ansprachen über die Weltordnung und den Frieden sind rar in Berlin. Da braucht es schon einen amerikanischen Politiker vom Format eines Barack Obama, dem dann 200 000 Menschen vor dem Brandenburger Tor zuhören.

Wer in der Welt gehört werden will, der muss sich auch mit ihr beschäftigen – und ihr aktiv zuhören. Und der muss zur Kenntnis nehmen, wie sehr er von dem transnationalen Miteinander profitiert – auch in Zeiten der Krise. Tatsache ist, dass selbst in der Eurokrise kein Land so massiv vom Euro profitiert hat wie Deutschland.

Dass Deutschland Exportweltmeister ist, einen Niedrigstand der Arbeitslosigkeit aufweist und regelmäßig enorme Wohlstandsgewinne einfährt, ist gewiss dem Fleiß deutscher Arbeiter und dem Können deutscher Ingenieure zuzurechnen; aber es beruht auch auf der Euro-Konstruktion. Ohne den Euro wäre die D-Mark heute vielleicht doppelt so teuer wie der Euro. Deutschland würde also weit weniger verkaufen, weil unsere Waren doppelt so teuer wären.

Ebenso profitiert Deutschland vom Schengen-Abkommen. Denn nur weil der Waren- und Güterverkehr so problemlos innereuropäisch abgewickelt werden kann, sind Just-in-time-Produktionen deutscher Maschinen möglich, deren Einzelteile an Fabrikationsstandorten in Polen, Tschechien oder der Slowakei gefertigt werden. Der wichtigste Absatzmarkt für Deutschland bleibt nach wie vor der EU-Binnenmarkt: Deutlich mehr als die Hälfte der deutschen Exporte blieb 2016 in der

EU; Frankreich ist unser wichtigster Handelspartner. Und diese enge Verknüpfung gilt für alle Länder der EU, die 2016 nämlich knapp zwei Drittel ihres Warenhandels innerhalb der europäischen Grenzen abwickelten.[34]

Es ist schlichtweg falsch, wenn die Propheten eines neuen Nationalismus predigen, Deutschland würde wirtschaftlich profitieren, wenn es den Euro nicht gäbe. Der Euro hat Konstruktionsfehler, das ist unbestritten. Man hat versäumt, ihn durch eine politische Konstruktion zu untermauern, aber die Reparaturarbeiten laufen. Stichworte: Bankenunion, Fiskalunion. Das ist keine leichte Aufgabe und wird Zeit brauchen. Aber der Euro ist und bleibt für Deutschlands wirtschaftliche und politische Interessen unverzichtbar.

Die britischen Brexit-Befürworter haben ihr Land in eine nicht absehbare wirtschaftliche und politische Misere geführt, heraus aus der traditionellen Brückenfunktion im transatlantischen Bündnis in eine folgenschwere Isolation. Schon im Sommer 2018 gibt so mancher Brexit-Befürworter zu, dass man das, was jetzt stattfindet, möglicherweise in einigen Jahren bedauern wird. Der Katzenjammer für Großbritannien wird erheblich sein.

Die EU hat den harten Brexit-Schock vielleicht sogar gebraucht. Sie muss jetzt zeigen, dass sie die Sorgen und Erwartungen der Bürger aufnimmt und löst. Es gilt, zentrale Bürgeranliegen – beispielsweise den Schutz vor Kriminalität, den Schutz vor Terrorismus, den Schutz der Grenzen – ernst zu nehmen. Sie müssen eine plausible und wirkungsvolle Antwort bekommen.

Allerdings muss man immer hinzufügen, dass die politischen Grundentscheidungen in Brüssel nicht von der EU-Kommission, sondern von der Gemeinschaft der Staaten getroffen werden. Am Schluss wird im Rat entschieden, wo die Vertreter der Staaten zusammensitzen. Deswegen ist es falsch, die

Schuld für die Defizite des europäischen Handelns immer nur bei »denen in Brüssel« festzumachen.

Während der 1980er-Jahre habe ich den damaligen Außenminister Hans-Dietrich Genscher und auch Kanzler Kohl bei vielen großen europäischen Tagungen und Sitzungen begleitet. Damals traten nach den oft schwierigen Sitzungen die nationalen Vertreter, die Kanzler, Premierminister oder die Außenminister vor die Mikrofone und verkündeten ihren nationalen Medien: »Heute ist es mir gelungen, in Zusammenarbeit mit den Kollegen aus unseren Nachbarländern die EU in unserem gemeinsamen Sinne wieder einen Schritt nach vorne zu bringen!«

Heute passiert bisweilen das Gegenteil. Nach den Sitzungen begibt man sich vor die Mikrofone der nationalen Presse und teilt mit: »Heute ist es mir mal wieder gelungen, im Interesse unseres Landes die EU-Kommission auszubremsen oder neue Schritte zu verhindern!« So haben beispielsweise nach dem jüngsten Brüsseler EU-Gipfel die Visegrád-Staaten stolz verkündet, sie hätten eine Quoten-basierte europäische Verteilung von Asylbewerbern erfolgreich vereitelt.

Gäbe es die EU nicht, wäre jedes einzelne europäische Land im globalen Maßstab ziemlich unbedeutend und auf sich allein gestellt. Wer in Europa meint, auf die EU verzichten zu können, macht sich Illusionen über die eigenen Fähigkeiten.

Das habe ich von dem früheren belgischen Außenminister Paul-Henri Spaak, einem der Gründerväter der Europäischen Gemeinschaft, gelernt. Von ihm stammt ein Satz, der mittlerweile mehrere Jahrzehnte alt ist, aber nichts an Bedeutung verloren hat. Ich möchte ihn allen, die sich für Außenpolitik interessieren, mit auf den Weg geben:

»In Europa gibt es nur zwei Typen von Staaten: kleine Staaten und kleine Staaten, die noch nicht verstanden haben, dass sie klein sind.«

Einzelne Nationalstaaten sind nicht ansatzweise imstande, die in Zeiten der Globalisierung auf uns zukommenden Herausforderungen zu bewältigen. Geopolitisch und demografisch gesehen wird ein uneiniges Europa in der Welt immer unwichtiger und kleiner werden. Europas Staaten sind zu klein, um alleine in der Welt von morgen zu bestehen.

Wir hatten jetzt in Europa über siebzig Jahre lang relativen Wohlstand, und ich fürchte, dass wir uns zu sehr daran gewöhnt haben. Es ist kein Naturgesetz, dass unser Lebensstandard so bleiben wird, wie er ist.

Aus globaler Perspektive schneidet die EU auf den ersten Blick gut ab: Das weltweite Bruttoinlandsprodukt lag im Jahr 2015 bei knapp 60 Billionen US-Dollar. Davon entfielen über 26 Prozent auf die 28 Mitgliedstaaten der EU, rund 25 Prozent auf die USA und rund 10 Prozent auf China. Wer sich deswegen gleich wieder entspannt im Sessel zurücklehnt, sollte vorsichtig sein: Denn im Jahr 1970 lag der Anteil der EU am Welt-BIP noch bei fast 38 Prozent und der Anteil Chinas bei 0,8 Prozent.

Europas relativer Anteil an der Weltwirtschaft sinkt also: weil die anderen inzwischen mehr leisten und produzieren – vor allem seit China wieder auf die Weltbühne zurückgekehrt ist. Durch die Seidenstraßeninitiative und durch viele andere Aktivitäten hat China enorm an Dynamik gewonnen und ist auf dem besten Weg, auch an die Wirtschaftskraft der USA heranzukommen. China gehört jetzt schon zu den innovativsten Ländern der Welt.

Auch die demografische Entwicklung ist nicht ermutigend: Zwar repräsentiert die EU 500 Millionen Menschen: 1,5 Mal so viel wie die USA, dreimal so viel wie Russland, immerhin fast halb so viel wie China.

Und dennoch: Europa ist die einzige Region der Welt, die

laut Prognosen der Vereinten Nationen zwischen 2010 und 2060 einen Bevölkerungsrückgang erleben wird, minus 4,9 Prozent.[35] Außerdem wird Europa alt. Der Anteil der Personen, die 65 Jahre oder älter sind, erhöhte sich schon seit 1950 von rund 8 auf 16 Prozent und wird bis 2050 auf knapp 27 Prozent steigen. Mehr als jeder vierte Europäer wird 65 Jahre oder älter sein! Das wird riesige sozial-, renten- und gesundheitspolitische Herausforderungen mit sich bringen.

All dies bedeutet: Auf Dauer wird es für europäische Staaten schwieriger werden, ihre Interessen gegenüber dem Rest der Welt durchzusetzen.

Zugleich gilt: Ob beim Klimawandel, den Menschenrechten oder dem Freihandel – Europa wird in einer zunehmend autoritären und illiberalen Welt noch stärker als zuvor um seine Interessen und eine Werteordnung kämpfen müssen, von der es bislang stark profitiert hat. Um überhaupt mitreden zu können, muss die EU mehr außenpolitische Verantwortung übernehmen und so ihre Rolle im internationalen System aktiv gestalten.

Aus dieser Entwicklung resultieren für Europa zwei strategische Konsequenzen: erstens der Zwang zu noch mehr Europa, zu noch mehr Integration. Und zweitens – und das ist für manche europäische Staaten eine schmerzhafte Einsicht – die Notwendigkeit, Zuwanderung zu organisieren. Bei der gezielten Zuwanderung herrscht ein erheblicher Nachholbedarf. Wir sollten uns dringend überlegen, welche Menschen wir holen wollen, und Programme entwickeln, die dazu führen, dass »the best and the brightest« den Weg zu uns finden.

Das Bewusstsein für ein gemeinsames Handeln in Sachen Zuwanderung ist in der EU noch nicht da. Im Gegenteil. Der bisherige Fokus liegt klar auf Abschottung. Aber natürlich kann man nicht erwarten, dass die iberische Halbinsel bereit ist, an Zuwanderungsprogramme zu denken, solange die Hälfte der jungen Spanier arbeitslos ist. Insofern ist erst mal die Finanzkrise zu lösen. Aber langfristig ist das eine vom anderen nicht trennbar.

Die Aussichten auf eine EU, die gestaltet und nicht nur mit internem Krisenmanagement beschäftigt ist, sind besser, als es der gegenwärtig weitverbreitete Pessimismus vermuten lässt. In vielen europäischen Mitgliedstaaten wurde Rechtspopulisten ein entscheidender Sieg, also eine Regierungsmitverantwortung, verwehrt, egal ob dem Front National in Frankreich oder der AfD in Deutschland. Die Welle aus Populismus und Nationalismus, die 2016 Großbritannien aus der EU und Donald Trump ins Weiße Haus spülte, verliert in Kontinentaleuropa schon wieder an Kraft. Beispielsweise verzeichnete eine Eurobarometer-Umfrage im August 2017 zum dritten Mal in Folge eine gestiegene Zustimmung für die EU. Dabei gaben zudem 68 Prozent der Befragten an, dass sie sich als Bürger der Europäischen Union fühlen – der höchste jemals gemessene Wert für diesen Indikator.

Auch die europäische Wirtschaft brummt derzeit wieder. Schon im Jahr 2016 verzeichnete die Eurozone ein Wirtschaftswachstum von 1,7 Prozent – in den USA waren es 1,6 Prozent. 2017 stieg das Wachstum dann noch einmal signifikant an. Seit 2013 wurden mehr als zehn Millionen neue Arbeitsplätze in der EU geschaffen.

Europas Außen- und Sicherheitspolitik stärken

Wirtschaft und Finanzen waren immer schon europäische Herzensthemen. Das Thema Sicherheit glaubten wir hingegen lange vernachlässigen zu können. Man sprach von der Friedensdividende nach dem Kalten Krieg. Verteidigungsbudgets wurden heruntergefahren. Heute ist der Zustand der Bundeswehr beklagenswert. Und bei der Libyen-Intervention 2011 mussten wir erleben, wie französischen und britischen Soldaten nach wenigen Tagen die Munition ausging. Man musste bei den Amerikanern leihen.

In außen- und sicherheitspolitischen Fragen müssen wir also sehr schnell sehr große Fortschritte machen. Europa muss, wie der Präsident der EU-Kommission Jean-Claude Juncker das auf der letzten Münchner Sicherheitskonferenz richtig gesagt hat, »weltpolitikfähig« werden. Die Einsicht, dass Europa ein fähiger Akteur auf der Weltbühne werden muss und wir deshalb die europäische Außen- und Sicherheitspolitik stärken müssen, gewinnt an Kraft.

Laut einer Umfrage des Pew Research Center aus dem Frühjahr 2016 befürworten 74 Prozent der Bürger in den zehn befragten EU-Mitgliedstaaten (darunter auch Großbritannien) eine aktivere Rolle Europas in der Welt. Die bereits zitierte Eurobarometer-Umfrage von 2017 zeigt, dass 75 Prozent der Bürger auch eine gemeinsame Sicherheits- und Verteidigungspolitik unterstützen.

Trotz aller Skepsis gegenüber der EU-Bürokratie spüren die Menschen also, dass ihre eigenen Länder zu klein sind, um ihre außen- und sicherheitspolitischen Interessen in der Welt glaubhaft zu vertreten. Früher mögen selbst kleinere europäische Staaten wie Portugal oder die Niederlande Weltmächte gewesen sein. Heute gibt es keine europäische Weltmacht mehr – selbst Briten und Franzosen sind trotz ihrer Sitze im UN-Sicherheitsrat und ihrer Atomwaffen im globalen Maßstab heute nur noch zweite Reihe. Deshalb kann und muss die Außen- und Sicherheitspolitik zu einem der Felder werden, in denen die EU etwas zu bieten hat. Ein Ausbau der gemeinsamen Außen- und Sicherheitspolitik besitzt das größte Potenzial, um Europa für die Zukunft zu rüsten. Denn die EU ist weit mehr als ein aufgeblähter Bürokratieapparat und eine Flut von Gesetzen: Sie sichert den Frieden in Europa und kann als internationale Gestaltungsmacht die Interessen der 500 Millionen Europäer auf globaler Ebene am wirkungsvollsten vertreten.

Anstrengungen im Bereich der Außen-, Entwicklungs- und Verteidigungspolitik müssen deshalb erhöht werden. Die Kohäsion der EU und ihre innere und äußere Sicherheit sind nicht zum Nulltarif zu haben. Von der schwarzen Null werden sich zukünftige Generationen nichts kaufen können, wenn die wichtigste Grundlage unseres Wohlstands, ein friedliches und prosperierendes Europa, erodiert.

Stell dir vor, die EU ruft und alle gehen hin

Man stelle sich vor, der Präsident der Europäischen Kommission oder der Präsident des Europäischen Rates sagten laut und deutlich: »Wir starten einen Versuch, den Krieg in Syrien zu beenden.« Und er fügte hinzu: »Wir laden die beteiligten Mächte ein, zu einer Friedenskonferenz zusammenzukommen, um eine Lösung zu finden.« Und alle gehen hin.

Das Schlimme ist, es fällt vielen schwer, sich das vorzustellen. Aber nur mit mehr diplomatischem Mut und Initiative lässt sich der Anspruch auf mehr weltpolitische Handlungsfähigkeit auch in die Tat umsetzen. In Syrien hat Europa über fünf Jahre lang versagt, sich der humanitären Katastrophe anzunehmen. Der Ukraine-Konflikt zeigt ein nur unwesentlich besseres Bild. Hier haben zwar Deutschland und Frankreich zahlreiche diplomatische Versuche unternommen, um zu einer Lösung der Situation beizutragen. Die Frage aber ist erlaubt, warum die EU nicht mit am Tisch sitzt.

Wenn Europa nicht lernt, außenpolitisch stärker mit einer Stimme zu sprechen, wird es diplomatisch weiter aufs Abstellgleis geschoben. Dass die EU mit einer Stimme sprechen kann und das auch durchaus machtbewusst tut, zeigt sie seit Langem in der Handelspolitik. Hier liegt die Kompetenz ganz allein in Brüssel – zum Wohle aller, eben gerade weil die Verhandlungsmacht eines gemeinsamen Marktes von 500 Millionen Europäern eine ganz andere ist. Das kann man auch bei den Sanktionen sehen, welche die EU als Reaktion auf die russische Politik gegenüber der Ukraine ergriffen hat. Sie tun Moskau durchaus weh. Aber bei den anderen Instrumenten klassischer Außen- und Sicherheitspolitik tut sich Europa noch sehr schwer, sie gemeinsam in Anwendung zu bringen.

Die Grundlage für eine konsequente Umsetzung und Weiterentwicklung der gemeinsamen europäischen Außenpolitik ist seit 2009 der Vertrag von Lissabon. Dort wurden unter anderem die Ämter des EU-Ratspräsidenten und des Hohen Repräsentanten für Außenpolitik geschaffen, die, für die ganze EU sprechend und handelnd, bereits wichtige Erfolge erzielt haben.

Bei den Iran-Verhandlungen etwa saßen zwar die drei größten EU-Mitgliedstaaten selbst am Tisch; geführt wurden die Verhandlungen aber unter der Flagge der EU, also von der Außenbeauftragten Catherine Ashton beziehungsweise ihrer Nachfolgerin Federica Mogherini. Dadurch konnten sich alle EU-Mitgliedstaaten, auch die vielen kleineren, voll beteiligt fühlen. Dennoch werden den EU-Institutionen bei außenpolitischen Krisen oder strategischen Herausforderungen gern Nebenrollen zugewiesen, unter anderem bei den Versuchen, die Kriege in der Ukraine und in Syrien zu beenden.

Natürlich kann man mit dem Verweis auf die Griechenland- und Eurokrise einwenden, dass nun einmal auch in der EU letzten Endes die einzelnen Staaten den Ton angeben. Und diese würden am Ende eben ihre teils sehr unterschiedlichen nationalen Interessen vertreten und ausfechten. Das mag für manche Politikbereiche durchaus zutreffen, etwa für die Haushalts-, Wirtschafts- und Finanzpolitik. Aber in der Außen- und Sicherheitspolitik sind die Differenzen meist gar nicht so groß.

Im Grunde sollte eine praktisch anwendbare Formel nicht

schwierig zu finden sein, wie der ehemalige polnische Außenminister Radek Sikorski bemerkte: Zunächst bewerten die Mitgliedstaaten, ob eine bestimmte außenpolitische Frage besser separat oder im EU-Verbund behandelt werden sollte. In der großen Mehrheit der Fälle, in denen die Antwort »gemeinsames Handeln« lautet, müssten die Mitgliedstaaten den EU-Institutionen dann aber auch Raum geben und ihnen jede Unterstützung zuteilwerden lassen.

Mit seinen finanziellen, personellen und gestalterischen Möglichkeiten kann Deutschland hier eine Vorreiterrolle spielen und europäischer Einigkeit den Weg bereiten. Dafür wäre es aber hilfreich, wenn Deutschland die europäische Außen- und Sicherheitspolitik auch mit den entsprechenden Ressourcen unterfüttern würde.

Eine ausreichende militärische Unterfütterung

Europas problematische Zurückhaltung im Falle Syriens wurde schon eingehend erörtert. Sich in die Krisenbewältigung aktiver einzubringen ist nicht nur eine moralische Notwendigkeit, sondern vor allem auch eine realpolitische: Immerhin ist es neben den unmittelbaren Nachbarstaaten Syriens vor allem Europa, das die kriegsbedingten Flüchtlingsströme zu bewältigen hat.

Aber auch in anderen Bereichen betreiben EU-Mitglieder eine Außen- und Sicherheitspolitik, die Europas globale Position eher schwächt als stärkt. Eine bilaterale China-Politik statt einer EU-China-Politik aus einem Guss mag zwar dem ein oder anderen EU-Staat kurz- und mittelfristig vorteilhaft erscheinen, ist aber langfristig kontraproduktiv. Denn nichts wird Peking – genauso wie Moskau – lieber tun, als die EU-Partner weiterhin geschickt gegeneinander auszuspielen.

Außenpolitische und diplomatische Glaubwürdigkeit erfordert eine ausreichende militärische Unterfütterung. Friedrich der Große soll gesagt haben: »Diplomatie ohne Waffen ist wie ein Orchester ohne Instrumente.« Das gilt leider auch heute noch so. Wie Sigmar Gabriel es bei der Münchner Sicherheitskonferenz treffend formulierte, müssen wir Europäer, die wir weltpolitisch eher Vegetarier sind, uns in einer Welt der Fleischfresser behaupten. Deshalb ist es richtig, auch bei der Verteidigung über europäische Perspektiven nachzudenken.

In militärischer Hinsicht steht Europa wirklich schlecht da – unsere Rüstungsbestände sind seit dem Ende des Kalten Krieges stark geschrumpft, veraltet und zu allem Überfluss auch nur bedingt einsetzbar. In vielen europäischen Ländern steht mehr als ein Drittel der Waffensysteme, wie beispielsweise Panzer und Kampfhubschrauber, gegenwärtig nicht zur Verfügung, da Wartungsaufträge nicht erfüllt werden können. Dies liegt auch an geringen Verteidigungsausgaben. Wir werden deutlich mehr Geld für Verteidigung ausgeben müssen.

Bei ihrem Gipfeltreffen im walisischen Newport 2014 beschlossen die NATO-Staaten in Reaktion auf die Ukraine-Krise den Aufbau einer neuen Kriseneingreiftruppe sowie einen Aktionsplan für Osteuropa, mit dem das Bündnis seine Präsenz vor Ort erhöht hat. Dazu einigten sich die NATO-Staaten darauf, mehr Geld in die Verteidigungshaushalte zu investieren. In den Jahren zuvor hatten die Mitgliedstaaten ihre Verteidigungsausgaben im Durchschnitt um zwanzig Prozent zurückgefahren. Russland hingegen verdoppelte seine Ausgaben im selben Zeitraum.

Binnen eines Jahrzehnts, also bis 2024, so beschloss man, soll die Zielmarke von mindestens zwei Prozent des Bruttoinlandsprodukts (BIP) angepeilt werden. Mitte 2017 erreichten dieses Ziel nur die Vereinigten Staaten, Großbritannien, Estland, Griechenland, Rumänien und Polen.

»Bei einem Wirtschaftswachstum von zwei Prozent pro Jahr müsste Deutschland im Jahr 2024 mehr als 75 Milliarden

Euro für Verteidigung ausgeben, um das Ziel zu erreichen«, errechnete die *Süddeutsche* am 18. Februar 2017.[36] Dazu müsste man die Ausgaben jedes Jahr um fast zehn Prozent erhöhen; das ist wenig realistisch. Das Zwei-Prozent-Ziel ist sicher richtig, aber die Umsetzung ist nicht ganz so einfach.

Die kritische Debatte über das Zwei-Prozent-Ziel wurde von Donald Trump massiv verstärkt, der den Druck auf die NATO-Mitglieder, diese Marke einzuhalten, deutlich erhöhte und damit hierzulande zum Teil auf Empörung stieß. Aber in Wahrheit hat Deutschland lange vor Trump zugestimmt, dieses Ziel anzustreben. Wer Rechenschaftspflicht, Glaubwürdigkeit und Vertrauen vom amerikanischen Präsidenten einfordert, muss das Gleiche auch für sich gelten lassen. Zwar mögen zwei Prozent gegenüber unserem gegenwärtigen Ausgabenniveau von etwa 1,2 Prozent ziemlich viel sein. Historisch betrachtet sind zwei Prozent aber wenig. Viele Jahrzehnte, noch bis Anfang der 2000er-Jahre, gaben die europäischen NATO-Mitglieder im Durchschnitt mehr als zwei Prozent ihres BIP für Verteidigung aus. Ist die Welt heute so viel sicherer als Ende der 1990er-Jahre, sodass wir uns dauerhaft viel niedrigere Ausgaben leisten können?

Es geht hier ausdrücklich nicht darum, Donald Trump einen Gefallen zu tun oder irgendwelchen Prozentzahlen hinterherzurennen. Und es geht auch nicht darum, einfach nur aufzurüsten.

Am leichtesten könnte man nämlich die Ausgaben erhöhen, indem man Sold und Renten der Soldaten erhöht, die Kasernen neu streichen lässt und teure Autos für die Standorte anschafft. Damit wäre aber nicht wirklich eine Kampfkraftsteigerung oder eine bessere europäische Vernetzung verbunden.

Trumps massive Forderung spielt denjenigen in die Karten, die versuchen, mit dem Anti-Trump-Ticket und dem Angst-Schlagwort »Aufrüstungsspirale« Punkte zu ergattern. In Wahrheit geht es doch nicht darum, blind mehr Geld für

Militär auszugeben, sondern mehr Durchsetzungskraft zur Friedenssicherung zu schaffen.

Eine Studie der Beratungsfirma McKinsey & Company hat in einem gemeinsamen Projekt mit der Münchner Sicherheitskonferenz und der Berliner Hertie School of Governance angeregt, die europäischen Truppen vor allem mit neuen Technologien besser zu vernetzen und so handlungsfähiger für neue Herausforderungen zu machen. Es geht darum, unsere Streitkräfte durch moderne Ausrüstung zu befähigen, Krisen zu verhindern beziehungsweise zu bewältigen. Solche Projekte nehmen viele Jahre in Anspruch.

Ich hatte 2017 eine Drei-Prozent-Lösung vorgeschlagen, die auch Bundespräsident Gauck damals für einen intelligenten Ansatz hielt: Wenn man künftige Ausgaben für Verteidigung inklusive Forschung mit humanitären Hilfsmaßnahmen, diplomatischer Konfliktverhütung und dem Gesamtbereich Entwicklungshilfe zusammenzieht, sollte man auf insgesamt drei Prozent des Bruttoinlandprodukts kommen.

Das wäre vielleicht auch für Skeptiker militärischer Rüstung akzeptabel, weil in die Kalkulation einbezogen würde, was humanitär und entwicklungspolitisch getan wird. Der Drei-Prozent-Ansatz verfolgt ein größeres strategisches Ziel, indem er nicht-militärische Ausgaben mit umfasst, die ebenso unsere Stabilität und Sicherheit und die unseres Umfeldes erhöhen.

Mehr Geld ist aber nur der kleinere Teil der Rechnung. Der andere Teil: Zusammenarbeit in Europa.

Langfristig: Europäische Armee

Im November 1991 hat Manfred Wörner, der bis dahin einzige deutsche NATO-Generalsekretär und zuvor deutscher Verteidigungsminister, dem *Spiegel* ein bemerkenswertes Interview gegeben. Er sagte:»Auf die Dauer ist nach meiner Meinung als Europäer eine politische Union Europas nicht denkbar ohne gemeinsame Außen- und Sicherheitspolitik. Das heißt auch, dass es eines Tages eine gemeinsame europäische Armee geben könnte.«

Die folgende Frage des *Spiegel* – so steht das wirklich gedruckt – war nur:»Wie bitte?« Besser kann man nicht zum Ausdruck bringen, wie unrealistisch die bloße Idee damals erscheinen musste.

Wörner weiter:»Warum nicht? Schwierigkeiten hätte ich nur dann, wenn es darum ginge, eine europäische Armee unabhängig und abgesetzt von der NATO zu demselben Zweck aufzubauen, zu dem es die NATO bereits gibt.«

Damals war die Sorge vor einem Entweder-Oder – entweder europäische Einigung oder enges transatlantisches Bündnis – weit verbreitet und nicht ganz unbegründet. Heute ist daraus ein klares Sowohl-als-auch geworden. Die meisten amerikanischen Entscheidungsträger betonen es heute selbst und völlig zu Recht: Ein starkes, sicherheitspolitisch fähiges Europa ist im ureigenen amerikanischen Interesse. Einen Gegensatz NATO–EU gibt es also nicht mehr. Das ist ein enormer Gewinn.

Und es gibt weitere Gründe, weshalb die Voraussetzungen für eine engere sicherheits- und verteidigungspolitische Verzahnung in der EU heute viel besser sind: Unsere Streitkräfte haben gelernt, bei Auslandseinsätzen zusammenzuarbeiten. Warum sollten wir nun im Grundbetrieb wieder die Kleinstaaterei zur Norm machen? Wir würden damit auch unseren Soldaten einen Bärendienst erweisen, die im Einsatz erfahren haben, wie wichtig Interoperabilität ist, also die Fähigkeit zur nahtlosen Zusammenarbeit, auch in technischer Hinsicht.

»Mir scheint, dass wir schon zu viel Zeit auf die nationale Nabelschau verwendet haben, statt unseren Fokus auf die gemeinsame europäische Perspektive zu richten«, so formulierte es Verteidigungsministerin Ursula von der Leyen auf der Münchner Sicherheitskonferenz 2014.

Zunächst richtete sich der Fokus der Verzahnung auf gemeinsame Rüstungsvorhaben: vor allem auf die Einführung von modernem Kostencontrolling und einer realistischen Abschätzung der Risiken großer europäischer Beschaffungsvorhaben. Mit einer Überprüfung der Kosten und Realisierungsaussichten bei anstehenden Rüstungsvorhaben ist es freilich nicht getan. Will man wirkliche Veränderungen durchsetzen, dann müssen auch die strukturellen Rahmenbedingungen der Beschaffungspolitik angegangen werden: Haushaltsrecht, multinationale Verpflichtungen und -abwägungen, industriepolitische Strategie und militärische Fähigkeitsplanung bilden ein Geflecht von Faktoren, die in der Beschaffungspolitik zusammenspielen müssen.

Heute sind die meisten großen Rüstungsvorhaben ohnehin das Resultat multilateraler Zusammenarbeit und internationaler Verträge. Es besteht längst die Notwendigkeit, mit den europäischen Partnern darüber zu sprechen, wer künftig welche Fähigkeiten im Europäischen Kräfteverbund vorhalten will – und wer auf welche Fähigkeiten verzichtet.

Dennoch: Rüstungspolitik wird traditionell getrieben durch industriepolitische Überlegungen. Aufträge werden oft erteilt, um nationale industrielle Kapazitäten zu erhalten oder um – durchaus zu Recht – die Abhängigkeit von internationalen Technologien und Produkten möglichst zu minimieren. Also ist es politisch und industriepolitisch wichtig, weiterhin eigene Technologien und Kompetenzen zu entwickeln und vorzuhalten. Allerdings muss auch hier europäisch gedacht werden: Dann geht es um die Entwicklung europäischer Technologien und den Erhalt europäischer Kapazitäten in der Rüstungsindustrie.

Inzwischen steigen die Verteidigungsausgaben in Europa wieder leicht, aber zwischen 2010 und 2014 sanken sie um stolze acht Prozent. Und weil jeder europäische Staat in der Folge der Finanz- und Wirtschaftskrise ganz unkoordiniert kürzte, ist der Verlust an europäischen Fähigkeiten sicher viel größer als acht Prozent. Der europäische Pfeiler im transatlantischen Bündnis wird immer kleiner: 2007 machten die Militärausgaben der europäischen Alliierten noch dreißig Prozent der Ausgaben der NATO-Staaten aus, 2013 waren es gerade noch 25 Prozent.

Es ist also höchste Zeit, die Verteidigung etwas weniger stiefmütterlich zu behandeln. Aber bitte nicht im Stil des 19. Jahrhunderts. Wir sind in Europa mit wenigen Ausnahmen kleine Staaten. Ist es wirklich so unvorstellbar, dass wir alle dasselbe Jagdflugzeug, dieselbe Fregatte oder zumindest dieselbe Patrone fürs Gewehr nutzen?

Hand aufs Herz: Wie viele unter den EU-Staaten werden denn in die Lage geraten, nochmals allein in den Krieg zu ziehen? Das letzte Mal, dass ein Mitglied der EU eine militärische Operation allein führte, war der Falklandkrieg 1982. Das ist fast vierzig Jahre her. Warum sollten 28 Länder, die ohnehin nur noch gemeinsam operieren, 28 getrennte kleine Luftwaffen vorhalten? Braucht denn wirklich jeder europäische Kleinstaat seine eigene Generalstabsakademie oder seine eigene kleine Marine mit mehr Admirälen als Schiffen? Wieso brauchen wir 178 große Waffensysteme, wo die USA sich nur dreißig leisten? Wären die knappen Mittel nicht wesentlich effizienter angelegt, wenn zum Beispiel Österreich die Gebirgsjäger, Portugal Marineeinheiten und Tschechien Spezialisten zur ABC-Abwehr stellen würde?

Wieso leisten sich die EU-Staaten zwar zusammen genommen rund 1,5 Millionen Soldaten, was im Wesentlichen der

Zahl an US-Soldaten entspricht, während die gemeinsame Schlagkraft nur einen Bruchteil der amerikanischen ausmacht? Mit anderen Worten: Die Effizienz unseres Verteidigungssystems ist katastrophal niedrig. Die EU gibt ihre Verteidigungs-Euros hochgradig verschwenderisch aus. Da ist unglaublich viel Einsparspielraum. Also muss die militärische Kleinstaaterei schrittweise in eine Europäisierung der Verteidigung überführt werden.

Am intelligentesten können wir sparen, wenn wir die Fähigkeiten der EU-Staaten bündeln. Das fängt beim Einkauf an. Die bereits erwähnte McKinsey-Studie hat errechnet, dass die gemeinsame Beschaffung in Europa bis zu 31 Prozent jährlich sparen könnte – das sind 13 Milliarden Euro. Milliarden, nicht Millionen. Und da ist der unbezahlbare Nutzen, der durch die resultierende Kompatibilität der Systeme im Einsatz geschaffen würde, noch gar nicht mit eingerechnet.

Dass die Zusammenlegung militärischer Fähigkeiten und die langfristige Schaffung einer europäischen Armee nicht allein ökonomische Fragen aufwerfen, liegt auf der Hand. Fragen der nationalen Souveränität spielen ebenso eine Rolle: Auf welche Fähigkeiten verzichtet man selbst? Vertrauen wir den Partnern – und werden sie uns vertrauen?

Was bedeutet in diesem Zusammenhang der deutsche Parlamentsvorbehalt, also die Notwendigkeit, Auslandseinsätze der Bundeswehr vom Bundestag genehmigen zu lassen? Hierzu hatte eine Kommission unter Vorsitz des sehr erfahrenen früheren Verteidigungsministers Volker Rühe wichtige Vorschläge entwickelt, für die er aber leider noch nicht einmal von seinen eigenen Parteifreunden volle Unterstützung bekam: eine vertane Chance!

Was passiert sicherheitspolitisch, wenn die Nuklearmacht Großbritannien, Mitglied der P5 im UN-Sicherheitsrat, aus der EU ausscheidet? Wollen wir London dann wie Bern oder Oslo behandeln, oder gibt es vielleicht doch bessere Ideen? Hier ist das Bohren dicker Bretter angesagt. Die Entscheidungsprozesse werden ihre Zeit brauchen. Umso wichtiger ist es, sie offensiv auf die Agenda zu setzen.

Wünschenswert wäre, wenn die Initiative für den entschlossenen Weiterbau an der europäischen Einigung in der Außen- und Sicherheitspolitik von Berlin, am besten gemeinsam mit Paris, ausgehen würde. Dabei dürfen weder die Vision der europäischen Armee noch Mehrheitsentscheidungen in der Außenpolitik ein Tabu sein.

Man stelle sich vor, Deutschland würde den Vorschlag in die Brüsseler Diskussion einbringen, dass wir künftig in Fragen der Außenpolitik mit qualifizierter Mehrheit entscheiden statt wie bisher einstimmig.

Wie oft wäre Deutschland überstimmt worden, wenn mit qualifizierter Mehrheit entschieden worden wäre? Ergebnis: kaum jemals. Es ist nur ein einziger Bereich denkbar, der für Deutschland wirklich heikel werden könnte: die Israel-Politik. Da könnte es zum Beispiel sein, dass eine EU-Mehrheit Sanktionen gegen Israel beschließt, die Deutschland nicht mittragen könnte. Für diesen Fall müsste man eine Opt-Out-Klausel einbauen. In allen anderen Fragen wäre Deutschland regelmäßig Teil einer soliden Mehrheit gewesen. Unterm Strich wäre das also kein allzu großes Risiko für uns.

Sicherlich würde ein Vorschlag, Mehrheitsentscheidungen in der EU einzuführen, nicht von allen in der EU akzeptiert werden. Einige würde sagen: Nicht mit uns! Diesen Teil der Souveränität wollen wir uns nicht nehmen lassen! Trotzdem würde ein solcher Vorschlag mit einem einzigen eleganten Federstrich den Verdacht aus der Welt schaffen, die Deutschen wollten Europa dominieren. Stattdessen wäre der Punkt gemacht: Deutschland stellt seine Kraft und seinen Einfluss in den Dienst einer handlungsfähigen EU, die zu einer Sicherheitsunion heranwächst. Deutschland dient der EU. Kurz: Das Risiko eines solchen Vorschlags wäre gering, die Chance auf Reputationsgewinn und Fortschritt in der Sache dagegen groß.

Ein erster Schritt auf dem Weg hin zu Mehrheitsentscheidungen könnte ein freiwilliger Veto-Verzicht der Mitgliedstaaten sein: Wenn es bei einer Entscheidung 27:1 steht, verzichtet der Einzelne auf sein Einspruchsrecht, etwa durch Enthaltung, und ermöglicht dadurch die Handlungsfähigkeit der EU. Auch das wäre schon ein wichtiger Schritt in die richtige Richtung, den Sigmar Gabriel bereits 2017 vorgeschlagen hatte.

Es geht in der europäischen Politik immer auch um psychologische Fragen. Dass die südeuropäischen Länder sich vor allem in der Eurokrise von Deutschland gemaßregelt fühlten, ist ein Faktum. Die Meinung, die Deutschen verstünden sich zunehmend als Zentralmacht, ist verbreitet – auch wenn es dafür aus deutscher Sicht eigentlich keinen Anlass gibt. Aber manche denken so. Deswegen stellt sich die Frage, wie Deutschland wieder so Zugpferd eines Einigungsprozesses werden kann, dass die Kleinen das Gefühl haben, sie sind bei Deutschland gut aufgehoben. Es war eine der größten Leistungen Helmut Kohls, dass er mit viel Fingerspitzengefühl kleinen Ländern wie Luxemburg oder Portugal vermittelte, sie würden von ihm stets ernst genommen. Eine solche Politik des »Mitnehmens« mag manchmal anstrengend und zeitraubend sein. Sie ist aber für Deutschland von strategischer Notwendigkeit.

Dass ein umfangreiches außen- und sicherheitspolitisches Engagement Deutschlands überhaupt wieder vorstellbar ist, hat auch mit erheblichen Veränderungen im deutschen militärischen und strategischen Denken selbst zu tun, die in den letzten beiden Jahrzehnten erfolgten, aber bei Weitem noch nicht abgeschlossen sind. Zu Zeiten von Kanzler Kohl war noch fast unvorstellbar, deutsche Truppen ins Ausland zu senden. Man dachte, deutsche Stahlhelme würden die Menschen an Gräueltaten erinnern, die deutsche Soldaten im Zweiten Weltkrieg begangen hatten.

In den letzten zwanzig Jahren haben wir Deutschen gelernt, dass diese Sorge meist unbegründet war. Deutsche Soldaten garantieren die Stabilität im Kosovo und in Mali. Sie
werden in Litauen freudig begrüßt. Es war eine stille Revolution, die unter dem öffentlichen Radarschirm stattfand. Inzwischen ist es möglich, dass ein Bekenntnis zu deutscher Sicher-
heitsverantwortung weder im In- noch im Ausland gleich als
Militarismus verdammt wird.

Vor zehn Jahren wäre es fast unmöglich gewesen, sich einen Bundestag vorzustellen, der deutsche Militärkontingente
nach Mali schickt. Es gab die weitverbreitete Vorstellung, dass
Großbritannien oder Frankreich in Afrika nur ihre postkolo-
nialen Interessen verteidigten. Heute beteiligt sich Deutschland
mit tausend Soldaten am Einsatz in Mali. Wir haben begriffen:
Wenn wir nicht an der Terrorbekämpfung dort mitwirken,
kommt der Terrorismus früher oder später zu uns. Es geht also
um europäische und zugleich auch deutsche Interessen – und
nicht etwa nur um französische oder britische.

Deutschland braucht einen nationalen Sicherheitsrat

Die Partner in NATO und EU müssen wissen, dass sie sich auch
in ernsten Konflikten auf Deutschland verlassen können. Die
deutschen außen- und sicherheitspolitischen Entscheidungs-
wege sind dafür nicht immer hilfreich – gerade wenn schnelle
Entscheidungen nötig sind. So kommt es in Brüssel immer
wieder vor, dass die Bundesregierung mit unterschiedlichen
Meinungen aufwartet, je nachdem, welcher Teil der Regierung,
welches Ministerium sich äußert. In Brüssel, in Washington
und anderen Hauptstädten hält man solche Vorgänge für ty-
pisch deutsch. Die Unfähigkeit zur klaren deutschen Festlegung
ist sogar als »German Vote« in die europapolitische Fachspra-
che eingegangen. Durch uneinheitliches oder vages Auftreten

steht Deutschland oft sich selbst bei dem Versuch im Weg, eigene außen- und europapolitische Interessen durchzusetzen. Statt an einem Strang zu ziehen, spielen sich verschiedene Ministerien gegeneinander aus. Und dabei sind keineswegs nur Kanzleramt, Verteidigungsministerium und Auswärtiges Amt gemeint. Immer mehr Ressorts wirken an internationalen Entscheidungsprozessen mit, man denke etwa an die internationale Finanz- oder Energiepolitik, an Umwelt- oder Entwicklungspolitik, Terrorismusbekämpfung oder Piraterie.

Die deutsche Außen-, Europa- und Verteidigungspolitik braucht eine verstärkte Koordinierung, die verhindert, dass ein deutscher Minister in Brüssel Dinge sagt, von denen seine Kabinettskollegen überrascht sind. Oder, genauso schlimm: dass das Auswärtige Amt aus einer Pressemitteilung erfährt, welche Vereinbarung auf Kanzler-Ebene gerade getroffen wurde. So etwas würde den Franzosen und anderen europäischen Partnern nicht passieren. Berlin vertut sich wichtige Chancen, wenn es nicht schafft, mit einer Stimme zu sprechen. Das erwarten die Bürger und auch unsere Partner. Die Ausrede, wir hätten stets Koalitionsregierungen, da sei die Politik aus einem Guss schwierig, dürfen wir nicht gelten lassen. Es geht schließlich um die internationale Durchsetzung deutscher Interessen, nicht um ein kleines Koalitions-Pokerspiel.

Ein Nationaler Sicherheitsrat nach amerikanischem Vorbild könnte trotz aller Systemunterschiede Abhilfe schaffen. Das US-Gremium wurde 1947 von Präsident Harry S. Truman geschaffen: Der nationale Sicherheitsberater leitet das National Security Council, zu Deutsch den Nationalen Sicherheitsrat, also einen Beraterstab, der dem Präsidenten außen- und sicherheitspolitische Empfehlungen vorlegt und mit ihm diskutiert. Die Themen, die dies umfasst, sind heutzutage nicht mehr nur klassisch außenpolitischer Natur; für den Sicherheitsberater arbeiten auch Experten für Finanzpolitik, für Klimapolitik, für Entwicklungshilfe und für viele weitere Bereiche. Der Nationale Sicherheitsrat tagt auf verschiedenen Ebenen und bereitet damit Entscheidungen vor, die schließlich die ganze Administration binden – Entscheidungen aus einem Guss. Das schafft Schlagkraft. Ähnlich wie in Washington funktioniert das auch in Paris und London.

Das bedeutet keineswegs den Aufbau einer neuen Behörde: In Deutschland gibt es ja bereits den geheim tagenden Bundessicherheitsrat, in dem verschiedene Ministerien vertreten sind. Dieser tagt allerdings seit den 1980er-Jahren nur zu eingeschränkten Themenfeldern wie zum Beispiel Rüstungsexportentscheidungen. Er könnte zu einem umfassenden Koordinierungsgremium ausgebaut werden. Ein ausgebauter Bundessicherheitsrat würde die Professionalität und das Zusammengehörigkeitsgefühl der Regierung und damit ihre internationale Durchschlagskraft bedeutend stärken. Deutschland hätte dann klare Beschlüsse, die als Leitlinie für alle Ressorts dienen. Der Leiter der außenpolitischen Abteilung des Bundeskanzleramts wäre dann als nationaler Sicherheitsberater auch der Sekretär des Bundessicherheitsrats, z. B. mit einem Stellvertreter aus dem Auswärtigen Amt und einem zweiten Stellvertreter aus dem Verteidigungsministerium. Mitarbeiter aus allen relevanten Ministerien würden im Bundessicherheitsrat mitarbeiten und die Einbeziehung von Ressort-Fachwissen sicherstellen. Die dort erarbeiteten Positionspapiere und Beschlussvorschläge würden dann auf der Ebene Bundeskanzler und Minister vereinbart, also »abgesegnet«. Deutschland würde also trotz Koalitionsregierung stärker mit einer Stimme sprechen, weil die Ressorts an gemeinsame Bundessicherheitsratsbeschlüsse gebunden wären und nicht mehr nach eigenem Gusto durch die Welt reisen könnten.

Eine solche Aufwertung des Bundessicherheitsrats habe ich gemeinsam mit Fachkollegen im Herbst 1998 nach dem Regierungswechsel von Kohl zu Schröder vorgeschlagen, leider damals ohne Erfolg. Bundeskanzler Schröder konnte sich zwar dafür erwärmen, Außenminister Joschka Fischer aber nicht, weil er den Versuch politischer Gängelei durch die Bundessicherheitsrats-Beamtenriege befürchtete. Und als im Mai 2008 die CDU/CSU-Bundestagsfraktion eine »Sicherheitsstrategie für Deutschland« vorlegte, in der erneut die Einrichtung eines Nationalen Sicherheitsrates vorgeschlagen wurde, lehnte der Koalitionspartner FDP den Vorschlag ab.

Deutschland muss die Bedingungen schaffen, den wachsenden außen- und sicherheitspolitischen Anforderungen professionell gerecht zu werden: als initiativ handelnder und verantwortlicher Akteur. Schon 2011, auf einem ersten Höhepunkt der Eurokrise, sagte einer meiner besten polnischen Freunde, der damalige polnische Außenminister Sikorski, er »habe weniger Angst vor deutscher Macht als vor deutscher Inaktivität«. Ein polnischer Außenminister, der nach deutscher Führung ruft, um Europa zu retten. Eine bemerkenswerte Entwicklung.

Deutschland sollte Schritt für Schritt mehr Verantwortung übernehmen. Sich der großen globalen Veränderungen annehmen und sie aktiv mitgestalten. Das erfordert heute, insbesondere angesichts des Trump-Schocks, konkrete politische, budgetäre und auch militärische Entscheidungen. Mit hoffnungsvollen Sonntagsreden ist es jedenfalls nicht mehr getan.

Bei all dem darf das Ziel deutscher Politik in Europa nicht sein, als Zentralmacht zu diktieren. Vielmehr sollte es darum gehen, das Gewicht der deutschen Rolle entschlossen und nachhaltig einzusetzen, um die außen- und sicherheitspolitische Handlungsfähigkeit der EU zu stärken und um das unvollendete Werk des Binnenmarkts und der Wirtschafts- und Währungsunion abzuschließen. Eine handlungsfähige, respektierte und krisenresistente EU sollte das Ziel einer vorausschauenden deutschen Außenpolitik sein. Oder, in den weiterhin gültigen Worten Thomas Manns formuliert: ein europäisches Deutschland, nicht ein deutsches Europa.

Außenpolitik im 21. Jahrhundert – Herausforderungen und Chancen

Deutschland – Global vernetzt und abhängig wie kaum ein anderes Land

Kaum ein anderes Land auf der Welt hat so sehr von der liberalen internationalen Ordnung profitiert wie Deutschland. Als Exportnation hängt unser Wohl davon ab, dass der Welthandel in geordneten Bahnen verläuft und dass Streitigkeiten zwischen den Staaten friedlich beigelegt werden. Wir sind angewiesen auf funktionierende internationale Organisationen, in denen die Regierungen der Welt gemeinsame Antworten auf gegenwärtige und künftige Herausforderungen finden.

2014 untersuchte die Unternehmensberatung McKinsey, welche Länder besonders stark in globale Ströme von Gütern, Dienstleistungen, Finanzen, Menschen und Daten eingebunden sind. Im Ergebnis gab es für 195 Länder der Welt einen »Connectedness Index«, einen »Verbundenheits-Index«, bei dem die Summe dieser Ströme ins Verhältnis zur Größe des Landes gesetzt wurde. Deutschland stand ganz oben auf der Liste. In allen fünf Kategorien gehörte unser Land zur Spitzengruppe.[37] Mit anderen Worten: Kein Land ist so abhängig davon, dass diese Ströme nicht durch Krieg, Handelshemmnisse oder Naturkatastrophen unterbrochen werden, wie Deutschland.

Man stelle sich vor, man würde sich hierzulande von jeglichem Handel mit der Außenwelt abschotten – und zwar länger als eine Woche. Die Exportnation Deutschland wäre binnen kürzester Zeit bankrott. Wir müssten nicht nur auf

Apple iPhones, griechisches Olivenöl, japanische Spielekonsolen und amerikanische Sneakers verzichten. Es gäbe auch kein Rohöl mehr. Rohöl ist das weltweit bedeutendste Transportgut, das »etwa ein Viertel der Ladungen aller Seetransporte ausmacht«.[38] Rohöl ist für die deutsche Wirtschaft immer noch der wertvollste Rohstoff – und zwar nicht nur als Antriebsstoff im Straßenverkehr, sondern vor allem für die Pharma- und Kunststoffindustrie. Auch andere Rohstoffe, die für unsere Wirtschaft wesentlich sind, könnten dann nicht mehr aus Australien, Kolumbien und Südafrika nach Deutschland kommen. Und umgekehrt gäbe es keine Abnehmer mehr für deutsche Autos und Maschinen. Deutsche Unternehmen leben längst nicht mehr von deutschen Konsumenten. Wir sind nicht ohne Grund Export-Weltmeister.

Um unser beschauliches Leben im Wohlstand zu ermöglichen, müssen Waren und Rohstoffe aus aller Welt weite Wege zurücklegen. Es ist ja bekanntlich nicht so, dass Kupfer und Zinn direkt an der Zollstation vom Himmel fallen. Die wichtigsten Handelswege laufen über relativ wenige Hauptverkehrsrouten. Die Zufahrten zu Europas Häfen sind ebenso dicht befahren wie die japanischer Häfen, wie Schanghai, Singapur und Hongkong und wie die US-Ostküste. Meerengen konzentrieren den Verkehr zusätzlich. An den Straßen von Dover, Gibraltar, Malakka, Lombok und Hormus, aber auch am Kap der Guten Hoffnung an der Südküste Afrikas, ballt sich der Schiffsverkehr.[39] Wir müssen also sicherstellen, dass all die Güter, von denen unser Wohlstand abhängt, sicher und unversehrt über diese Handelswege gelangen. Aber wie tun wir das?

Wer Wolfsburg oder Stuttgart lahmlegen will, muss nur einen der genannten neuralgischen Punkte blockieren. Piraten vor allem vor der somalischen Küste und im Golf von Aden zwischen Afrika und der Arabischen Halbinsel, wo jährlich rund 16 000 Schiffe passieren, führen uns schon heute vor, wie anfällig diese Haupthandelsrouten für Attacken gegen unseren Wohlstand sind.[40] Die Piraterie vor der afrikanischen Küste hat bereits ökonomische Folgen auch in Meißen und Paderborn. Die Versicherungsprämien für eine Passage durch den Golf von Aden sind in kurzer Zeit um mehr als das Zehnfache gestiegen.[41] Alternative Handelswege verlängern die Transportzeiten und erhöhen den Treibstoffverbrauch. Reeder und Logistikunternehmen preisen die gestiegenen Kosten für den Weltseeverkehr in ihre Kalkulation ein. Am Ende zahlen die Verbraucher.

Wenn wir uns also politisch aus dem Weltgeschehen heraushalten wollen, dann müssen wir über kurz oder lang dafür bezahlen – und die Frage ist, wie lange wir uns das leisten können und wollen. Eines ist klar: Die Welt um uns herum schert sich herzlich wenig darum, ob wir gerade mit uns selbst beschäftigt sind oder ob es uns lieber wäre, uns aus der ganzen Malaise herauszuhalten.

Die Skepsis vieler Deutscher, was eine aktivere Außenpolitik angeht, ist durchaus verständlich. Hasardeure von Wilhelm II. bis Adolf Hitler haben demonstriert, wohin weltpolitischer Größenwahn führt. Von dieser Krankheit ist unser Land hoffentlich für alle Zeit geheilt. Die Frage ist jedoch, ob wir uns nicht zu sehr auf das andere Extrem zubewegt haben: das Wegschauen und Heraushalten, weil die Probleme kompliziert sind oder weil wir uns darauf verlassen, dass jemand anders es schon richten wird.

Tatsache ist aber, dass es heute und morgen nicht mehr viele Akteure gibt, die es an unserer Stelle richten. Und Fakt ist auch, dass viele in der Welt mit besonders großen und berechtigten Erwartungen nach Berlin schauen. Denn so unwichtig und einflusslos, wie man das hierzulande oft glaubt, ist unser Land eben nicht.

Besonders nach der Wahl Donald Trumps las man: Kanzlerin Angela Merkel sei nun die Anführerin der freien Welt. Die Kanzlerin selbst machte klar: Sie hält dies für abwegig –

und natürlich hat sie damit recht. Selbst wenn wir wollten, könnten wir eine solche Führungsrolle nicht übernehmen. Uns fehlt es an vielem: an der notwendigen militärischen Macht, an der entsprechenden wirtschaftlichen Größe (selbst wenn wir heute zu den größten Volkswirtschaften zählen) und nicht zuletzt auch an der strategischen Tradition und Kultur.

Zeitungsartikel, die Deutschlands neue Bedeutung in der Welt bejubeln, können uns zwar schmeicheln, weil sie Ausdruck der Hoffnung sind, die viele Menschen außerhalb unseres Landes mit Deutschland verbinden. Auch wenn die letzte Bundestagswahl und die langen Monate schwieriger Regierungsbildung den globalen Enthusiasmus etwas gedämpft haben: Wir gelten heute als verlässlicher Fels in der Brandung, als eine Insel der Vernunft im Meer von Eitelkeiten und Irrationalitäten. Doch zugleich sind solche Artikel auch ein Weckruf: Wir werden gebraucht! Die traditionellen Hüter der Weltordnung scheinen nicht mehr in der Lage oder willens zu sein, ihrer Aufgabe nachzukommen. Das hat, wie eingangs schon erwähnt, die Bundesregierung nun erkannt und in ihrem Koalitionsvertrag die Förderung der Münchner Sicherheitskonferenz und anderer wichtiger Institutionen verkündet, die am Aufbau einer deutschen strategischen Kultur mitwirken.

Natürlich heißt das nicht, wir könnten ganz allein all die Probleme der Welt lösen. Aber wenn wir als Deutsche keinen starken Beitrag dazu leisten – wer soll es denn dann tun? Unser Land gehört immer noch zu den bevölkerungsreichsten Ländern der Erde (2016 standen wir auf Platz 16 dieser Liste). Deutschland ist, nach den USA, China und Japan, die viertgrößte Volkswirtschaft der Erde.

Wir selbst sehen uns gerne als eine große Schweiz, vielleicht als erfolgreiche Handelsnation, aber eben nicht als politischer Akteur auf der Weltbühne, der europäische Interessen entschlossen und notfalls auch unter Androhung oder Einsatz militärischer Macht vertritt. So bleibt eine Diskrepanz zwischen den Erwartungen der Partner und unserem Selbstbild: Während der deutsche Einfluss im Ausland überschätzt wird, wird er bei uns zu Hause unterschätzt.

Es gibt keine Mauer um das deutsche Bullerbü

Aus der nachvollziehbaren Sehnsucht der Menschen nach Frieden und Normalität versuchen falsche Propheten politisches Kapital zu schlagen. Sie behaupten, man könne sich der komplizierten und bedrohlichen Weltlage am besten dadurch entziehen, dass man die Grenzen dichtmacht und Deutschland den Deutschen vorbehält. Andere behaupten, es würde helfen, wir mischten uns generell nirgendwo anders mehr ein. Das Grundübel der Welt sei doch, dass der Westen überall interveniere.

Das ist ein Grundtenor, der in den letzten Jahren immer stärker geworden ist. Nach dem Motto »Das ist nicht unsere Aufgabe; halten wir uns besser raus!« beklagt man lieber den Zustand der Welt, als dass man tatsächlich etwas dagegen unternimmt. Die Wahrheit ist: Selbst, wenn wir wollten, können wir die Krisen in der Welt nicht ignorieren. Entweder wir kümmern uns um sie oder sie kommen zu uns. Zu glauben, man könne einfach eine Mauer um das deutsche Bullerbü ziehen, ist einfach dumm.

Natürlich ist es verständlich, wenn hierzulande Menschen fragen, ob es uns überfordert, wenn wir versuchen, anderen Ländern zu Stabilität und Ordnung zu verhelfen, während doch auch bei uns noch einiges im Argen liegt. Warum sollen wir uns der Bekämpfung der Armut in der Welt widmen, wenn die Schere zwischen Arm und Reich selbst in Deutschland immer weiter auseinanderdriftet? Warum sollen wir mehr Geld für die Bundeswehr ausgeben, wenn so vieles andere nicht funktioniert: Marode Schulen, veraltete Krankenhäuser oder defekte Brücken könnten sicher auch manche Finanzspritze gebrauchen.

Die Skepsis ist berechtigt. Aber mehr Geld für Sicherheit und Außenpolitik heißt eben nicht zwingend auch weniger Geld für Soziales und Innenpolitik; mehr Geld für die Welt nicht unbedingt weniger Geld für daheim. Das mag kurzfristig einmal so sein, wenn wir uns entscheiden müssen, wo knappe Mittel am besten eingesetzt werden sollten. Aber ohne aktives Engagement unseres Landes in einer zunehmend chaotischen und konfliktreichen Welt werden die Grundlagen unseres Wohlstands langfristig erodieren. Und dann werden auch die politischen und ökonomischen Spielräume zu Hause immer enger. Deswegen geht Außenpolitik jeden von uns etwas an. Gute Außenpolitik ist Vorsorge und Krisenverhinderungspolitik.

In welchem Ausmaß Ereignisse, die in anderen Regionen der Welt passieren, Auswirkungen auf das eigene Land haben, ist vielleicht dem einen oder anderen Deutschen gar nicht ausreichend bewusst. Doch eins ist klar: Wenn es in Nordkorea knallt, gehen auch in Wolfsburg oder Ingolstadt bald die Lichter aus.

Außenpolitik hat Auswirkungen auf die Innenpolitik, im Guten wie im Schlechten. Politische und ökonomische Sicherheit im Inneren geht nur, wenn Stabilität und Frieden auch außerhalb unserer Grenzen herrschen. Wir müssen Sicherheit exportieren oder zumindest projizieren, um unsere eigene Sicherheit zu gewährleisten.

Das heißt aber auch, dass es uns nicht egal sein kann, wie es unseren Partnern und ganz besonders unseren Nachbarn geht. Die Interessen Deutschlands sind mit denen seiner Nachbarn auf das Engste verflochten. Sie lassen sich nicht exklusiv definieren. Wir können und dürfen uns einer aktiveren Außenpolitik, wie unsere Nachbarn sie erwarten, nicht verweigern. Darauf hat Bundespräsident Gauck in seiner bereits erwähnten Rede vor der Münchner Sicherheitskonferenz 2014 deutlich hingewiesen.

Zugleich gilt es, in diesem globalen Geflecht aus Abhängigkeiten und Partnerschaften das notwendige Fingerspitzengefühl aufzubringen. Seine geografische Lage fordert von Deutschland ein besonders hohes Maß an außenpolitischer Rücksicht und Umsicht. Jede unserer Bewegungen löst Vibrationen im Geflecht europäischer und transnationaler Beziehungen aus.

Die Mittellage Deutschlands bringt zwar wirtschaftsstrategische Vorteile, zugleich aber auch ökologische und politische Hypotheken. Als zentrales Durchgangsland hat die Bundesrepublik zum Beispiel überproportional an den Verkehrswegekosten Europas zu tragen und ist besonders intensiv auf Abstimmung mit dem übrigen Europa angewiesen. Und gerade weil wir in großem Maße von unserer gemeinsamen Währung, dem Euro, profitieren, haben wir eine große Verantwortung gegenüber unseren Partnern. Europa ist und bleibt eine Schicksalsgemeinschaft. Uns kann es auf Dauer nur gut gehen, wenn es allen anderen zumindest nicht schlecht geht.

Keine einfachen Antworten auf komplizierte Fragen

Kommt das Gespräch auf außenpolitische Fragen, gesellt sich zu der bereits beschriebenen Ignoranz leider manchmal auch ein paternalistischer Größenwahn. Denn so wie sich viele Fußballfans für den besseren Nationaltrainer halten, fühlt sich auch mancher Zeitungsleser als besserer Außenminister. Da wird dann schnell mal eine Politik der klaren Kante zwischen die Biergläser gestellt, mit starken Worten ein simples Programm zur Konfliktlösung in die Debatte geworfen oder gar von militärischer Intervention schwadroniert, um in diesem oder jenem Land mal ordentlich aufzuräumen.

Richtig, es wäre besser, wenn man dem Diktator X und dem Tyrannen Y das Handwerk legt, statt ihm bei Staatsbesuchen die Hand zu schütteln. Doch leider ist es nicht so einfach. Wenn man in der Außenpolitik nur mit denen zusammenarbeiten würde, die man mag, könnte man viele Probleme gar nicht erst angehen.

Auch wird gern argumentiert, dass die Welt schon besser wäre, würden wir Deutschen überhaupt keine Rüstungsgüter mehr exportieren. Gewiss ist es wichtig und richtig, kritisch darüber zu diskutieren, ob und wohin wir Waffen liefern (und warum). Aber ein deutscher Alleingang in dieser Frage würde doch nur dazu führen, dass andere rasch die Lücken füllen und dass Rüstungskooperationsprojekte mit unseren Partnern in Europa auf der Kippe stünden. Das wiederum wäre für die zukünftige engere europäische Zusammenarbeit katastrophal.

Andere behaupten, man müsse nur die Sanktionen gegen Russland fallen lassen; schon seien die Probleme, die wir mit Moskau haben, wieder passé. Die Konsequenzen, die sich daraus nicht nur für uns, sondern auch für unsere Nachbarn und die Prinzipien unserer europäischen und internationalen Ordnung ergeben, werden dabei allzu gern ausgeblendet.

Wieder andere glauben, es sei nun wegen Trump an der Zeit, endlich unsere transatlantische Nabelschnur zu kappen, uns vom großen Bruder USA loszusagen und endlich ganz auf eigenen Beinen zu stehen. Aber wie soll das funktionieren, wenn Europa noch viele Jahre lang nicht in der Lage sein wird, sich selbst zu verteidigen? Sollen wir darauf hoffen, dass in der Zwischenzeit nichts Schlimmes passiert?

Einfache Antworten gibt es in der Außenpolitik selten. Wenn alles so einfach wäre, wie es am Stammtisch aussieht, wären die wichtigsten Probleme längst gelöst. Und auch komplexe Antworten führen nicht immer zu guten Lösungen.

Manchmal ist die am wenigsten schlechte Antwort die beste, die wir finden können. Wie schon gesagt: Außenpolitik findet oft in Schattierungen von Grau statt – nicht in Schwarz oder Weiß.

Genau aus diesem Grund fällt mir die Antwort nicht leicht, wenn ich nach dem Umgang mit den wichtigsten aktuellen Herausforderungen in der Außenpolitik gefragt werde. Den vielen Schattierungen der internationalen politischen Arbeit kann man nicht mit plakativen »Tipps & Tricks« begegnen. Das komplizierte Zusammenspiel von Politik, Diplomatie und ökonomischen und militärischen Mitteln, die Gratwanderung zwischen klarer Abgrenzung und notwendiger Gesprächsbereitschaft, die feine Balance zwischen Skepsis und Vertrauen – das alles lässt sich nicht mit einigen einfachen Sprüchen beantworten. Außenpolitik ist ein ewiges Livekonzert mit unzähligen Musikern, meist ohne Dirigent und Notenblatt. Es wird sicher nie vollends harmonisch ablaufen. Aber es muss auch nicht in ohrenbetäubendem Lärm ausarten, wenn es gelingt, sich wechselseitig zuzuhören, die von anderen gesetzten Tonarten aufzunehmen und ihnen mit eigenen Melodien kreativ zu begegnen. Zwar kann nicht jeder Musiker die erste Geige spielen, aber genauso wenig dürfen sich die stärksten Instrumentalisten nach hinten verdrücken.

Wenige Wochen vor seinem Tod beschwor mich mein früherer langjähriger Chef, Hans-Dietrich Genscher: Kümmern Sie sich! Kümmern Sie sich um das Projekt Europa und um die Vollendung unserer Politik der Versöhnung mit allen Nachbarn, insbesondere mit Russland.

Um diese Ziele zu verfolgen, sehe ich vor allem folgende Aufgaben für die deutsche Außenpolitik:

1. Europa muss handlungsfähiger, also »weltpolitikfähig« werden. Dazu gehören konkret außenpolitische Mehrheitsentscheidungen, die Verteidigungsunion und der Ausbau des Schutzes unserer europäischen Außengrenzen. Die zentrale deutsche Aufgabe muss es sein, zwei Kategorien von europäischen Staaten auf dieselbe Spur zu bringen: diejenigen, die

wissen, dass sie klein sind, und diejenigen, die das noch nicht wissen und denken, sie könnten ihre Ziele im nationalen Alleingang erreichen.

2. Europa kostet Geld, und wir müssen es uns was kosten lassen. Denn Deutschland profitiert überproportional von der europäischen Integration. Der französische Präsident Emmanuel Macron formulierte im November 2017 seine Vision für ein soziales Europa: »Une Europe qui protège.« Ein Europa, das seine Bürger und Unternehmen schützt. Marcon forderte mehr Investitionen in Bildung, mehr soziale Sicherheit. Er hat verstanden, was offenbar viele Deutsche erst noch begreifen müssen: Die EU ist ein Zukunftssicherungsprojekt! Was hätten wir von der schwarzen Null, wenn die EU-Zentrifugalkräfte siegen und die EU wieder in eine Gruppierung von Nationalstaaten zurückfallen sollte? Eine handlungsfähige und unsere Bürger schützende EU ist die mit Abstand beste Zukunftsinvestition. Die permanente Forderung, dass Europa nicht mehr kosten dürfe, ist falsch.

3. Deutschland muss eine strategische Kultur entwickeln. Bundespräsident Gauck hat es schon 2014 deutlich angemahnt: Deutschland muss mehr Verteidigung übernehmen. Die Sonderrolle, die wir aufgrund unserer Geschichte beansprucht haben, also die pazifistische Abstinenz, werden unsere Verbündeten nicht länger akzeptieren. Sie würde die Geltendmachung unserer eigenen Interessen im Übrigen nicht fördern, sondern behindern. Realismus tut not: Ohne militärische Machtmittel bleibt Diplomatie saft- und kraftlos. Es geht nicht darum, Waffen zum Einsatz zu bringen, sondern darum, sie zu besitzen, um notfalls mit ihnen drohen zu können. Auch, damit man sie nicht zum Einsatz bringen muss. Frieden schaffen ganz ohne Waffen funktioniert in unserer heutigen Welt leider nur sehr selten. Der Pazifist delegiert den Konflikt und seine Lösung an die anderen. Das ist bequem, aber zeugt nicht von Verantwortung und ist deshalb moralisch verwerflich.

4. Wir müssen Partnerschaften und Bündnisse pflegen und erhalten. Dazu zählt insbesondere auch die Partnerschaft mit den USA. Auch wenn mancher Anti-Amerikaner in Deutschland jetzt die endgültige Loslösung vorschlägt, kann ich nur empfehlen, die jahrzehntelang bewährte transatlantische Verbindung nicht einfach aufs Spiel zu setzen, sondern sich auch in sehr dissonanten Zeiten um eine Fortführung zu bemühen. Das Motto muss lauten: Engage, engage, engage! Amerika, das ist mehr als Donald Trump! Und es wird auch ein Amerika nach Trump geben, genauso wie übrigens ein Russland nach Putin. Außenpolitik ist dann klug, wenn sie langfristig angelegt ist.

5. Wir müssen Trennlinien durch Europa überwinden. Es bleibt eine wichtige deutsche Aufgabe, mit dem großen Nachbarn im Osten, Russland, den Ausgleich zu suchen, wie es der damalige Bundespräsident Richard von Weizsäcker schon vor knapp dreißig Jahren, am Tag der deutschen Einheit 1990, forderte: Nach dem Zerfall der Mauer durch Berlin und Deutschland müssen wir dafür sorgen, dass nicht weiter östlich eine neue Trennlinie durch Europa gezogen wird. Aber im gemeinsamen Haus Europa die Tür für Russland offen zu halten, darf nicht aus einer Position der Schwäche heraus passieren, sondern muss mit der klaren Forderung nach Gegenseitigkeit verknüpft sein. It takes two to tango! Und nichts darf im Verhältnis zu Russland über die Köpfe der Staaten »dazwischen« hinweg passieren. Diese Erinnerungen und Ängste sind in Warschau, aber auch in Kiew bis heute präsent.

6. Vertrauen ist das höchste Gut in der Außenpolitik. Ganz gleich, wie sich die Stimmung im Rest der Welt und sogar in anderen europäischen Ländern aufschaukelt, Deutschland sollte seine Außenpolitik mit ruhiger Hand und in einem Geist der Beständigkeit fortführen. Ein Satz des Bremer Bürgermeisters Arnold Duckwitz aus dem 19. Jahrhundert, den ich von Genscher gelernt habe, taugt als gutes Motto für die deutsche

Außenpolitik: »Ein kleiner Staat wie Bremen darf nie als Hindernis des Wohlergehens der Gesamtheit der Nation erscheinen, vielmehr soll er seine Stellung in solcher Weise nehmen, dass seine Selbstständigkeit als ein Glück für das Ganze, seine Existenz als eine Notwendigkeit angesehen wird. Darin liegt die sicherste Bürgschaft seines Bestehens.«

Im 21. Jahrhundert beruht Macht nicht mehr nur auf militärischen Ressourcen, der sogenannten »Hard Power«. Stattdessen gewinnt »Soft Power« immer mehr an Bedeutung, ein Begriff, den der amerikanische Politikwissenschaftler Joseph S. Nye geprägt hat. Für ihn war gerade die EU das beste Beispiel dafür, dass »Vorbildfunktion, Attraktivität und die Vermittlung eigener Normen und Werte«[42] wie Demokratie und Menschenrechte mehr zählen als Waffen und Soldaten. Die EU genießt eben deshalb große Autorität rund um den Globus, weil sie »ihrem Selbstverständnis nach als ›Zivilmacht‹ in der Welt auftritt«[43] – und stärker noch als andere auf Diplomatie und zivile Konfliktbearbeitung setzt. Freilich würde sie ihre Durchsetzungskraft stärken, wenn sie im Falle eines Falles auch mit dem Einsatz militärischer Mittel drohen oder sich jedenfalls glaubwürdiger selbst verteidigen könnte.

Neue Herausforderung der Außenpolitik im 21. Jahrhundert

Andere für die eigenen Ideen und Überzeugungen zu gewinnen ist der nachhaltigere Weg, politische Ziele zu erreichen, als andere durch Druck und Zwang auf die eigene Seite zu zerren. Die Erweiterungs- und Nachbarschaftspolitik der EU gehört deswegen ebenso zur »Soft Power« Brüssels wie Entwicklungs- oder Klimapolitik oder Maßnahmen zur Sicherung und Regulierung der digitalen Infrastruktur.

Denn wie schon erwähnt, beschränken sich die Herausforderungen der Außen- und Sicherheitspolitik längst nicht mehr auf Fragen von Krieg und Frieden:

Zu den großen Themen kommender Jahre und Jahrzehnte wird die Frage gehören, wie wir mit dem stetig wachsenden Migrationsdruck aus Afrika umgehen wollen. Angela Merkel hat sich dazu den Vorschlag eines Marshallplans für Afrika zu eigen gemacht. Einem Kontinent, der so rasant wächst wie Afrika, zu Beschäftigung, zu Wachstum, zu Stabilität zu verhelfen: Das ist eine Jahrhundertaufgabe für Europa und die gesamte internationale Gemeinschaft.

Auch Probleme staatlicher Gesundheitsversorgung können leicht zu Problemen der internationalen Sicherheit werden. Seit die Pest, der »Schwarze Tod«, Europas Bevölkerung im 14. Jahrhundert um ein Drittel dezimierte, wissen Staaten um die katastrophale Bedrohung, die von Krankheiten ausgeht, und versuchen, ihre Bewohner vor tödlichen Epidemien zu schützen. 2014 konnten wir zuletzt erleben, wie in Folge der heftig grassierenden Ebola-Epidemie die politische Destabilisierung großer Teile Westafrikas drohte; Ruhe kehrte erst wieder ein, als die Epidemie unter großer Kraftanstrengung der Weltgemeinschaft eingedämmt werden konnte. 11 000 Opfer waren der Epidemie zum Opfer gefallen.

»Die Gesundheit eines Menschen ist zunehmend auch die Gesundheit anderer« hat Bundeskanzlerin Merkel 2017 die Bedrohung durch Pandemien auf den Punkt gebracht. Dennoch: Viele Staaten verfügen nicht über die von den internationalen Gesundheitsvorschriften geforderten Systeme, die es ihnen ermöglichen würden, Infektionskrankheiten innerhalb ihrer Grenzen zu erkennen und zu bekämpfen.

Zu den Risiken für unsere kollektive Gesundheit – und damit Sicherheit – gehört heute auch das zunehmende Versagen von Antibiotika zur Behandlung von Infektionen. Auch die Erderwärmung hat Auswirkungen auf die Gesundheit der Weltbevölkerung: So kam es etwa durch die Vergrößerung des

Mückenhabitats zu einer Ausbreitung von schweren Dengue-Fieber-Ausbrüchen von sieben auf hundert Länder. Das Risiko der Verbreitung von Krankheiten wird durch den zunehmenden Flugverkehr und den weltweiten Mangel an medizinischem Personal noch verstärkt.

Auch darüber hinaus ist der Klimawandel eine wachsende Bedrohung für unsere nationale Sicherheit. Vermehrte Naturkatastrophen führen zu Flüchtlingsströmen und Konflikten über grundlegende Ressourcen wie Nahrung und Wasser. Eine Zunahme extremer meteorologischer Ereignisse, Dürreperioden und Bodendegradation sowie der Anstieg der Meeresspiegel können politische Fragilität und Ressourcenkonflikte verschärfen, wirtschaftliche Härten und Massenwanderungen verstärken und ethnische Spannungen und Bürgerkriege anstacheln.

Etwa siebzig Prozent aller Staaten stufen den Klimawandel ausdrücklich als ein Problem der nationalen Sicherheit ein. Das bahnbrechende Klimaabkommen, das im Dezember 2015 in Paris unterzeichnet wurde, war deswegen eine große Errungenschaft der französischen Diplomatie.

Die neuste große Herausforderung der Außen- und Sicherheitspolitik heißt Cyber-Sicherheit. Die bisher größten Schäden, die Cyber-Attacken angerichtet haben, waren offenbar der Diebstahl von Regierungs- und Unternehmensdaten ebenso wie von privaten Daten. Nachrichten über einen Angriff auf ein ukrainisches Versorgungsunternehmen, der Berichten zufolge ein großes Stromnetz niedergerissen und 700 000 Haushalte betroffen hat, zeigen aber die Notwendigkeit, sich gegen aggressivere Arten von Cyper-Angriffen zu rüsten. Auch der Skandal um die Nutzung von Facebook-Daten zur subtilen Beeinflussung des amerikanischen Wahlkampfs, wie sie die britische Firma Cambridge Analytica 2016 offenbar unternommen hat, zeigt die wachsende Bedeutung von technischen Fragen für die nationale Souveränität und Sicherheit. Die USA und China einigten sich bereits im September 2015 in einem

Cyber-Abkommen darauf, dass keine der beiden Regierungen den Cyber-gestützten Diebstahl von geistigem Eigentum betreiben oder wissentlich unterstützen wird. Aber Vereinbarungen wie diese beziehen sich auf den kommerziellen Bereich, nicht auf Regierungsdaten – wenn sie überhaupt eingehalten werden.

Staaten und nichtstaatliche Akteure drängen zudem auch auf die Regulierung tödlicher autonomer Waffensysteme (»LAWS«). Unsere Armeen nutzen bereits Roboter, um Sprengstoffe zu entschärfen. Neue Aufgaben und Möglichkeiten treten hinzu. Unternehmen entwickeln bewaffnete Roboter und automatische Geschütztürme, die Ziele identifizieren, verfolgen und abschießen können. US-Drohnen, ferngesteuert von Soldaten in der Wüste von Nevada, greifen Ziele im Jemen oder in Pakistan an.

Insbesondere Fortschritte in der Künstlichen Intelligenz (Artificial Intelligence, kurz AI) haben das Potenzial, die globale Sicherheitslage und die Bedingungen für den Einsatz von Frieden und Stabilität fundamental zu verändern. Die tatsächlichen Effekte des technologischen Fortschritts sind zurzeit schwer abzuschätzen. Wahrscheinlich ist jedoch, dass sie das Verhältnis zwischen Mensch und Maschine nachhaltig transformieren. Wie beispielsweise wird es militärische Strategieplanung beeinflussen, wenn die Geschwindigkeit, mit der intelligente Maschinen arbeiten, die menschliche Fähigkeit bald überschreitet, diese Prozesse nachzuvollziehen? Nicht auszuschließen ist zudem, dass AI die bisherige Logik militärischer Überlegenheit grundlegend auf den Kopf stellt. Macht im 21. Jahrhundert, so glauben China und Russland schon jetzt, wird eine Frage technologischer Führerschaft. Deshalb investieren sie große Summen in ihre AI-Fähigkeiten und hoffen, die USA bald als stärkste Militärmacht abzulösen. Und schließlich: Wenn Maschinen bald in der Lage sind, ohne menschliche Kontrolle oder Genehmigung auf dem Schlachtfeld zu agieren, birgt dies tiefgreifende ethische Dilemmata. Was bedeutet diese Möglichkeit beispielsweise für das humanitäre Völkerrecht? So wie Physiker in den 1940er-Jahren vor Atomwaffen warnten, drängen heute Experten auf dem Gebiet der Künstlichen Intelligenz politische Entscheidungsträger dazu, Maßnahmen zu ergreifen, um ein Wettrüsten in diesem Bereich zu verhindern. Die Vereinten Nationen haben im Rahmen des Übereinkommens über bestimmte konventionelle Waffen (CCW) begonnen, sich mit dem Thema zu befassen.

Diese Weltveränderungsprozesse betreffen den Einzelnen direkt. Sie haben unmittelbare Auswirkungen auf seine persönliche Freiheit und Sicherheit. Deshalb ist es so wichtig, dass wir aktuelle Entwicklungen und zukünftige Gefährdungen ernst nehmen und – statt wegzuschauen – uns gemeinsam und aktiv mit ihnen auseinandersetzen. Nur so können wir uns wappnen für das, was da kommt.

Es gab schon Zeiten, in denen sich die Außenpolitik vor einfachere Aufgaben gestellt sah. Aber es gab eben auch schon weit schlimmere Zeiten. Trotz der vielfältigen Herausforderungen schaue ich positiv in die Zukunft. Denn ich habe in meiner langen Karriere die Erfahrung gemacht, dass sich Dinge durch beharrliche Arbeit zum Besseren wenden lassen.

Ich bin überzeugt davon, dass sich Bemühungen für Frieden und Sicherheit auszahlen, ich glaube an eine friedlichere globale Zukunft. Wir werden diese Zukunft aber nicht erreichen, wenn wir glauben, die Krisen in der Welt aussitzen oder gar ignorieren zu können.

Wir müssen dem vielfachen Verlust an Vertrauen in der Welt entschlossen entgegentreten. Und zwar mit dem Selbstvertrauen, dass wir die Probleme lösen können, wenn wir sie nur entschlossen genug und unablässig anpacken. Wie schön hat das Friedrich Hölderlin formuliert, der in meiner Heimatstadt Nürtingen aufwuchs: »Wo aber Gefahr ist, wächst das Rettende auch!«[44]

Quellen

I Welt aus den Fugen

1   Hans M. Kristensen und Robert S. Norris: Status of World Nuclear Forces, Federation of American Scientists, https://fas.org/issues/nuclear-weapons/status-world-nuclear-forces/(letzter Zugriff am 13. 06. 2018); siehe auch SIPRI: Modernization of nuclear weapons continues; number of peacekeepers declines: New SIPRI Yearbook out now, 18. 06. 2018, https://www.sipri.org/media/press-release/2018/modernization-nuclear-weapons-continues-number-peacekeepers-declines-new-sipri-yearbook-out-now (letzter Zugriff am 18. 06. 2018).
2   Ebd.

2 Die Kunst der Diplomatie

3   Regierungserklärung des Bundeskanzlers Gerhard Schröder zu den Anschlägen in den Vereinigten Staaten von Amerika vom 12. 09. 2001, http://www.documentarchiv.de/brd/2001/rede_schroeder_terror-usa.-html (letzter Zugriff am 13. 06. 2018).
4   W. H. Auden: Sonnets from China, Copyright © 1958 by W.H. Auden. Veröffentlicht mit Genehmigung Nr. 71 807 der Paul & Peter Fritz AG in Zürich.

3 America First – Supermacht, die nicht mehr Weltpolizist sein will

5   Ben Blanchard und Chris Buckley: Die amerikanische Definition von Folter, Stern, 07. 12. 2005, https://www.stern.de/politik/ausland/

hintergrund-die-amerikanische-definition-von-folter-3496414.html
(letzter Zugriff am 13.06.2018).

6 Übersetzung von Andreas Ross, http://www.torindiegalaxien.de/
erde08/islam-rede-obama.html (letzter Zugriff am 13.06.2018).

7 Die Absätze stammen aus dem folgenden Artikel: Wolfgang Ischinger:
Einbinden, Einfluss nehmen. Wie Europa mit den neuen Verhält-
nissen in Washington umgehen sollte – und wie nicht, Süddeutsche
Zeitung, 14.02.2017, http://www.sueddeutsche.de/politik/
aussenansicht-einbinden-einfluss-nehmen-1.3378986 (letzter Zugriff
am 13.06.2018).

4 Russland – Vom gemeinsamen Haus Europa zum neuen Kalten Krieg?

8 Sebastian Fischer: Sicherheitskonferenz in München. Putin schockt
die Europäer, Spiegel Online, 10.02.2007, http://www.spiegel.de/
politik/ausland/sicherheitskonferenz-in-muenchen-putin-schockt-
die-europaeer-a-465634.html (letzter Zugriff am 13.06.2018).

5 Krieg in Syrien – Eingreifen oder wegsehen?

9 Hans M. Kristensen und Robert S. Norris: Status of World Nuclear
Forces, Federation of American Scientists, http://fas.org/issues/
nuclear-weapons/status-world-nuclear-forces/ (letzter Zugriff am
13.06.2018).

10 Nobelpreisträgerin Tawakkul Karman zitiert in Michael Thumann: Ich bin bereit zu sterben, Die Zeit, 13.10.2011, https://www.
zeit.de/2011/42/P-Tawakkul-Karman (letzter Zugriff am
13.06.2018).

11 Jana Hauschild: Persönlichkeit von DDR-Bürgern. Ein Land, zwei
Seelen, Spiegel Online, 09.06.2016, http://www.spiegel.de/wissen-
schaft/mensch/ddr-buerger-persoenlichkeit-ein-land-zwei-seelen-a-
1096449.html (letzter Zugriff am 13.06.2018).

12 André Glucksmann: Wir müssen schützen, Die Welt, 29.03.2011,
https://www.welt.de/print/die_welt/debatte/article12994941/Wir-
muessen-schuetzen.html (letzter Zugriff am 13.06.2018).

13 Joachim Gauck: Wir müssen sehen lernen, was ist, Dankesrede
anlässlich der Verleihung des Börne-Preises 2011, 21.02.2012.

14 Münchner Sicherheitskonferenz. Gaucks Eröffnungsrede im Wortlaut, Zeit Online, 31. 01. 2014, https://www.zeit.de/politik/ausland/2014-01/ gauck-muenchner-sicherheitskonferenz-eroeffnungsrede (letzter Zugriff am 13. 06. 2018).

15 Joachim Gauck: Wir müssen sehen lernen, was ist, Dankesrede anlässlich der Verleihung des Börne-Preises 2011, 21. 02. 2012.

16 André Glucksmann: Wir müssen schützen, Die Welt, 29. 03. 2011, https://www.welt.de/print/die_welt/debatte/article12994941/Wir-muessen-schuetzen.html (letzter Zugriff am 13. 06. 2018).

17 Anne-Marie Slaughter: Hilfe für die Wehrlosen. Ein Plädoyer für den Libyen-Krieg – und gegen seine Ausweitung, Die Zeit, 07. 04. 2011, http://www.zeit.de/2011/15/Libyen (letzter Zugriff am 13. 06. 2018).

6 Frieden schaffen ohne Waffen? – Außenpolitik und militärische Macht

18 Zitiert in Manfred Rowold: Dayton – Synonym für Frieden oder Krieg, Die Welt, 03. 11. 1995, https://www.welt.de/print-welt/article663530/ Dayton-Synonym-fuer-Frieden-oder-Krieg.html (letzter Zugriff am 13. 06. 2018).

19 Abgedruckt in: Die Welt, Dayton – Synonym für Frieden oder Krieg, 3. 09. 1995 – picture alliance/ASSOCIATED PRESS, Joe Marquette.

20 Zitiert in Manfred Rowold: Dayton – Synonym für Frieden oder Krieg, Die Welt, 03. 11. 1995, https://www.welt.de/print-welt/article663530/ Dayton-Synonym-fuer-Frieden-oder-Krieg.html (letzter Zugriff am 13. 06. 2018).

21 Ebd.

22 Deutsche Außenpolitik 1995. Auf dem Weg zu einer Friedensregelung für Bosnien und Herzegowina: 53 Telegramme aus Dayton. Eine Dokumentation, herausgegeben vom Auswärtigen Amt, August 1998.

23 Greift den Strohhalm. Die deutsche Rolle bei den Friedensgesprächen in Dayton, Der Spiegel, 27. 11. 1995, http://www.spiegel.de/spiegel/ print/d-9236636.html (letzter Zugriff am 13. 06. 2018).

24 Lothar Gall: Bismarck. Der weiße Revolutionär, Ullstein-Verlag, 1997, S. 482.

25 Ebd.

26 Die Absätze von »Nie zuvor ...« bis »... Schuld und Verantwortung schaffen« entstammen dem folgenden Gastbeitrag: Wolfgang Ischinger: Europa hat in Syrien versagt, Handelsblatt, 12. 10. 2016.

7 Die Vereinten Nationen – Wer sorgt für die Weltordnung?

27 Zitiert in Stefan Niemann: Nach mutmaßlichem Giftgasangriff. Gemeinsame Luftangriffe auf Syrien, Tagesschau, 14. 04. 2018, http://www.tagesschau.de/ausland/trump-militarschlag-syrien-101.html (letzter Zugriff am 13. 06. 2018).

28 Liste der Vetos im UN-Sicherheitsrat seit 1946, http://www.un.org/depts/dhl/resguide/scact_veto_table_en.htm (letzter Zugriff am 13. 06. 2018).

29 Siehe Georg Kreis: Umstrittenes Privileg der Mächtigen, NZZ, 23. 10. 2013, https://www.nzz.ch/umstrittenes-privileg-der-maechtigen-1.18171922 (letzter Zugriff am 13. 06. 2018).

30 USA und Verbündete drehen Nordkorea den Ölhahn zu, Die Welt, 15. 11. 2002, https://www.welt.de/print-welt/article421668/USA-und-Verbuendete-drehen-Nordkorea-den-Oelhahn-zu.html (letzter Zugriff am 13. 06. 2018).

31 Stephan Ueberbach: Braucht die Welt G20-Gipfel? Contra. Das ist Kolonialismus 2.0, SWR Aktuell, 07. 07. 2017, https://www.swr.de/swraktuell/contra-braucht-die-welt-g20-gipfel-das-ist-kolonialismus-2/-/id=396/did=19854132/nid=396/1l9iz0x/index.html (letzter Zugriff am 13. 06. 2018).

32 Peter Heilbrunner: Braucht die Welt G20-Gipfel? Pro. Das Sprechen an sich ist ein Wert, SWR Aktuell, 07. 07. 2017, https://www.swr.de/swraktuell/pro-braucht-die-welt-g20-gipfel-das-sprechen-an-sich-ist-ein-wert/-/id=396/did=19854560/nid=396/1eluwsx/index.html (letzter Zugriff am 13. 06. 2018).

33 Tanja Brühl und Elvira Rosert: Die UNO und Global Governance, Springer Verlag, 2013.

8 Europa – Nur gemeinsam stark

34 Eurostat: Internationaler Warenverkehr im Jahr 2016, http://ec.europa.eu/eurostat/documents/2995521/7958470/6-29032017-AP-DE.pdf/df5d18a8-7539-4ca3-88a5-c98a0da22382 (letzter Zugriff am 13. 06. 2018).

35 UN Department of Economic and Social Affairs (UN/DESA) zitiert in Bevölkerungsstand und -entwicklung, Bundeszentrale für politische Bildung, 23. 7. 2011, http://www.bpb.de/nachschlagen/

zahlen-und-fakten/europa/70497/bevoelkerungsstand-und-entwick-lung (letzter Zugriff am 13. 06. 2018).

36 Erreicht Deutschland das Zwei-Prozent-Ziel der Nato? SZ.de, 18. 02. 2017, http://www.sueddeutsche.de/news/politik/international-erreicht-deutschland-das-zwei-prozent-ziel-der-nato-dpa.urn-newsml-dpa-com-20090101-170218-99-341518 (letzter Zugriff am 13. 06. 2018).

9 Außenpolitik im 21. Jahrhundert – Herausforderungen und Chancen

37 James Manyika, Jacques Bughin, Susan Lund, Olivia Nottebohm, David Poulter, Sebastian Jauch und Sree Ramaswamy: Global flows in a digital age, McKinsey Global Institute, April 2014, https://www.mckinsey.com/business-functions/strategy-and-corporate-finance/our-insights/global-flows-in-a-digital-age (letzter Zugriff am 13. 06. 2018).

38 World Ocean Review: Ein dynamischer Markt – der Weltseeverkehr, https://worldoceanreview.com/wor-1/transport/der-weltseeverkehr/ (letzter Zugriff am 13. 06. 2018).

39 Ebd.

40 World Ocean Review: Piraterie und Terrorismus im globalen Seeverkehr, https://worldoceanreview.com/wor-1/transport/piraterie-und-terrorismus/ (letzter Zugriff am 13. 06. 2018).

41 Ebd.

42 Bundeszentrale für politische Bildung: Soft Power, http://www.bpb.de/nachschlagen/lexika/das-europalexikon/177268/soft-power (letzter Zugriff am 13. 06. 2018).

43 Ebd.

44 Friedrich Hölderlin: Patmos, 1802.

Personenregister

Econ ist ein Verlag
der Ullstein Buchverlage GmbH

ISBN 978-3-430-20249-7

4. Auflage 2018
© Ullstein Buchverlage GmbH, Berlin 2018
Alle Rechte vorbehalten
Gesetzt aus der Scala OT und Gill Sans Light
bei LVD GmbH, Berlin
Druck und Bindearbeiten: GGP Media GmbH, Pößneck
Printed in Germany

Hans Rosling
mit Anna Rosling Rönnlund und
Ola Rosling

Factfulness

Aus dem Englischen von Hans Freundl,
Hans-Peter Remmler und
Albrecht Schreiber.
Gebunden mit Schutzumschlag.
Auch als E-Book erhältlich.
www.ullstein-buchverlage.de

»Dieses Buch ist mein Versuch, Einfluss auf die Welt zu
nehmen: die Denkweise der Menschen zu verändern,
ihre irrationalen Ängste zu lindern und ihre Energien
in konstruktives Handeln umzulenken.« Hans Rosling

Unser Gehirn verführt uns zu einer dramatisierenden
Weltsicht, die mitnichten der Realität entspricht. Hans
Rosling entwirft ein revolutionäres Programm, mit
dem wir endlich zu den Fakten zurückkehren und die
Welt so sehen können, wie sie tatsächlich ist – und
nicht, wie wir glauben, dass sie ist.

»Eines der wichtigsten Bücher, die ich je gelesen habe – ein
unverzichtbarer Leitfaden, um unsere Sicht auf die Welt zu
überprüfen und uns daran neu auszurichten.«
Bill Gates

»Man atmet mit jedem Kapitel ein bisschen auf.«
NZZ

ullstein

Stefan Baron
Guangyan Yin-Baron

Die Chinesen
Psychogramm einer
Weltmacht

Gebunden mit Schutzumschlag.
Auch als E-Book erhältlich.
www.econ.de

»Ein spannendes und außerordentlich lehrreiches
Buch.« *Sigmar Gabriel*

Nie zuvor war unsere Zukunft so sehr mit China verknüpft wie heute. Und das nicht nur im Hinblick auf
unsere Arbeitsplätze und unser wirtschaftliches Wohlergehen, sondern auch auf unsere Art zu leben und
die Bewahrung des Weltfriedens. Zugleich erscheint
uns das ferne Riesenreich seltsam fremd und undurch-
schaubar. Mit seinem ebenso tiefschürfenden wie
hochaktuellen Porträt des Volkes, das wie kein anderes
die Welt von morgen prägen wird, legt das deutschchi-
nesische Autorenpaar ein unverzichtbares Standard-
werk zum Verständnis der Chinesen vor.

Econ